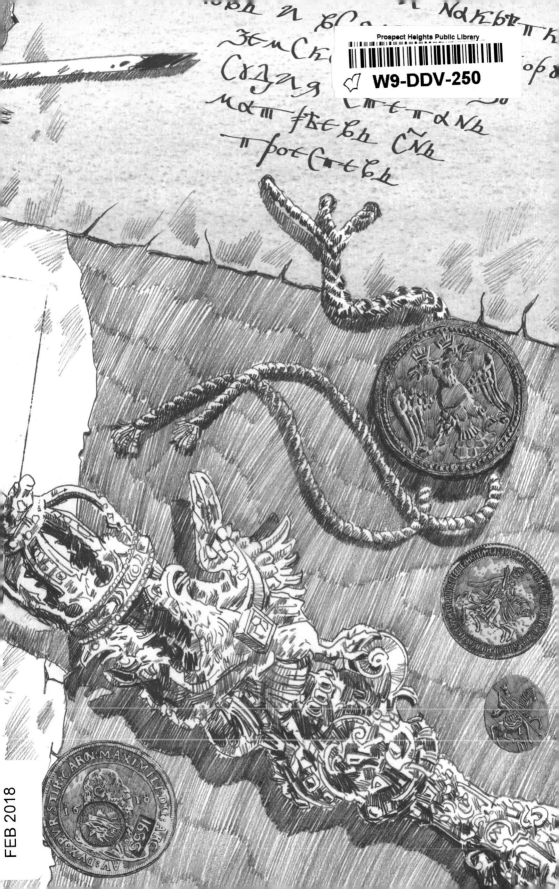

ИСТОРИЯ РОССИЙСКОГО ГОСУДАРСТВА

БОРИС АКУНИН

СЕДМИЦА ТРЕХГЛАЗОГО

Издательство АСТ
Москва

УДК 821.161.1
ББК 84(2Рос=Рус)6
   А44

*Серия «История Российского государства»
издается с 2013 года*

Научные консультанты — М. Черейский, О. Ковалевская, А. Терещенко

Оформление переплета — А. Ферез

Иллюстрации — И. Сакуров

Заставки и концовки — М. Душин

Акунин, Борис

А44   Седмица Трехглазого: [роман, пьеса]. — Москва: Издательство АСТ,
2017. — 304 с.: ил. — (История Российского государства).

ISBN 978-5-17-082573-8

«Он вдруг увидел перед собой всю свою длинную-предлинную жизнь как одну краткую седмицу: с трудоначальным понедельником, юновесенним вторником, мужественной серёдой, сильным четвертком, зрелой пятницей, грозовой субботой и тихим, светлым воскресеньем...» На нем — вся московская стража, блюдение городского порядка, сыск преступлений. Он расследует злодеяние за злодеянием, а перед глазами читателя между тем проходит не только череда невероятных приключений «старомосковского Шерлока Холмса», но и весь семнадцатый век, с его войнами, лихими разбойниками и знаменитыми бунтами (роман «Седмица Трехглазого»).

В качестве бонуса для любителей истории в том включена пьеса «Убить змееныша», завершающая тему семнадцатого столетия.

**УДК 821.161.1
ББК 84(2Рос=Рус)6**

СЕДМИЦА ТРЕХГЛАЗОГО

Роман-календариум

Понеделок
БАБОЧКА

Монах тряхнул седой головой, отгоняя дремоту, и Маркелка толкнул приятеля под столом коленкой: потягучей давай, пораспевнее.

Затянули на два голоса еще медленнее, тише:

— «*Всякую шаташася языци, и людие поучашася тщетным...*»

Об это время отец Гервасий всегда клевал носом от предвечерней истомы, а бывало, что и засыпал. Отроки понемногу убавляли силу голоса. Истомка водил пальцем по книге, Маркелка пел так. Память у него была исключительной цепкости, он мог хоть весь Псалтырь прогундосить от корки до корки.

— «*Предсташа царии земстие, и князи собрашася вкупе...*»

Ага! Уронил голову на грудь, засопел. Теперь можно было псалом не заканчивать. Но шуметь пока не следовало. Первый сон у учителя был мелкий.

Посему затеяли молчаливую игру в гляделки, кто кого переглядит. Победил, конечно, Маркелка. Он умел строить зверообразные рожи — то глаза к носу сведет, то пальцами растянет рот до ушей, а Истомка был смешлив. Начнет киснуть — на длинных девчачьих ресницах сразу выступают слезы, ну и смаргивал.

На восковой дощечке для письменного урока, где поверху было выведено лишь нынешнее число «Лета 120-го августа

10 дня в понеделок», проигравший согласно уговору накалякал стилусом: «Аз Истомка Батурин дурья башка и свиное рыло». Написал и тут же затер. Во-первых, обидно, а во-вторых, вдруг Гервасий пробудится? За такое глумление над наукой быть Истомке драным иль, хуже того, посаженным на сухоядение, хлеб с водой.

Однако Гервасий просыпаться не думал. Причмокнул проваленным беззубым ртом, всхрапнул, а это значило, что сон уже глубок и можно пошептаться.

— Сегодня понеделок. Твоя Бабочка придет. Хорошо б земляники принесла, — замечтал Истомка.

— Какая земляника в августе. Сейчас смородина, малина.

— Тоже неплохо бы.

Шептаться они могли, а встать из-за стола и уйти ни-ни. Даже на цыпках. От скрипа монах сразу пробудится, проверено.

Занятия проходили в Дубовой палате, где когда-то вкушала трапезы монастырская братия. Посреди палаты — каменный столп, а стены ради зимнего тепла обшиты дубовой доской, и полы тоже дубовые — потому так и звалась, Дубовой. Тем доскам лет сто или двести, и продержатся еще столько же, но их давным-давно не мшили, не паклевали, и дерево ужалось, подсохло. В стенах и особенно в полу большущие щели, иные в вершок и даже в два вершка. Там, внизу, своя жизнь: копошатся мыши, трещат сверчки, живет кикимора.

Сама Дубовая палата находилась в Трапезном корпусе, единственном каменном строении Неопалимовской обители, некогда богатого и людного монастыря. Раньше было в монастыре два храма, теплый да холодный, были многочисленные кельи, конюшни, гостиные избы, амбары, стены с башнями, а братии считалось до полутора сотен, но пять лет назад литовские люди иноков порубили и всё пожгли, только Трапезная и устояла. Из монахов уцелел один Гервасий. Говорит, что чудом Господним, а на самом деле благодаря схрону. Здесь, в Дубовой палате, со старинных времен устроен тайный чуланчик: две обшивные доски крепятся на незаметных петлях, и в стене малая ниша — прятать ценное. Когда напала литва — наскоком,

Понеделок. БАБОЧКА

неожиданно, так что и ворот затворить не успели, отец Гервасий, монастырский книжник, сидел в Трапезной, чинил переплеты. Спрятался в схрон, пересидел лихо. Спас себя и четыре книги, какие успел схватить: букварь, псалтырь, «Часослов» и «Смарагд веры». Ими, оставшись одинешенек, и кормился.

Сначала он пробовал брать плату с путников за ночлег. Рядом проходил великий Смоленский шлях, а дома в округе все порушены, целой крыши не сыскать. После того первого, литовского, разорения были и другие. Кто только не озоровал: поляки, казаки, свои русские. В придорожных деревнях давно никто не живет, лишь одичавшие собаки. А в бывшем монастыре каменное здание, почти целое, и хозяином в нем Гервасий. Однако жить постоянным доходом у старика не вышло. По шляху не боялись ездить только люди сильные, хищные, оружные. Эти ничего не платили — спасибо, если не прибьют. Прочие же крались тихо и укромно, обочинами. Да и платить за ночлег им было нечем. Которые просились под крышу Христа ради, отдаривались краюшкой хлеба, щепотью соли, парой репок или морковок. Давно подох бы монах от таких прибытков, если б не учительство.

А только и с этим было худо. От великой хлебной скудости, от ужасного повсеместного воровства и грабительства разбрелись люди подальше от шляха, забрали детишек с собой. Осталось у Гервасия два ученика: Маркел с Истомкой.

Маркел — потому что Бабочка жила в глухом лесу и лихих людей не боялась. Истома — потому что его родитель, боровский воевода, поклонился Гервасию всем, что имел: дал связку вяленой рыбы и мешок муки за призрение сынка, а сам ушел спасаться куда глаза глядят. Не над кем ему стало воеводствовать. Ни стрельцов в Боровске не осталось, ни жителей.

Но рыба с мукой давно съедены, воевода бродил невесть где или, может, давно сгинул, и Истомка теперь жил нахлебником, чем Гервасий ему каждодневно пенял, а плату давал только Маркелка, верней Бабочка. Ее понедельничными приношениями и выживали.

...Под полом зашуршало громче обычного. Может, залезла приблудная кошка подхарчиться мышами, но Маркелка решил со скуки попугать приятеля:

— Кикимора заворочалась, — шепнул он. — Тоже и ей жрать охота.

Истомка забоялся, он был робкий.

— В опоганенных монастырях всегда нечисть селится... — Заежился. — Эх, сыскать бы где настоящую обитель. С церковой, с братией, с кельями. Затвориться бы от всего... Жить мирно, на службы ходить, послушания исполнять, молиться. То-то отрада, то-то счастье.

Маркелка фыркнул.

— Дурак ты. На что тебе в монахи? Ты ж дворянский сын! У тебя родовое имя есть, а вырастешь — будет и отчество. Нацепишь саблю, сядешь на коня, будешь служить царю, как батька — воеводой.

— Чем служить? — Истомка кисло вздохнул. — Поместья нету, дома нету, крестьяне разбежались. И кому служить-то? Царя тоже нету. В Москве ляхи, под Москвой казаки, да рязанское земское войско, да теперь еще, вишь, какое-то нижегородское...

От беспокойного придорожного житья была единственная польза — проходящие-проезжающие рассказывали, что творится на Руси. А творилось который год одно и то ж: все со всеми воюют, все друг дружку режут, в поле шалят разбойники, в лесах — шиши, в городах — тати. Еще есть ночные оборотни — днем люди как люди, а в темное время для прокормления берут кистень, грабят.

— В монастырь надо, в хороший. Там тихо, там спасение, — всё тосковал Истомка.

— Жгут и монастыри. Забыл? Выгляни в оконце, полюбуйся.

Приятель покосился на узкое окошко с выбитой рамой. Оттуда посмотреть — видно порушенные стены, пепелище, крест над братской могилой.

— Тогда давай в лес уйдем. Попроси Бабочку. Пусть заберет тебя. И меня с собой возьмите, не оставляйте здесь.

Понеделок. БАБОЧКА

Глаза Истомки опять наполнились слезами, уже не от смеха. Про лес он сказал без надежды, а чтоб себя пожалеть.

— Там хорошо, — согласился Маркелка. — Не пойму, отчего люди леса боятся. В чащобе и захочешь — не пропадешь. Она накормит, напоит, укроет. Хищный зверь без причины не нападет, а о злых людях лес издалека предупредит. Хлеба только нет, но на кой он нужен? Бабочка из грибной муки с травами знаешь какие лепехи печет? Их горячие трескать — ничего лучше нету.

Оба сглотнули. Истомка от голода, Маркелка от воспоминания, как хорошо жилось в лесу. Прошлой осенью Бабочка чуть не волоком притащила внука в монастырь, на ученье-мученье. Она сама девчонкой росла с монашками, читала книги. Говорила, что без книжного знания прожила бы свой век, как куница или глупая белка, думая, будто лес и есть весь мир. Своего сына, Маркелкиного батю, Бабочка мальчиком тоже отдала учиться, а потом отпустила погулять по белому свету — чтоб после, когда вернется, не тосковал от лесной жизни, а понимал: в ней одной воля и покой. Батя гулял по миру шесть лет. Ушел отроком, вернулся мужем. И жену привел. Она была городская, чащи-болота боялась, поэтому родители поставили избушку на краю меж лесом и полем. Там Маркелка и родился, но ничего этого — ни избушки, ни поля, ни отца-матери не запомнил, маленький был. Зато Бабочка была всегда, и деревья над головой, и крик тридцати разных птиц, зимой треск очага, летом комариный звон. Мошкара висела над болотом тучей, но жалилась только в самый первый день. Если мошек-комаров не бить, не обижать, а приговаривать: кушайте, детушки, насыщайтеся, тоже и вам жить надо, то потом они уже не трогали, а лишь звенели радостно. Плохих людей в лесу не важивалось. Никаких не важивалось. Не добирались они до глухой чащи, не знали пути на болотный островок, где Маркелка жил с Бабочкой, и был он в лесу как царевич при царице.

И от такого вот привольного жития угодил в каменный плен к Гервасию. Главное, все четыре книги давно уже вызубрил наизусть, но чертов монах врал Бабочке, будто ведает еще некую сокровенную науку, до которой Маркелка пока не доучился, а нет никакой науки, просто старый брехун боится остаться без лесных приношений.

— А знаешь чего, — шепнул Маркелка и еще сам себе кивнул в знак решимости. — Нынче же скажу Бабочке, что боле тут жить не желаю. Или пускай Гервасий ей скажет, чему он меня недоучил, или уйду. И тебя с собой возьмем. Хочешь?

— Хочу! Очень хочу! — вскричал Истомка в голос.

Монах дернулся, разлепил веки.

— Пошто орешь? Поди-тко, ученик нерадивый. Персты на стол.

И указкой Истомку по пальцам, по пальцам.

Тот запищал, заканючил, а Маркелка на старика глядел дерзко. Его Гервасий никогда не наказывал. Бабочка, отдавая внука в учение, бить его не велела. Монах удивился — как это учить без битья? Всех бьют. Она ему в ответ: «Пускай всех бьют, а моего бить не будут».

Так и вышло: воеводского сына учитель и лупил, и на хлеб-воду сажал, и заставлял чистить нужное место утробной потребы (это он так называл нужник), а Маркелку, безродного лесного опенка, не трогал. Говорил, что жалеет сироту. Ага, пожалеет он. Просто времена теперь на Руси не те, что прежде. Это раньше было: кто воевода, тому и сытно, а теперь наоборот — кому сытно, тот и воевода.

— Где твоя бабушка-то? — проворчал монах, устав махать указкой. У него громко заурчало в брюхе. — К закату время. Не придет, старая грешня, нам и вечерять нечем.

— Придет. Только она не бабушка, сколько раз говорено. Она Бабочка.

— И то верно. Бабочка и есть. Не бабка, а не поймешь кто. Живет насекомым образом, без указа и порядка, на исповедь не хаживает, венчаной женой никогда не бывала, Бога не боится.

Бога Бабочка правда не боялась, и ничего не боялась, но что прожила не венчаной — это старик врал.

Был у Бабочки муж, а Маркелке дед. Какой положено — венчаный. Бабочка говорила: лес их повенчал, ручей благословил. И жили они ладно. Только недолго.

Понеделок. БАБОЧКА

Про отца с матерью Бабочка все время по-разному рассказывала. То-де они на юг, на вольный Дон, за счастьем ушли, то на восток, за Сибирский Камень, а когда Маркелка был маленький — что обратились журавлями и улетели за тридевять земель. Зато про деда всегда говорила одинаково. Что он был веселый, вольный человек, лесной охотник. Его медведь задрал. Бабочка за это медведей не любила и в свой лес не пускала, а шкура того шатуна, что деду когтем пробил висок, поныне лежит в избушке на полу.

Деда тоже звали Маркелом. И отца. «Один Маркел не пожил, второй сгинул, а ты, Маркел Третий, будешь жить долго», — говорила Бабочка. И во всем она так: если что затеяла, нипочем не отступится.

Гервасий, правда, про батю с матушкой врал, будто они померли в большое моровое поветрие. Десять лет назад Господь наслал на русских людей тяжкую кару, чтоб не грязнились в грехе. Три года подряд осенью земля родила мертвый хлеб, зимой стояли великие стужи, а летом воды делались болезненны. Кто не помер в зимний холод и не посох от голода, те помирали от брюшной скорби. И людишки в те годы роптали, сетовали в своем неразумии, что вот-де, велика кара, а то еще была кара малая. Настоящий Божий гнев был явлен Руси, когда никто не покаялся — ни царь Борис, ни вся держава его. И тогда ополчил Господь на нераскаянных чад своих сонмища бесов: и литву, и ляхов, и казаков, и гилевщиков, и татар, и мнимых царей с царевичами. Гервасий мог про это долго плакать, не остановишь.

Но Маркелка монаху не верил, верил Бабочке. Батя с матушкой живут себе на донском или сибирском просторе и когда-нибудь объявятся, сынка проведать.

А монах всё глядел на Маркелку, жевал губами.

— Ох, сирота ты убогий. Что с тобою будет? Господь наградил тебя великой памятью и мог бы ты стать ученым книжником, но не станешь, ибо Он же наказал тебя непоседливым нравом, дерзостью и быстроумием. Сугубая это для человека беда — быстроумие. Сказано: кто разумом скор, скорее и сгубится. Трепещу я за тебя, Маркел. Вырастешь ты шпыном бессмысленным, к Божьему и людскому закону непочтительным. С такими знаешь что бывает? Вешают их веревкой за шею. Или, того хуже, цепляют железным крюком под ребро, и виси, пока не сдохнешь. То и тебя ждет, коли не умиришься нравом.

Гервасий с Маркелкой часто так разговаривал: бранить не бранил, и слова вроде участливые, а злые. И глаза такие же — будто две колючки.

— Ты раньше меня сдохнешь, — огрызнулся Маркел. — Вот нынче уйду с Бабочкой, околеешь тут с голоду.

Говорить такое учителю, конечно, нехорошо, а только нечего ему прикидываться добреньким, когда сам весь сочится ядом.

Монах устремил взор к потолку. Чувствительно, со слезою возгласил:

— Освободиши от духа моего душу мою! Дай смерти костям моим! Не вечно же мне жити в долготерпении! Отпустиши мя, Господи, тяжко бо житие мое! Ныне же, в сей самый день, яви мне злосчастному Свою великую милость! Изыми мя отсель, еже не померкло еще сегодневное светило!

И долго молил Бога о смерти, прибавляя к плачу многострадального Иова собственные жалобы, так что Маркелке сделалось совестно: зачем обидел старого старика? Даже заколебался, просить ли сегодня Бабочку, чтобы забрала с собой. В самом деле околеет ведь Гервасий без лесного корма.

Но тут Истомка, топтавшийся у оконца, радостно закричал:

— Идет! Идет!

Монах сразу жалиться перестал, а Маркелка вприпрыжку понесся к двери, скатился по ступенькам каменной лестницы, вылетел наружу.

Она уже подходила к крыльцу — легкая, быстрая, будто порхающая над землей. Издали поглядеть — не женка, а муж, даже юнак, потому что в штанах лосиной кожи, кожаной же

Понеделок. БАБОЧКА

свитке, на голове зимой и летом меховая шапка, из-под которой на спину свисает волосяной хвост. Но вблизи видно, что лицо морщинистое. Медленный взгляд тоже не молод, а вприщур и пригашенный, будто обращен внутрь себя. Это от лесной жизни, где слух нужнее зрения. Бабочка слышала почти так же чутко, как Каркун с Каркухой — воронья пара, жившая под крышей лесной избушки и карканьем извещавшая о чужих за полтыщи шагов.

— Оголодали? — засмеялась Бабочка, скаля крепкие желтые зубы. Хлопнула Маркелку по плечу, взъерошила волосы. Он привычно подставил под щелчок лоб, где была такая же круглая родинка, как у Бабочки, только у нее розовая, а у него вишневая.

После щелчка ткнулись друг в друга лбами — всегда так делали после разлуки.

— Забери нас с Истомкой отсюда, — быстро, пока не вышел Гервасий, попросил Маркелка. — Ничему он нас больше не научит, сижу тут без толку. Истомка в лесу жить не умеет, но научится. Он парень ничего, пугливый только. На охоту не сгодится, но может грибы собирать, ягоды. А? Станем жить, как раньше. А?

Однако на крыльцо уже выковылял старец.

— Господь тя благослови, милая. — Он ласково, мелко крестил гостью. — Его попекой да твоими щедротами только и выживаем. Закатай-травы от почечуя, какую обещала, принесла ли?

Истомка тоже не молчал, кланялся:

— Здорова ли, бабинька? Не хворала ли?

Она поднималась по лестнице и смеялась, отвечала всем сразу.

Маркелке:

— Испытаю тебя, какой ты книжник. Не забыла я еще, чему в девичестве учили.

Монаху:

— Принесла-принесла. Только уж ты сам натирайся. Объясню, как.

А Истомке, потрепав по вихрам:

— Я отродясь не хворала. А поживешь в лесу, и ты болеть не будешь.

И всем сразу стало спокойно, весело. Маркелка чуть не прыгал, Истомка, услышав про лес, засиял, а Гервасий довольно поглядывал на увесистый мешок, который на бабочкиной спине сидел легко, словно пуховая подушка.

В Дубовой палате на стол из мешка переместились низки сушеных боровиков, копченая кабанина, связки вяленой плотвы, туес смородины, разные травы — в кипятке заваривать. Монах подхватывал, пихал под скамью, в ларь, который потом запирал на ключ. Ребятам дай волю — за день всё умнут, а надо как-то до следующего понедельника кормиться. Кое-что старик потихоньку съедал сам, в одиночку, особенно ягоды. Да хоть бы всё сожрал, только бы уйти отсюда!

— Спрашивай меня, Бабочка! — потребовал Маркелка. — Хошь — по псалтырю, хошь по «Часослову», хошь по «Смарагду веры». С любого места. А потом спроси его, — кивнул на Гервасия, — такое, чего он знает, а я не знаю. Скажет — останусь. Нет — уводи нас отсюда к лешему!

16

Понеделок. БАБОЧКА

— Чего это, чего это? — забеспокоился учитель. — Мы еще ни в космогонию не взошли, яко Солнце и звезды вокруг Земли обращаются, ни в «Иерусалимскую беседу», повествующую, яко твердь стоит на осьмидесяти малых китах и трех больших, ни в географическую науку. Где обретается страна псоглавцев — ведаешь? А где правит Иоанн-пресвитер? То-то.

Он хотел воссиять еще какой-то ученостью, но Бабочка вдруг повернулась к окну, за которым пунцовела вечерняя заря, подняла руку:

— Тихо. Скачет кто-то.

Все прислушались.

— Нет никого, — сказал Гервасий. — Померещилось тебе.

Маркелка тоже ничего не услыхал, но знал: Бабочка зря говорить не станет.

— Один конный. Гонит ходко. За ним другие многие, медленно.

И точно. Миг спустя вдали послышался дробный перестук, а еще через полминуты в обширный запустелый двор влетел верховой и завертелся на месте, осаживая коня.

Человек был польский — видно по куцей шапочке с пером, по синему с разговорами кунтушу. Поляк — это еще ладно, у них какой-никакой порядок есть. Воровские казаки или гулящие тати хуже. Поэтому прятаться не стали.

Шикнув «Еду в ларь приберите», Гервасий захромал встречать гостя. Время было к вечеру, уже смеркалось. Если приезжий хочет заночевать, может, заплатит?

Маркелка с Бабочкой и Истомкой остались смотреть из окошка, но не высовывались.

Лях подъехал ближе. На коне он сидел ловко, будто на стульце. Поводьев не держал: одной рукой подбоченивался, с другой на шнурке свисал кистень.

Кланяясь, подсеменил монах. Что-то искательно сказал — сверху не разобрать.

Зато у всадника голос был звонкий, юношеский.

— Один тут монашествуешь? — Сказано было на чистом русском, без ляшской шепелявости. — Это хорошо, что один.

Конный чуть качнул правой рукой, ухватил кистень за рукоять и небрежным, ленивым, но в то же время неописуемо быстрым взмахом обрушил железное яблоко старику на голову. Что-то там в голове хрустнуло, Гервасий молча опрокинулся, распростал руки и остался недвижим.

Если б Бабочка не зажала одной ладонью рот внуку, а другой Истомке, кто-нибудь из них от ужаса заорал бы. Маркелка же только мыкнул, Истомка шумно вдохнул.

Душегубец приподнялся в стременах, сложил пальцы у губ кольцом, пронзительно засвистел.

Через малое время из пролома в стене повалили конные, гурьба за гурьбой, и вскоре заполонили пол-двора, от обломков Восточной башни до обломков Северной.

— Не икай! — тихо велела Бабочка Истомке.

Но ляхи Истомкиного иканья все равно бы не услыхали. У них ржали лошади, перестукивали копыта, звенела сбруя. А еще орали-гоготали сотни три луженых глоток.

Потом все разом притихли.

В пролом, отдельно от всех, въехали еще двое, на хороших лошадях с богатыми чепраками. Один всадник большой и толстый, второй тонкий и маленький. Оба нарядные.

Тот, что убил Гервасия, поскакал им навстречу. Остановил коня, как гвоздями приколотил. Что-то стал объяснять, показывая на Трапезную. Толстый — он, видать, был главным — басом ответил.

Обернувшись к отряду, убийца тонко крикнул непонятное:

— Zsiadać! Rozkulbaczyć konie! Skrzesać ogniska! Rozbijemy obóz tutaj, pod murem!

Эти трое поехали шагом через двор, а остальные начали спешиваться.

Понеделок. БАБОЧКА

— Плохие у нас дела, — шепнула Бабочка. — Ночевать будут. Жолнеры во дворе, а начальные люди, должно быть, здесь, под крышей. Есть другой выход, чтоб не во двор?

— Нету. — Маркелка потирал губы — очень уж крепко их Бабочка давеча прижала. — Чего делать-то, а?

Толстый лях грузно слез подле крыльца. Другому, маленькому, помог сойти на землю молодой душегуб.

Главный что-то спросил, показав на мертвого старца Гервасия.

Злодей ответил:

— Tak będzie bezpieczniej, panie pułkowniku. Mógł przekazać wieści kozakom albo ziemtsom.

Бабочка тряхнула Маркела за плечи.

— Если другой двери нет, надо прятаться. Куда? Думай быстро!

Таким же сдавленным шепотом она говорила в засаде, когда ждала с самострелом оленя или лося.

Придумал не Маркел — Истомка.

— В схрон надо. Где Гервасий от литвы спасался!

Еле-еле успели втиснуться и закрыться досками.

У порога уже звучали шаги — сначала гулкие, по каменным плитам, потом скрипучие, по дереву.

Сначала прижимались друг к дружке неловко, кое-как. Схрон был шириной с аршин, глубиной того меньше. Шевелиться боялись — вдруг поляки услышат? Но понемножку обустроились, потому что те, в палате, сами делали много шума — расхаживали, грохотали, вели меж собой разговоры.

— Poruczniku, wystaw straże przy bramie. Niech się zmieniają co dwie godziny. Zostaniesz tu z regimentem jako dowódca, — говорил жирный, привычный командовать голос.

Другой, звонкий, уже знакомый, бодро отвечал:

— Tak jest, panie pulkowniku!

Бабочка приладилась глядеть в щель между досок. Маркелка тоже, но пониже, со своего роста. Вскоре, соскучившись жаться в темноте, приник к зазору и Истомка — совсем внизу, с корточек. Так в шесть глаз, в три яруса, и глядели.

Польский пулковник — его Маркелка рассмотрел первым — был важен, не иначе ихний ляшский боярин. Одет в парчу, сапоги ал-сафьян, на толстых пальцах златые перстни. Только собою негож: с мясистой рожи свисали сосулями два длинных уса, на щеке шишка, а снял бархатную с алмазной пряжкой шапку — под ней наполовину плешивая башка.

Зато второй, поручник, вблизи оказался красавец. Брови у него были дугами, нос ястребиный, под ним стрелками тонкие черные усы, губы красные, зубы белые. Станом гибок, движениями легок, одет в синий кунтуш, перепоясанный сребротканым кушаком, порты красные, сапожки желты. Если б не был злодей и кровопролитец — заглядишься.

Понеделок. БАБОЧКА

Обернулся он к третьему ляху, до которого Маркелка взглядом еще не добрался, и сказал не по-польски, а по-русски:

— Повезло вам с первым постоем, госпожа. Не в поле переночуете, под крышей.

Маркелка, конечно, удивился. Третий оказался не третий, а третья. Молодая женка или, пожалуй, дева, только наряженная по-мужски.

Ух какая!

Пожив в Неопалимовской обители, близ шляха, Маркелка повидал много разных людей, но почти сплошь мужеского пола, потому что бабам шляться по дорогам некуда и незачем. Разве что нищенки-побирухи забредут, но они все рваные, жуткие, а некоторые еще нарочно рожу мажут грязью, чтоб никто не польстился.

А оказывается, женки бывают вон какие.

Очи у ряженой были широко раскрытые, ясные, щеки в розов цвет, губы лепестками, зубы — как яблоко молочной породы, а выпростала из перчатки руку — пальчики будто вырезаны из белой редьки.

Когда Маркел был маленький, Бабочка рассказывала сказку про Василису Ненаглядную, на которую кто посмотрит — взора отвести уже не сумеет, никогда досыта не наглядится. Эта была точь-в-точь такая. Чудесная дева сдернула шапку и стала еще ненаглядней, потому что на спину тяжело упали золотые власа, заискрившиеся в последнем луче заоконного солнца.

Подошла чудесная Василиса к пулковнику, потерлась точеным носиком о его плечо.

— Ежик, я так устала! Даже есть не хочу, только бы лечь. Как из Москвы с утра поехали, всего разок отдохнули. Вели пану поручнику распорядиться, чтоб нам стелили.

Она была русская, московская — слышно по говору. Боярышня или княжна, а хоть бы и царевна — Маркелка бы этому не удивился. Запечалился только, что Василиса Ненаглядная с этаким боровом милуется. Может, он волшебник, который ее заколдовал и видится ей писаным красавцем? Наверно, так. Иначе чем объяснить?

— Прикажешь тащить тюфяки, пан пулковник? — спросил молодой. — Могу принести и *бе́руо*.

Маркелка задрал голову, шепнул:

— Бабочка, что это — *бе́руо?*

Она качнула подбородком — не знала. Легонько шлепнула по затылку: тихо ты!

А пулковник сказал:

— Нет, Вильчек. Стража никому кроме меня не отдаст. Пойду сам, а ты побудь с пани Маришкой.

Тоже и он говорил по-нашему легко, хоть немного нечисто. Верно, не лях, а литвин. Они, литовцы, те же русские, и многие даже православной веры, только служат польскому королю. Ныне, правда, на Руси и царь стал польский, Владислав Жигмонтович, только не все его признают. И те, которые не хотят ему присягать, бьются с теми, которые присягнули, но и промеж собой тоже бьются, русские с русскими, ибо никто ни с кем ни в чем договориться не умеет, и все воюют со всеми.

А что Василису Ненаглядную, выходит, зовут некрасиво — Маришкой, было жалко. Маркелка от этого расстроился.

Однако самое удивительное было впереди.

Едва за пулковником закрылась дверь, Маришка-Василиса кинулась на поручника и обхватила его за шею, будто собралась задушить или покусать, но не задушила, а обняла, не укусила — поцеловала в уста.

— Когда ты избавишь меня от этого борова! — говорила она между поцелуями. — Еще одну ночь с ним я не вынесу! Ты обещал, что мы уедем! Когда же, когда?

— Нынче же, — ответил ей поручник Вильчек. — Для того я вас сюда и поместил.

Она всё ластилась:

— Сладкий ты мой, ладненький! Ах, какие у тебя очи! Одно светлее ясного дня, другое чернее ночи! А как в седле сидишь — будто на коне родился.

— Считай, так и есть. — Поручник бережно высвободился, стал зажигать свечи в подсвечнике. Закат уже погас, в палате становилось темно. — С одиннадцати лет не вылезаю из седла. Как мальчонкой в Путивле пристал к царевичу Дмитрию, так с тех пор всё скачу, саблей машу. Тогда меня поляки и прозвали Вильчеком. Это по-ихнему «волчок».

С одиннадцати лет воюет, позавидовал Маркелка. Ему самому было уже двенадцать, а ничего не видал, кроме леса да книг.

Маришка-Василиса молвила странное:

— Ты не волчок, ты жеребчик. — И чему-то засмеялась. — Сожми меня крепко, как давеча.

— Наобнимаемся, успеем еще. — Вильчек деловито озирался. — Возьмем что нужно, уйдем, и вся жизнь потом будет наша.

Он подошел к двери.

— Тут засов. На ночь пан Ежи запрется. Ты слушай в оба уха. Когда я вот так тихонько поскребу — откроешь.

— Всё сделаю, любый. Обними меня.

Хотела она сызнова к нему кинуться, но поручник шикнул:

— Возвращается! К окну отойди!

Сам скинул со стола псалтырь, оставшийся с урока, поставил на краешек подсвечник.

Вошел пулковник, неся под мышкой что-то узкое, завернутое в шелк. Следом два жолнера тащили тюфяки, подушки, меховое одеяло.

— Стол крепкий, пан пулковник, — доложил поручник. — На нем вам с пани Марией ладно будет, мыши не обеспокоят. — И солдатам: — Służba, zróbcie tu posłanie!

Боров, который, оказывается, был никакой не волшебник, а глупый дурак, потянулся, зевнул.

— Ступай, Вильчек. Пригляди за людьми. В поле поставь дозорных. Да что я тебя учу. Сам знаешь.

— Знаю, пан пулковник.

Пока жолнеры шуршали, устраивая постель, Маркелка уныло спросил:

— Бабочка, нам что тут теперь, до утра сидеть?

Снизу пискнул Истомка:

— Мне до ветру надо! Я до утра не стерплю!

Оба получили по затыльному щелчку.

— До утра сидеть не придется, — шепнула Бабочка. — Тут что-то будет. Неспроста этот велел ей дверь открыть. Сидите тихо, не ерзайте.

Снаружи совсем стемнело, но жолнеры принесли еще шандалов и поставили их по всему краю стола, превратившегося в ложе. В палате посветлело.

Когда пулковник остался наедине с разочаровавшей Маркелку красой-девой, та скинула мужской наряд и сапожки, уселась по-татарски, поджав ноги, на скамью и захрустела яблоком. Пан тоже сел, развернул свой сверток и принялся что-то разглядывать, но за его спиной было не углядеть, что именно.

— Ах, диво пречудесное. Ишь, сверкает! — восхитилась Маришка. — Дай посмотреть, Ежинька.

Он протянул какую-то штуку — вроде недлинной палки, но сплошь златопереливчатой, а на кончике шар, залучившийся кровавыми бликами.

— На, любуйся. Воображай, что ты царица московская. — Пулковник хохотнул. — Хотя царице держать скипетр не положено. Только царю.

Дева махнула златым жезлом, по стенам рассыпались отсветы.

— Сам грозный царь Иван для себя произвел. Дай-ка. — Боров отобрал штуку обратно. — Видишь, тут вот всё алмазы, а в навершии червленый яхонт, которому цены нет. Он на свете один такой. Сказывают, вначале яхонт был розовый, но чем больше царь Иван лил крови, тем красней становился камень. Теперь, зри, он вовсе красный, будто кровавый сгусток.

— Ловко ты, Ежик, этакую лепоту из кремлевской сокровищницы увел! — восхитилась Маришка.

Пан засердился.

— Ежи Сапега не вор! Скипетр мне выдан самим московским комендантом паном Гонсевским, в залог! Год назад я привел на службу к королевичу Владиславу полк в восемьсот сабель за восемь тысяч злотых в месяц, а ничего не уплачено. Ныне Владислав — царь московский. Коли хочет получить свой царский скипетр, пускай рассчитается сполна. Да не за триста человек, которые у меня остались, а и за тех, кто сложили голову на королевской службе!

— Это сколько ж денег выйдет? — спросила красавица, видно, не сильная в цифири.

— Под сто тысяч. А если не скоро расплатятся, то и больше.

Она качнула златовласой головкой:

— Скипетр много дороже ста тысяч стоит.

— Пускай. Мы, Сапеги, на монаршие регалии не покушаемся. Но свое, честно заслуженное саблей, изволь нам отдать... Укладывайся, котухнечка. Спать будем.

Пулковник снова зевнул, снимая жупан. Сел стягивать сапоги, а саблю и пистоль положил на скамью — чтоб легко было дотянуться с ложа.

Вдруг Бабочка вздрогнула.

— Что? — шепнул Маркелка.

— Вскрикнул кто-то...

Маркелка ничего такого не слыхал, а вот пулковник, которому до двери было ближе, кажется, тоже что-то учуял.

— Hej! Co tam się dzieje?

— To ja, Wilczek! — донеслось с той стороны. — Sprawdzam straże!

— Говорит, проверяет караулы, — шепнула Бабочка. — Врет. Упал там кто-то.

— Не шумите там, мы с пани делом заняты, — по-русски ответил пулковник и подмигнул Маришке.

Она засмеялась — будто кошка замурлыкала.

Приподнялась на цыпочки да давай танцевать, легонько кружась, приседая, вытягивая руки-ноги и понемногу, покров за покровом, снимая с себя одежду. Чего было быстро не раздеться, коли уж спать собралась, Маркелка не понял.

А пулковник пялился, застыв с сапогом в руке, да ухмылялся.

— Ну, на такое вам смотреть рано, — вздохнула Бабочка.

На лицо Маркелке легла ладонь, ослепила. Внизу недовольно хрюкнул Истома — знать, и до него Бабочка дотянулась.

— Ложись, коханый, и зажмурься, — нежно приговаривала Маришка. — Я тебе сладко сделаю... Вот так, ладно... Нет, хитрый какой. Не подглядывай! Дай я тебе глаза завяжу.

Слышалась невесомая поступь, даже рассохшийся пол поскрипывал еле-еле.

Вывернувшись из-под бабочкиной руки, Маркелка прильнул к щели — очень уж хотелось посмотреть, что у них там делается. Истома-то внизу сидел смирно, только посапывал.

Ух ты!

Понеделок. БАБОЧКА

Маришка, вовсе телешом, стояла у самой двери, а пулковник лежал на столе, толстым брюхом кверху, лицо прикрыто той самой шелковой тряпицей, в которую раньше был завернут царский скипетр.

— Где же ты, котухнечка? — пробасил он.

Голая дева сдвинула засов и отскочила. Маркелка на нее засмотрелся (эвона как оно всё у женок-то устроено — на диво!) и проглядел миг, когда в Дубовую палату вбежал поручник, быстрый, как кинувшийся на добычу волк. Он не бежал — несся поскоком. Зубы ощерены, глаза сверкают, в руке сабля, темная от крови.

Пан Сапега на шум сдернул с лица ткань, сел, зарычал помедвежьи. Спустил руку и даже успел ухватить рукоятку пистоля, но сверкнула сталь, и рык перешел в хрип, пальцы разжались, а сам пулковник сверзся со стола на скамью, со скамьи наземь. Полуотсеченная голова съехала набок, будто у надломленного репейника, а на доски толчками хлынула черная кровь.

Бабочкина рука зажала Маркелке уже не глаза, а губы, но он и так не крикнул бы — закоченел.

— А караульные? — спросила Маришка, клацая зубами. Она стояла, съежившись, обхватив себя за плечи, вся на виду, но Маркелка на нагую женку больше не смотрел — только на льющуюся из разрубленного горла кровь. Она уже не хлестала, а просто текла, но отвести взгляд от растекающейся лужи не было мо́чи.

Вильчек вытирал клинок об одеяло.

— За дверью лежат. Сработал обоих. Где скипетр?

Но увидел сам и жадно схватил, поднес к глазам.

— Богатырь мой! — всхлипнула Маришка. — На какую страсть ради меня пошел! Сейчас оденусь, любый. Я быстро! Коней приготовил?

Поручник молчал, завороженно глядя на мерцание красного камня.

— А?

Она, уже в сорочке, взялась за чулок.

— Двух или четырех? Сменных бы надо. Погоня будет.

— А? — повторил он — всё не мог оторваться. — Коней? Двух.

— Что ж не четырех?

— Мне хватит.

И повернулся к ней, отложил жезл, покачал саблей.

— На кой ты мне теперь сдалась?

И снизу вверх, легким косым ударом полоснул деву по шее, от ключицы до подбородка. Вот сейчас бабочкина рука, зажимавшая Маркелке рот, получилась очень кстати. От неожиданности отрок только дернулся, а не ладонь — заорал бы.

Лбом он стукнулся о дверцу, но этот звук заглушился шумом падающего тела.

Страшный человек, так легко обрывавший чужие жизни, резко обернулся к окну — оттуда крикнули:

— Panie pułkowniku! Przepraszam za najście, ale nie mogę znaleźć pana porucznika. Żołnierze chcą wódki!

Вильчек быстро подошел к окну, высунулся.

— Oto jestem! Teraz wychodzę!

Положил скипетр на стол, снова вытер мокрую саблю, поспешил к выходу. Перешагивая через мертвую женщину, даже не посмотрел на нее.

— Чего он? Куда? — спросил Маркелка, потому что Бабочка убрала руку.

Снизу подал голос Истомка:

— Что тут было-то? Я до ветру хочу! Мо́чи нет!

Бабочка толкнула дверцу.

— За мной! Скорей! Уходить надо, пока ирод не вернулся! На дворе темно, авось не приметят.

Выскочила первая, они следом. Истомка шарахнулся от убитого пана, потом споткнулся об убитую, ойкнул. Маркелка схватил его, сомлевшего, за руку. Потащил.

А Бабочка побежала не прямо к двери. Завернула к столу, схватила там что-то.

Скипетр!

— Зачем тебе? — испугался Маркелка.

— Этому, что ли, оставлять? Быстрей, быстрей!

Она замахала рукой, пропуская мальчишек вперед.

Понедельок. БАБОЧКА

За дверью Истомка снова вскрикнул. Там на верхней площадке лестницы лежали еще двое: один ничком, другой навзничь. Караульные, которых «сработал» Вильчек.

Нижняя дверь, что вела на улицу, была нараспашку — светящийся красноватый прямоугольник. Это от пылающих во дворе костров, догадался Маркелка, прикидывая: надо по крыльцу спуститься тихонько, пригнувшись, потом нырнуть за угол, в темноту, добежать до стенного пролома и полем к лесу. В лесу не догонят и не сыщут.

Но дверной проем вдруг потемнел, полузаслоненный узким силуэтом.

Вернулся!

— Кто там? — тихо молвил Вильчек, щурясь, чтоб лучше видеть, а рука уже легла на рукоять сабли.

— Назад бегите! — Бабочка зацепила Маркелку и Истомку за ворот, рванула на себя. — Прыгайте в окошко!

Мальчишки рванулись вверх по лестнице, мимо мертвых часовых, в Дубовую. Бабочка бежала сзади, подталкивала в спины.

А следом грохотали сапоги. Что-то вжикнуло. Маркелка сообразил: сабля из ножен.

У самого оконца он остановился. Проем был узехонький. Они-то с Истомкой протиснутся, а Бабочка как же?

Обернулся.

Оказывается, Бабочка бежать и не собиралась. Она стояла лицом к двери, в руке длинный охотничий нож, всегда висевший на поясе. И уже подступал к ней Вильчек, покачивая обнаженным клинком. Сейчас зарубит! По лицу поручника гуляли тени от качающегося свечного огня, и страшное это лицо, оставаясь неподвижным, словно гримасничало. Душегуб подступал неспешно, зная, что Бабочке деться некуда.

Вот он махнул саблей — так же ловко, как давеча, да не на ту напал. Бабочка легко увернулась, отступив на два шажка.

Тогда лицо задвигалось, исказилось злобой. Клинок свистнул по воздуху второй раз и третий — быстрей, еще быстрей. И опять Бабочка уклонилась. При всей шустроте поручник был не резвее волка, когда тот кидается с ощеренной пастью, но ни один матерый никогда не мог достать Бабочку зубами. Не волк ты, а волчок, злорадно подумал Маркелка.

— Прыгайте вы, мальки! — крикнула Бабочка, коротко оглянувшись.

А Истомка вскарабкался на оконницу — и ни туда, ни сюда. Высунулся — отпрянул.

— Боязно!

— Не ори! На дворе услышат!

Маркелка стал пихать дружка в тощую задницу.

— Прыгай же!

Тот упирался.

Обернулся Маркелка сызнова и увидел, что дело худо. Поручник стал наступать по-другому: не рубил воздух, а угрожающе заносил саблю то с одной стороны, то с другой, тесня Бабочку в угол.

Вот ей пятиться стало некуда. Слева стена и справа стена.

Мелькнуло что-то, молнией. Это Бабочка метнула нож. Кидала она всегда без промаха, бывало, с десяти шагов сшибала с дерева дикую кошку. Научила этой премудрости и внука. Сколько орешков было в ножички выиграно, сколько щелбанов отвешано по чужим лбам!

Но Вильчек оказался проворнее рыси. Он качнулся вбок — нож пролетел в вершке от его горла, а сабля вдруг нанесла удар пыром и пригвоздила Бабочку к деревянной стене.

Маркелка закричал.

— Бе...ги... — донесся тихий, вроде как и не бабочкин голос.

Поручник повернулся. Рывком выдернул клинок и пошел на Маркелку, а Бабочка сползла по стене на пол.

Бежать мочи не было. Как убежишь, если Бабочка сидит у стены, зажимает руками живот, беззвучно шевелит губами — повторяет «беги, беги», а ничего не слышно?

Подошел Вильчек, не очень-то и торопясь. Саблю сунул в ножны. Одной рукой взял за шею Маркелку, другой стащил с оконницы Истомку. Ухватил обоих за воротники, крепко.

Вблизи глаза у Вильчека оказались диковинными. Один светло-светло-голубой, второй черный. Вот про что Маришка тогда говорила-то — про очи светлее дня и темнее ночи.

Понеделок. БАБОЧКА

— Где он? — спросил поручник, переводя свой двухцветный взгляд с Маркелки на Истомку, а потом обратно на Маркелку.

Маркелке сказал:

— Гляди.

Выпустил ворот, вынул кинжал и без единого слова, даже не нахмурив бровей, воткнул Истомке в глаз, повернул там и выдернул.

По-цыплячьи пискнув, приятель пристукнул каблуком по полу, чуть трепыхнулся — и обвис головой книзу. Вильчек держал его за ворот, будто заячью тушку.

— Тоже так хочешь? — сказал он.

Отпустил Истомку — тот свалился, а Маркелку поручник выволок на середину палаты, к столу и подсвечникам.

— Говори! — Перед самым лицом покачивался острый кинжал. — Где скипетр?

— Не брал я... — пролепетал Маркелка.

Он не мог отвести глаз от кровавой полоски стали.

— Ну, пеняй на себя... — грозно прошипел поручник, да вдруг взвыл: — А-а!

Это Бабочка проползла по полу, оставляя за собой красную дорожку, обхватила ирода сзади за ноги, вцепилась зубами.

Маркелка вырвался, развернулся, понесся к окну и кое-как, обдирая плечи, просунулся в узкий проем. Ухнул головой вниз, ударился о землю, но боли не почувствовал, а тут же вскочил и побежал, побежал, побежал — вперед, в темноту, прочь от желто-красных костров.

Вторник
СЫСК БЕЗ ЗАЗОРА

П окушавши калача с квасом, потолковав о дороговизне со стряпчими, до слезы позевав на крыльце (денек был солнечный, для апреля теплый), Кузьма Шубин, старый первостатейный подьячий душегубных дел, хотел было со скуки-безделья раньше нужного пойти домой, поспать перед обедом, однако некий тихий глас, вечный друг-помощник, шепнул на ухо: погодь, Кузьма Иваныч, побудь еще на дворе.

Служба у Шубина была такая, что либо начиналась прямо с самого утра, после ночных разбойных дел, а коли за ночь никакого душегубства не случилось, так ты и ненадобен. Но все же остался, послушался голоса. Походил меж столов, на которых кипами возвышались бумажные стопы (слева нечтеные, справа уже на подклейку в столбцы), для порядка поучил суровым словом писцов, одного по-отечески ткнул в масляный затылок, молодших подьячих — кого одарил кивком, с иными и поручкался, потом, от скуки же, прикрикнул на просителей — по стенке стойте, по стенке.

И что же? Не подвел глас-заступник. Через невеликое время из глубины длинной-предлинной приказной избы, от дверей начальственной горницы (называется «Казенная»), донеслось:

— Шубина, Шубина! Кузьму Шубина! К судье!

Не зря, выходит, без дела маялся.

Вторник. СЫСК БЕЗ ЗАЗОРА

На зов главного приказного начальника старый подьячий поспешил дробной рысцой, а в горницу влетел соколом: бодро, радостно, как и полагается входить к большому человеку. Тут я, Шубин. Как лист перед травой. Всегда готовый.

Для старого-первостатейного Кузьма был молоденек, достиг этого хорошего чина в свежих еще летах. В окладистой бородище не белело ни единого седого волоска. Самой приметной чертой багрового лица были густые брови, обладавшие удивительной подвижностью. При взгляде на подчиненных они сурово содвигались, так что глаза из-под них сверкали будто из тени, с грозной таинственностью, зато перед начальниками брови умильно поднимались буквицей «люди», открывая взор совсем иной — ясный, открытый и старательный. Потому все человеки относились к Кузьме как следовало: нижние трепетали, верхние благоволили.

— А, не ушел еще? Это хорошо. Поди-ка, дело есть, — глянул на подьячего от стола, поверх чернильницы с двумя перьями, судья Земского приказа Степан Матвеевич Проестев.

Говорил он всегда тихо, безо всякого поспешания. Мягкий был человек, на вид тюфяк тюфяком. Круглое, мятое лицо сошло бы за бабье, если б не пушистая борода. По-бабьи был тонок и голос. Однако всё это была одна мнимость. В натуре Степана Матвеевича бабьего не имелось и малой щепотки. Приказных людишек судья держал на короткой узде, а тати при одном имени Проестева крестились и трижды плевали через плечо.

Земский приказ ведал многими московскими делами: и питейными, и пожарными, и надзирательными, но пуще всего — обережением от зломысленных деяний и воровских обычаев. После великого польского разорения и многоубийства город стал нищ, скудолюден и злобен, развелось много шпыней, привычных к грабежу и крови, народишко отвык от порядка, залютел. И долгое время была Москва вроде Дикого Поля. Бродили по ней разбойники, и грабили, и убивали, а сыскивать их было некому. Но тому три года, а после воцарения великого государя Михаила Федоровича, на четвертый год, поставили в Земский приказ судьей Степана Проестева, и он без шума и надсада, вроде бы и не торопясь, а в то же время быстро (как всё, что он делал), стал приводить город и посады в успокоение. Первое, что учинил — поделил Москву на околотки, в каждом по полусотне дворов, и на ночь велел каждый околоток запирать решеткой со сторожем, а у сторожа железное било. Чуть что не так, служивый колотит тревогу, и бежит на шум решеточный прикащик с подмогой, а тех прикащиков по одному на четыре околотка. И еще объезжий голова с десятком конных стрельцов кружит по городу с заката до рассвета: берегись, воры и грабители!

Стало татям в Москве негодно. Большие шайки сами ушли, всякую мелочь повыловили, иные же попрятали ножи с кистенями, начали христарадничать — голова целее, а с голоду в столице не помрешь, сердобольствующих много.

Оттого старый подьячий Шубин, приставленный ведать душегубствами, и заскучал, оттого и разъелся до полуторного кушака. Ныне ему выпадала служба хорошо если один-два раза в неделю.

— Что за дело, Степан Матвеевич? Убили кого? На какой же это улице? — спросил Кузьма, удивляясь.

Кабы за ночь кого где порешили, в приказной избе было бы уже ведомо — ему первому. Однако ничего такого ни молодшие подьячие, ни решеточные прикащики не доносили.

Судья вышел из-за стола, бесшумно ступая в мягких татарских сапогах. Руки по обыкновению сунул за пояс, не любил качать ими без толку.

— В том-то и дело, что не на улице. В доме. Да в каком доме... За Китаем-городом, на Подкопае, двор князя Лычкина. — (Шубин кивнул: знаю). — Борис Левонтьевич Лычкин по своей первой жене нам, Проестевым, свойственник. Беда у князь-Бориса. Дочерь ночью убили. Ножом. Неведомо кто.

Степан Матвеевич жалостно дрогнул и без того хлипким голосом. Подьячий перекрестился, вежливо сказал:

— Страсть какая.

— Князь ко мне написал, помочь просит, слезно.

— А... чем помочь-то? — не понял Кузьма. — Коли Бог взял, как тут поможешь? Обратно ведь княжну не воскресишь?

Вторник. СЫСК БЕЗ ЗАЗОРА

Слеза, выступившая на глазу судьи (он был на плач скор), блеснула уже не жалостно, а сердито.

— Ты дураком-то не будь. Жалованье государево, два рубля с полтиной, тебе не за то платят, чтоб ты убитых воскрешал. А за что?

— За то, чтоб я убийц сыскивал. — Шубин вытянулся. — Только, воля твоя, не понял я, о чем князь Лычкин тебя просит. Мы бы и так, без его прошения, сыск учинили.

Проестев показал на лавку: садись. Сам тоже сел рядом, заговорил доверительно.

— Сейчас объясню, а ты вникни — не по службе, а по душе... Дочку, княжну Лукерью, князь-Борису, конечно, жалко. Но еще больше ему жалко другую дочь, княжну Марфу. И самого себя.

Подьячий хлопал глазами, не понимал.

— У князь-Бориса дочерей четыре. Убили вторую, Лукерью. А на ближнее воскресенье, через пять дней, назначена свадьба у третьей, княжны Марфы. Теперь ту свадьбу, ясно, отложат, а может, вовсе отменят. Оттого Борис Левонтьич и горестен — мнится мне, что посильнее, чем от своей утраты.

— Почему посильнее?

— Очень уж завидный жених. Государев стольник князь Василий Петрович Ахамашуков-Черкасский. Из тех самых Черкасских.

Судья поднял глаза к потолку, а Шубин изобразил своими замечательными бровями изумленную почтительность: одну выгнул, другую приопустил. Род князей Черкасских при новом царствовании вознесся высоко, стал из наиперых.

— Если сыщется, что княжна Лукерья убита зазорно, по какому-нито грешному делу, это всем Лычкиным потерька чести. Жених тогда помолвку разорвет, и выйдет князь-Борису совсем позор. А хуже позора разорение, потому что Лычкины в Смуту вовсе захудали. Одна у них надежда выправиться — на эту свадьбу. Князь Ахамашуков богат, у царя на виду. Вот Борис Левонтьевич меня и просит помочь, сыскать дело поскорей, без волокиты.

— Понятно, Степан Матвеевич, — расправил плечи, как орёл крылья, Шубин. — Душегубство сыщу, княжну обелю. Отменять свадьбу будет не с чего.

— Дурак! — снова осерчал Проестев. — Держу тебя только за расторопность! Мне правда нужна, а не княжну обелить. За кривду с меня государь спросит, а пуще того Черкасские. Если потом что выплывет, они за потерьку чести не с Лычкина, а с меня взыщут.

— Само собой сыщу правду, батюшка, — вроде как даже обиделся Кузьма. — Нешто я службы не знаю?

Однако про себя подумал: ага, рассказывай, нужна тебе правда.

Дело выходило непростое, тонкое. И ладно. Только на таких делах себя и можно показать.

Неожиданно быстрым, мухоловным движением судья выпростал из-за пояса руку, ухватил подьячего за ухо, притянул к себе, прошептал:

— Давай, Шубин, рой землю. Вызнай всё доподлинно. Сыщи и представь злодея.

Кузьма вылетел из Казённой, как ядро из пушки. Прорысил через избу, провожаемый любопытными взглядами приказных, однако за дверью, в сенях, приостановился, поправил кушак, надел шапку и на крыльцо вышел задумчивый, важный.

Там внизу, под лестницей, отдельно от просителей, толпились ярыги — служебная мелкота, кормившаяся без жалования, поденно. Коли есть какая надоба, исполни и получи копейку-полторы; коли надобы нет, живи так.

Взять с собой ярыжку Шубин решил не для пользы, а ради чинности. Известно: большой человек сам по себе не ходит, при нём должен кто-то состоять. Всё ж таки идти предстояло к князю, хоть и захудавшему.

Вторник. СЫСК БЕЗ ЗАЗОРА

— Кто на полдня за алтын? — громко спросил подьячий.

Деньги были хорошие. Все загалдели, затолкались, полезли вперед друг друга.

— Меня! Меня возьми, Кузьма Иваныч!

Подумав, Шубин присовокупил:

— Мне грамотный нужен.

Ярыжные скисли. Письменных людей средь них водилось мало. У крыльца остались только трое.

Оглядев их, Шубин поманил к себе молодого парня, одетого почище других. Тот сдернул шапку, оказался пригож: лицо тонкое, как у девки, на верхней губе неуверенные усишки, а щеки нежные, белые. Русые волосы не колтуном и не клоками, как у прочих, а стрижены ровно, низко, по самые брови.

Оставшись доволен, Кузьма имени не спросил (на что оно нужно, ярыжкино имя?), лишь проверил, не врет ли про грамотность.

— На-ка, напиши что-нибудь.

Дал, вынув из широкого кармана, табличку с писалом. Парень ловко, хоть и без писарской гладкости, выскреб по воску нынешнее число: «128 года апреля вторник 13 день».

— Ну, ступай за мной. Да не рядом иди, невежа, поотстань! — прикрикнул подьячий. У парня длинные ресницы виновато заморгали. Теперь пошел правильно, по-за локтем.

Шли быстро, Кузьма часто отстукивал по земле посохом (прихватил в сенях для пущей важности).

— Тебе сколько лет? — искоса глянул Шубин на покрытую светлым пушком щеку.

— Двадцать.

— Давно ярыжничаешь? Пошто, зная грамоту, в писцы не поступил? Там служба хлебная, от людей подношения.

— Некому слово замолвить. Я сирота, меж дворов рос. А без слова, без подарка, сам знаешь, в избу не возьмут.

— Это да. — Кузьма улыбнулся, с удовольствием вспоминая собственное начало. — Меня в приказ на шестнадцатом году батька привел, подьячему штукой сукна поклонился. Еще при государе Федоре Ивановиче было. В прежние, хорошие времена. Вот когда жили-то! Ярыжки хаживали сытые,

нарядные — селезнями. Писцы — гусями гордыми, молодшие подьячие — индюками, а старые, вроде меня, павлинами дивнохвостыми. Меньше чем с гривенником никакой проситель не совался, и это за ерунду. А по серьезному делу могли и полтину дать... Эх, а какая Москва была! Не то что нынче.

Он кивнул на пожарище, тянувшееся от Троицкой площади, где Земский двор, до самой Китайгородской стены. В польскую осаду тут все дома пожгли, а новых пока отстроили немного. Народишко нарыл землянок, купцы поставили балаганов на жердях, под соломенными крышами. Ничего, жили как-то, выправлялись. Год-два назад хуже было.

— Куда идем, дяденька? — робко спросил ярыжка. — Какую службу исполнять?

— Не дяденька, а «господин старый первостепенный подьячий». Там, куда идем, зови меня именем-отчеством: Кузьма Иванович. А лучше никак не зови, помалкивай. Дом это непростой, княжеский. Там злодейски убили некую девицу.

Паренек охнул.

Вторник. СЫСК БЕЗ ЗАЗОРА

— Ох, горе какое! Юную и красную?

— Бес ее знает. Я буду сыск чинить, а твое дело за мной всюду ходить да кланяться... Не сейчас, дурень! Там будешь кланяться, у князя, почтение оказывать. Когда скину шубу и шапку — примешь.

— Ага, — кивнул ярыга. — И, если что нужное для сыска примечу, указывать, да?

— На кой ты мне со своими приметками? Ты примечай, чтоб мою кунью шапку не уперли. Они хоть и князья, а голь.

— А на что тебе тогда моя грамотность, господин старый первостатейный подьячий? — приуныв, спросил юнец.

— Когда велю записывать, начинай скрести по дощечке. Любые буквы, неважно какие.

— А... зачем?

— Позачемкай мне! — Кузьма замахнулся на надоеду посохом. — Не отставай. Поспешать надо!

Лень было объяснять, что на расспросе люди под запись меньше врут. Знают: набрешешь — потом против записанного не отопрешься.

Тем временем они выбрались за китайгородские ворота, прошли наискось сладкопахучий сенной торг и стали подниматься на пологую Ивановскую горку, по другую сторону которой уже был Подкопай.

— Вон она, усадьба Лычкиных, — показал Шубин. — Вишь, тын справа от храма Николы, а над тыном тесаная крыша? Туда идем. Делай всё, как я велел, наперед не лезь, и алтын твой. А коли удачно сыщу, еще копейку надбавлю. Старайся.

Ворота лычкинского двора, несмотря на полдень, были затворены. Подьячий обрадовался: не зря торопились. Сразу замедлил шаг и к воротам не пошел, а поначалу двинулся вдоль ограды.

— Господин старый первостатейный подьячий, чего это мы раньше спешили, а теперь нейдем?

— Нам надо было допрежь попа успеть. Душегубство — дело сатанинское, от него дому скверна. Коли двор еще на запоре, значит, скверна не снята. Пока поп с дьячком очистной молебен не отслужат, дом кадилом не окадят и жильцов к кресту не подпустят, никому выходить-приходить нельзя. А что для нас всего гоже — нельзя трогать с места убиенное тело.

Шубин подергал одну доску забора, попробовал на прочность другую, двинулся дальше.

— А тын ты проверяешь, чтоб понять, не мог ли кто ночью с улицы пролезть? — догадался ярыжка.

— Мог пролезть, мог, — довольно молвил подьячий, останавливаясь подле пролома, куда легко протиснулся бы нетучный человек. — К примеру, вот тут. Ладно. Идем в дом.

Застучал в ворота посохом.

— Эй! Отворяйте! Дело государево!

У распахнувшего створку холопа — тощего, оборванного, испуганного — спросил:

— Пошто за попом доселе не посылали? Церковь-то рядом.

— Посылали, дважды. Отец Мартын хочет две копейки с грошиком, а князь-батюшка сначала давал полторы, потом полушку набавил. Не сторговались еще...

— Это хорошо, что твой хозяин скупенек...

Во дворе Шубин и ярыжка огляделись. Когда-то усадьба, верно, была богата, но в тяжкие годы заскудела, как и вся Москва. На месте, где до войны стояли хоромы, остались одни черные головешки. Скотный двор зиял проваленной крышей. В длинной конюшне — через распахнутые двери видно — почти все стойла пусты, только в двух хрупали соломой понурые клячи.

Княжеское семейство обитало в большой избе, где прежде, в хорошие времена, жил прикащик.

Поднимаясь на высокое, малость кривоватое крыльцо, Кузьма Иванович перекрестился под стреху, на образок Николы-Святителя — дом-то и вправду был опоганен. Ярыжка лишь почесал затылок — он всё озирался.

Вторник. СЫСК БЕЗ ЗАЗОРА

Вошли.

Хозяин, должно быть, увидал гостей из окна, ждал в сенях. Был он бледен, мокр жирным лицом, длинная полуседая борода подрагивала, тряслось и немалое брюхо. На толстой щеке у князя темнели две длинные царапины. С горя себя разодрал, что ли?

— От Степан Матвеича? Наконец-то! Я уж измаялся! — плаксиво засетовал Лычкин. — Ты кто будешь, мил человек? Дьяк?

Старший подьячий назвался — степенно, полуотечеством: Кузьма Иванов сын Шубин. Подумал: ишь, князь беспортошный, целого дьяка ему подавай. И решил, что будет держать себя с жалким трясуном строго, государственно.

Скинул на руки ярыге суконную весеннюю шубу, отдал шапку, посох. Без приглашения сел к столу.

— Рассказывай, князь Борис Левонтьич, как учинилось лихо.

Говорил Лычкин долго, бестолково, а поначалу от волнения и сбивчиво.

— Спал я, крепко, а тут крик, я пробудился, и невдомек мне, спросонья-то, думал, петух, а потом слышу — «караул» голосят, еще «мамушки». Я на другой бок повернулся, подумал — приснилось, мне часто дурное снится, после осадного-то сидения...

Мешало еще и то, что рот у князя все время был занят жеванием. Из засаленной кисы, висевшей на поясе, Борис Левонтьевич то и дело доставал сухарик ли, орех ли, кусок ли пряника и прибирал снедь толстыми губищами. Ел и плакал — одно другому не мешало.

Не раз и не два Кузьма перебивал, переспрашивал, возвращал назад. Понемногу разобрался.

— Стало быть что? — подвел Шубин итог прыгающего рассказа. — Ты, княже, вчера лег почивать вскоре после того, как стемнело. Перед тем женскую половину, как положено, на ночь заперли, и никто чужой туда попасть кроме как через твою спальню не мог?

— Вот тут моя спаленка, — стал водить пальцем по столу хозяин, — рядом спаленка супруги моей, княгини Марьи, а там переход и двери в светлицы дочерей: Хариты, Лукерьи (всхлипнул), Марфы и Аглаи.

— А боле на женской половине никого не было?

— Еще комнатная девка Евдошка, она в чуланце спит.

— Одна служанка на княгиню и княжон? — удивился подьячий.

Лычкин насупился, не ответил, только запихал за щеку вяленого карасика.

— Чего это он всё жрет? — шепотом спросил ярыжка, оставшийся у входа с холопом.

Тот так же тихо ответил:

— Когда ляхов в Кремле морили голодом, князюшка с ними был. С тех пор никак не наестся...

А Шубин сделался мрачен. Ежели женская половина на ночь затворяется и внутри только домашние, а вход туда единственно через княжью спальню, нехорошо это. Тогда получается, из своих кто-то девку порешил. Дело бесчестное. Расстроится свадьба, ибо на что Черкасским такая родня? Судья Степан Матвеевич будет недоволен.

— Кто княжну Лукерью, говоришь, нашел?

— Княжна Марфа.

— Это которая невеста?

— Она...

Несчастный отец вытер глаза рукавом когда-то нарядного, но давно обветшавшего тафтяного зипуна.

— Так и лежит, где нашли? Не трогали?

Лычкин вовсе расплакался.

— Так и лежит, страдалица. В страшном образе... Княгиня велела было унесть в горницу, да я не дал. Как можно? Поп молитву прочтет, порчу сымет — тогда. Иначе весь дом засквернишь...

Подьячий поднялся с лавки.

— Ну идем. Поглядим.

Сначала, однако, Шубин подошел к дворовому, внимательно поглядел ему в глаза — не вороваты ли.

Вторник. СЫСК БЕЗ ЗАЗОРА

— Как тебя?

— Акимка, батюшка.

— Прими, Акимка, у моего слуги шубу, шапку и посох. Из рук не выпускай — шкуру сдеру. А ты, — это уже ярыжке, важно: — Ступай со мной. Будешь запись вести.

Перекрестился на иконы трижды. Ну, вразуми, Господь.

— Веди, княже.

На женскую половину чужим людям, в особенности мужеского пола, вход строго заказан, но князь перечить и не подумал. В таком страшном деле не до пристойности.

Прошли спальней хозяина в смежную, княгинину. Подьячий глянул на обстановку без интереса, зато ярыжка весь извертелся от любопытства. Ни княгининых, ни вообще женских спален он, должно быть, отродясь не видывал.

Попялился на высокую, в пышных перинах кровать, разинул рот на польское зеркало в резной золоченой раме с голыми крылатыми младенцами, а при взгляде на белую, узкую ночную сорочку, разложенную на лавке, чуть не споткнулся.

— Ишь уставился, срамник, — прикрикнул на него Кузьма. — Не отставай!

— Княгиня-то, похоже, ночью не ложилась, — шепнул ему в затылок парень. — Сорочка не смята.

Но Шубин не услышал, он наткнулся на хозяина, который замешкался перед следующей дверью.

— Ты чего, князь?

— Не пойду я... — Лычкин понемногу пятился назад в комнату, мелко крестя брюхо. — Без меня давайте... Там она... Увидите.

За дверью открылся безоконный, темный переход, но откуда-то справа, снизу сочился свет. Там на полу, шагах в десяти, горели два подсвечника — в голове и в ногах у лежащей навзничь девы. Была она вся переливчатая, радужно мерцающая, невозможно прекрасная. Подьячий сначала даже испугался — не бесовское ли наваждение, а ярыжка ойкнул. Но, приглядевшись, они поняли, что это играют отсветы на подвенечном платье, расшитом канителью и убранном самоцветами.

— Погоди-ка, — обернулся к оставшемуся в спальне князю Шубин. — Ты ж говорил, убили не невесту, а ее сестру?

— Не знаю я, почему Луша в Марфином уборе, — плачущим голосом ответил Борис Левонтьевич и сунул в рот сушеную сливу. — У жены спросите, у дочек.

Он показал влево, в другой конец перехода. Одна из дверей там была приоткрыта, оттуда доносились голоса. Кто-то подвывал, кто-то говорил нечто утешительное, и еще что-то мерно постукивало.

— Ладно, спросим. Но сначала поглядим на покойницу...

Кузьма пошел направо.

Прекрасной убиенная княжна казалась только издали, из-за многоцветных искорок на платье. Вблизи же предстала неподобной и ужасной.

Застывший в беззвучном крике рот зиял ямой, очи пучились из глазниц, а жутче всего был кончик торчащего из переносицы ножа или кинжала и то, что покойница вроде как приподнималась.

— Э-те-те, — уютно проворковал подьячий, присаживаясь на корточки. — Это ее, болезную, сзади, под темя садануули. Клинок насквозь прошел.

Покрутил мертвую голову, и стало понятно, что приподнята она была из-за того, что опиралась на рукоятку, торчавшую пониже затылка. Вытащить из раны кинжал у Кузьмы мочи не хватило.

— Эка силища... Женке так не воткнуть, — с явным удовлетворением молвил Шубин.

Ярыжка тоже присел, быстро водя носом туда-сюда.

— Записать что-нибудь?

— Чего тут записывать? Вот сейчас буду допрос вести, тогда поскребешь для видимости.

Вторник. СЫСК БЕЗ ЗАЗОРА

Вытирая о кафтан загрязнившуюся кровью руку, Кузьма пошел на женские голоса. По дороге позвал:

— Князь Борис Левонтьич, ступай с нами. Как мне без тебя с твоей женской половиной разговаривать? Срам выйдет.

Лычкин шагнул в переход так, чтоб не увидеть мертвого тела. Еще и рукавом закрылся.

— Чья это комната, где все собрались?

— Марфушина... Утешают. — Князь крикнул: — Я это! Человек от Степан Матвеича со мной! Приберитесь там!

Голоса стихли. Но не прекратились унылый вой и стук: тумм, тумм, тумм. Зашуршало что-то, заскрипело, кто-то шикнул:

— Сядь ты, Аглайка! Харита, перестань!

— Ну, входим, что ли? — нетерпеливо спросил Лычкин, переминаясь с ноги на ногу. Ему хотелось быть подальше от трупа.

Спокойный, звучный женский голос пригласил:

— Пожалуйте.

Небольшая комната была поделена золотым апрельским солнцесиянием на две половины — темную и ясную. Три женские фигуры были на свету, две в тени. Четыре поднялись навстречу вошедшим, одна осталась сидеть в углу. На нее-то, сидящую, мужчины и уставились.

Рыжекосая, несильно молодая дева с опухшим от слез лицом, сплошь покрытым крупными веснухами, тупо билась головой о край печи и уныло, безнадежно подвывала.

— Будет убиваться, Харита! — покривился на нее князь Борис. — Померла Луша — не вернешь. Волоса-то прикрой, люди у нас!

Пояснил Шубину:

— Харита это, старшая, от моей первой жены, твоему начальнику двоюродной сестры.

Кузьма Иванович низко поклонился проестевской пле-
мяннице, но та не обратила внимания ни на честь, ни на от-
цовские слова — снова стукнулась виском, где и так уже ба-
гровел кровоподтек.

— Уууу...

Высокая женка в бабьем убрусе — не иначе сама княгиня — повернулась и шлепнула рыдательницу по щеке.

— Сказано: уймись!

Харита Борисовна всхлипнула и утихла, но из закрытых
глаз продолжали течь слезы. Она утирала их широкой, не по-
княжьи грубой рукой с обкусанными ногтями.

— Супруга моя, Марья Челегуковна, урожденная Ахамашукова...

Вторник. СЫСК БЕЗ ЗАЗОРА

Княгиня была еще молода и, пожалуй, красива, но какой-то нерусской красотой: остра лицом, соколиста носом и недородна станом, зато черные брови вразлет и огромные, полные жгучего света глаза были хороши.

Черкешенка, потому чернява и нос такой, подумал Кузьма, щурко приглядываясь к хозяйке. Эвон какая, и непохоже, что плакала. Хотя с чего бы ей плакать? Дочку-то уделали ей неродную, нерожёную.

— Не взыщи на нас, сударь, в нашем горе, — молвила княгиня, кланяясь малым обычаем.

Подьячий тоже молча поклонился — не так низко, как старшей княжне.

— Моя третья, Марфа, — показал Лычкин на золотоволосую, робко помаргивающую девицу, миловидную собой. Та облизнула нежно-розовые губки алым язычком, жалобно наморщила лобик, потупилась.

— Которая князю Черкасскому невеста? — уточнил Шубин. — Не бойся меня, лебедушка. Я пришел твоему горю помочь, только говори со мной без утайки.

— Помилуй Господь, как можно утаивать... — еле слышно пролепетала княжна. Ее тонкие пальчики быстро двигали шариками костяных четок.

— Безгласная она у нас, батюшка, тихая, молитвенная. Чужому человеку и слово сказать побоится, — быстро сказал Лычкин. — Они с Лукерьей-покойницей у меня от второй супруги, урожденной Бельчаниновой. Погодки. Но Луша бойкая была, дерзовитая, а эта будто горлица. За то она князь-Василью Петровичу и приглянулась.

— Как оно всё у вас сладилось-то? С князем Черкасским? — спросил подьячий, всё глядя на невесту.

Ему стало любопытно. У Черкасских в Кремле хоромы, по всему государству вотчины, этот Василий Петрович самому князь-Ивану Черкасскому, царскому любимцу, близкая родня, а Лычкины — голь перекатная. Черкасским никак не ровня.

Борис Левонтьевич оживился — говорить про это ему было приятно.

— Так говорю же, Марья Челегуковна из Ахамашуковых, и князь Василий Петрович той же ветви, только Ахамашуковых-Черкасских. На прошлое Рождество жена моя ездила к ним, бабку троюродную проведать, та болела. Познакомилась там с князь-Василием, позвала у нас бывать. Он стал ездить. Говорил, что жениться ему пора, что за приданым он не гонится, собственных животов хватает. Была бы, говорил, девушка хорошего рода, скромная, собой ладная. Вывел я к нему с женской половины четырех своих дочек показать, на смотрины. Василь Петрович выбрал третью, Марфиньку. Пожаловал нас, убогих, Господь такою великою милостью... Я подмосковную деревеньку продал, чтоб подвенечный убор справить: платье

Вторник. СЫСК БЕЗ ЗАЗОРА

узорчатое, златого шитья с каменьями, кокошник жемчужна скань, сапожки венгерский сафьян... А ныне платье кровью попорчено, кокошник же вовсе пропал. — Он заплакал. — На нем одного жемчугу озерного на пол-полтораста рублей!

— Говоришь, пропал жемчужный кокошник?

Шубин вспомнил, что покойница, в самом деле, лежит простоволоса, и повеселел. Ежели убийство грабительное — тут урона для чести нет. О том, почему Лукерья Борисовна оказалась в невестином платье, пока решил не спрашивать. Оставалась еще одна дочь, младшая.

Эта стояла с краю, опустив голову, в тени, почти невидимая.

— Оборотись-ка на свет, голубка. Дай на тебя посмотреть.

Кузьма ждал, что дева, совсем еще юная, застесняется, затушуется, закроется рукавом, но младшая княжна подвинулась ближе к окну и глянула подьячему прямо в глаза.

Он крякнул, а ярыжка уронил на пол восковую доску.

Дева была неизъяснительно хороша. Черные волосы гладко-блестящи, черные глаза осиянны, черные брови горностаевы, а кожа белее белого, губы алее алого, пуще же всего удивительная эта красота озарялась неким особым трепетанием воздуха, словно бы ласкающего лучезарный лик.

А дурак Черкасский-то, что Марфу выбрал, подумал Шубин.

— Аглая, наша с Марьей Челегуковной дочерь. Последышная. — Князь тяжко вздохнул. — Уж с чем ее буду замуж выдавать, сам не знаю.

Видно, старшую дочь, Хариту, сбыть с рук он уже не надеялся.

Княжна сверкнула на родителя своими чудесными глазами, оскалила блестящие острые зубки и вдруг стала похожа на малого, но небезопасного зверька. Однако ничего не сказала, сызнова потупилась.

— Ну, а ты кто? Горничная?

Сбоку, в самом углу комнаты, переступала с ноги на ногу еще какая-то баба ли, девка ли. К ней Шубин подошел сам, не чинясь взял за подбородок.

— Как тебя? Евфишка?

— Евдошка... — шмыгнула мокрым носом служанка.

Была она мосластая, недокормленная, глазами косила в сторону. Ничем она Кузьму Ивановича не заинтересовала. Он оттолкнул ее лицо, пальцы вытер о полу.

Вернулся на середину светлицы.

— Ведайте, княгиня со княжнами: указано мне сыскать великое это душегубство накрепко, безо всякого чина. А сие значит, что ныне пред вами не старый первостатейный подьячий Шубин, а само око государево. Отвечайте честно, безо всякой кривды и утайки. Писец каждое ваше слово запишет, и кто солжет или правды недоскажет — быть тому в вине перед царем и Богом. Ясно?

Было тихо, лишь всхлипывала княжна Харита да испуганно щелкала четками княжна Марфа.

— Говорите, кто где был, когда свершилось убийство. Вот ты, княгиня, где была?

— Где мне быть? У себя. Не ложилась. Сон не шел, — пожала плечом Марья Челегуковна. — Потому, услыхав Марфушин крик, прибежала первой.

— Так. Ты, Харита Борисовна?

Старшая дочь не ответила и глаз не открыла. Искаженное мукой лицо подергивалось.

— Харита с Лушей очень дружна была. Больше всех прочих, — сказала княгиня. — Вот и убивается. Не пытай ее. Спрашивала я уже. У себя она была.

— Ладно... — Кузьма повернулся к невесте. — Ну, а ты что скажешь, Марфа Борисовна? Где ты была? И почему Лукерья вздела твое платье?

— Я... мы... у меня мы были, обое... — Княжна Марфа лепетала очень тихо, а четки прижала к груди, будто они могли ей помочь. — Я Лушу попросила в мой свадебный наряд облачиться... Чтоб посмотреть, как оно глядится... Луша со мной одной стати...

— Ага. Понятно. А когда она из комнаты вышла? И зачем?

— Когда — не знаю... Петухи еще и первый раз не кричали... А пошла она к себе за сапожками. Мои сафьяновые, венгерские, ей малы, а я хотела посмотреть, каково оно на каблуках будет... Вышла она, а я осталась... Через малое время слышу — вроде упало что-то... Но я тогда не вышла, позвала только: чего-де ты? А вышла я, когда трижды кликнула, и не ответил никто... Выглянула — не пойму. Никак лежит что-то. Вернулась за свечой. Гляжу — а это Луша на полу... И течет из-под нее черное, растекается... Я — в крик...

Больше Марфа Борисовна говорить не могла, расплакалась. Княгиня погладила ее по золотистому пробору, на подьячего посмотрела с укоризной: что, рад?

А Кузьма Иванович в самом деле остался доволен. Картина выходила почти ясная, но для порядка он спросил и Аглаю с Евдошкой — где были ночью? Княжна буркнула: у себя. Служанка сказала: спала в чулане.

— Должен у вас тут из женской половины наружу какой-нибудь ход быть. Во двор ли, в сад ли, — сказал подьячий. — Не каждый же раз вы через князь-Борисову спальню проходите.

— Есть дверь в сад, как не быть, — отвечал хозяин. — По переходу вправо, и там ход на малое крылечко.

— Пойдем, княже. Покажешь.

Идти пришлось мимо мертвого тела (Борис Левонтьевич, отворачиваясь, стукнулся плечом об стену), потом завернули за угол, и там точно оказалась дверь. Увидев изнутри засов, Кузьма было приуныл, однако велел ярыжке принести шендан со свечами, посветил и радостно присвистнул.

Засов-то засов, но скоба вышиблена, отходит от стены.

Подьячий открыл дверь, посмотрел снаружи: на створке следы ударов.

— Вот и всё. — Шубин потер руки. — Ясней ясного. Лихой человек залез во двор, у вас там тын — одно прозвание. Обмотал дубину ли, топорище ли тряпкой или чем, чтоб не грохотать. Вышиб скобу. Вошел. В переходе наткнулся на княжну Лукерью, которая шла к себе переобуться. Она, верно, повернулась бежать от чужого человека, а он ее с перепуга хватил ножом куда пришлось — под затылок. Мужичина, видать, аховой силищи. Вогнал в кость по рукоятку. Это смерть мгновенная, княжна и не пискнула. А тать схватил что попало под руку — жемчужный кокошник, и наутек... Успокойся, князь

Борис Левонтьевич. Дочери твоей не вернуть, но для свадьбы помехи нету. Невестиной чести урона не случилось. Так и доложу Степану Матвеевичу. А вы что ж? Сотворите очищение, попечалуетесь сколько положено, а там и свадьбу сыграете.

Князь от великого облегчения расхлюпался.

— Спаси тебя Бог, милый человек, за скорый и верный сыск. Отблагодарить бы тебя, да нечем. Авось после свадьбы богаче заживем. Тогда приходи.

— Приду.

Подьячий обернулся на ярыжку, который замешкался с подсвечником у поврежденной двери.

— Эй, ты чего там? Уходим.

— Кузьма Иваныч, господин старый подьячий, — зашептал парень, догнав Шубина, — я что там приметил-то... Дозволь покажу.

— Не дозволяю, — отмахнулся тот, размышляя о хорошем: как порадует приказного судью и чем потом отдарится благодарный Лычкин. — Беги за шубой и шапкой. Да посох не забудь. А как поможешь одеться — не лезь ко мне, шагай себе сзади. Думать буду.

— Вот и гоже, коли так, — сладко молвил Степан Матвеевич, дослушав доклад подьячего.

Одна рука судьи по привычке была засунута за пояс, в другой покачивалась нагайка. Кузьма встретил начальника на Земском дворе — Проестеву подавали коня, куда-то он собирался ехать, но, увидев возвращающегося Шубина, задержался.

Здесь же, за спиной у подьячего, топтался молодой ярыжка, мял в кулаке снятую шапку. Судья, слушая, нет-нет да поглядывал на мелкого человечка, лениво.

— Стало быть, княжну убил ночной вор, выбивши дверь? Ну-ну. Отпишу государю и патриарху, а то присылали уже, спрашивали. Черкасских тоже успокою, князь-Ивана Борисовича и князь-Василия Петровича. А ты, Кузьма, знаешь, что дале делать. Учить не буду. — Но всё же поучил: — Пошли к скупщикам предупредить. Как кто принесет продавать жемчужный кокошник или хоть рассыпной жемчуг, пусть того человека держат разговорами иль велят прийти за деньгами вдругорядь, а тебе пусть шлют весточку. Возьмем душегуба, никуда не денется.

— Прямо сейчас распоряжусь, — поклонился Шубин, гордый и успехом, и тем, что не огорчил судью.

— Что ярыжка, которого ты с собой брал? Толков?

Подьячий удивленно оборотился — забыл про парня.

— Ты чего здесь? А, я тебе алтын должен...

— И еще копейку, — напомнил тот. — Коли дело сделается. Или оно не сделалось?

— Ничего малый. Говорлив только, — ответил Кузьма начальнику, а ярыжке махнул: после с деньгами, после.

— Ладно. Беги, распоряжайся. — Проестев подавил зевок. — Не упустить бы татя.

Наскоро поклонившись, Шубин потрусил к крыльцу. Поспешно согнулся в пояс и ярыга, да так и застыл, ожидая, что великий человек пойдет дальше по своим великим заботам.

Но Проестев остался, где был.

— Распрямись-ка. Отвечай: ты что у подьячего за спиной рожи корчил? Будто хотел что сказать, да не решался?

Ярыжка поскреб низкую челку. Под волосами открылся гладкий лоб, посередине которого темнело круглое родимое пятно величиной с копейку.

— Тебя как звать?

— Маркелка, Маркелов сын...

— Ну говори, Маркел Маркелов, что не хотел при Кузьме сказать.

Парень еще немного помялся и решился:

— Насчет двери, которая будто бы снаружи выбита... Я скобу осмотрел. Она на гвоздях посажена. Так те гвозди не от удара вылетели, а кто-то их вытянул из дерева клещами или чем. Изнутри...

Судья сжал мягкие губы, отчего рот стал жестким, а лицо словно закаменело.

— Изнутри?! Не ошибся ты?

— От удара со двора щепки бы вылезли, а их не было, щепок. И на гвоздиных шляпках видно царапки от клещей. А в дверь — это для виду били. Чтоб было похоже на взлом. Только не взлом это...

Степан Матвеевич хлестнул себя нагайкой по голенищу, тревожно.

— Кто-то домашний подготовил дверь, чтоб убийце войти? Охо-хо, скверное дело...

— Или того скверней, — тихо сказал Маркел. — Домашний кто-то и убил. А с дверью нахитрил, чтоб на чужого подумали.

— Погоди, погоди. Удар ножом большой силы, сквозь весь череп, а на женской половине были только княгиня с дочерьми да девка-служанка.

Ярыжка покачал головой:

— Может, не такой и сильный был удар. Княжна на спине лежала. Могла, падая, рукояткой о пол попасть, вот кинжал скрозь и прошел.

— Верно! Могло такое быть!

— И еще одно, господин приказной судья... В переходе ночью, чай, темно было. А на княжне Лукерье Борисовне невестино платье, кокошник. Вот я и думаю: не ошибкой ли ее порешили? Может, хотели убить княжну Марфу Борисовну, да обманулись?

В волнении Проестев заходил по двору кругом, мелко переступая короткими ногами. О чем-то сам с собой толковал, шевелил губами, раз даже плюнул. Наконец остановился, поманил ярыгу пальцем.

— Хоть ты и зелен, а смышленей старого дурня Шубина. Чуть он меня под беду не подвел. Я бы всем отписал, что дело чистое, а оно еще, может, не окончено. Прав ты, Маркел Маркелов. Очень возможно, что кто-то хотел невесту уходить, да ошибся. И если убил некто домашний, то как бы оно новым душегубством не обернулось.

Вторник. СЫСК БЕЗ ЗАЗОРА

— Я тоже о том подумал, господин приказный судья.

— Зови меня Степаном Матвеевичем... — Проестев поглядел на конюха, державшего в узде смирную серую кобылу. — Ну так, Маркел. Мне надобно к государю патриарху ехать. О деле княжны Лычкиной докладывать ему пока не буду. Скажу: сыск продолжается. А ты давай на Подкопай — и копай. Докопай до правды. Хотя Лычкины мне и свойня, да правда дороже.

Парень заробел:

— Как это? Я ярыжка простой. Они со мной и говорить не станут!

— Я тебе такую бумагу дам, что никто не заперечит. Если надо — и княгиню, и даже девок-княжон с глазу на глаз расспрашивай, без хозяина.

— Чай срамно? — засомневался Маркел. — Наедине, без мужа, без отца?

— А я напишу в бумаге «сыскать накрепко, без чинов и всякого зазора». Когда так писано, можешь женок с девками хоть за потаенные места щупать, им от того никакого срама не будет — государево дело.

Ярыжка покраснел, должно быть, представив себе лишнее, а судья с ухмылкой шлепнул его по лбу.

— Без крайней надобности только не щупай. Ну-ка, подставь спину.

Махнул приказным — те принесли бумагу, чернильницу, перо, — и судья написал на согнутой спине ярыжки, как на столе, казенную грамотку.

— Вот так. И построже с ними, с Лычкиными. Эвон какие у князь-Бориса в доме черти хороводятся. Конюх, подавай кобылу!

С проворством, которого трудно было ждать от грушевидного тела, Степан Матвеевич вскочил в седло, стеганул по крупу плеткой. Погнал. Это он пешком ходил медленно, а ездил всегда быстро.

Маркел остался в ошеломлении от такого в жизни поворота: в одной руке шапка, в другой — грозная грамота.

Однако столбом парень стоял недолго. Тоже подхватился, сдвинул брови, смахнул со лба волосья — и побежал назад на Подкопай.

— Обронил что или забыл? — спросил знакомый холоп у все еще притворенных ворот (знать, пока не сторговались с попом).

— Веди к князю, — сказал ярыжка. — Вот, грамота к нему.

И выставил свиток вперед навроде копья. Все же боялся, что бумаги будет недостаточно — не захочет его княжеская милость приказную мелюзгу не то что слушаться, а и в дом не пустит.

Лычкин, выйдя в сени, и вправду сначала на Маркела даже не глянул — должно быть, принял за простого гонца. Взял грамоту, поднес к слюдяному оконцу, стал читать. Откусил пирожок, да не дожевал — замер с набитым ртом.

Тогда только и вгляделся в парня как следует.

— Без чину и без зазору? — повторил, и в голосе обозначилось дрожание. — То-то мне давеча помнилось, будто подьячий ходит больше для видимости, а истинный голова сыску — ты, Маркел... — Посмотрел в бумагу в поисках отчества, не нашел и додумал сам: — ...Маркел Маркелович.

Бесчинную, а того паче беззазорную грамоту абы кому не дадут. У такого большого человека непременно должно быть отчество.

Страшней всего князю показалось, что вернувшийся сыскатель так молод и худо одет. Не иначе из тайных людей, которых зовут «патриаршим оком». Вся Москва про них шепчется: будто у государева родителя патриарха Филарета, истинного правителя державы, во всяком приказе для пригляда есть свои верные слуги — в малых чинах, но в большой силе.

— По здорову ли святейший? — спросил Борис Левонтьевич с поклоном.

Вторник. СЫСК БЕЗ ЗАЗОРА

Маркел не понял, про кого это, но на всякий случай ответил «слава Богу», после чего князь поклонился уже в пояс.

— Пожалуй в горницу, сударь. Весь мой дом в твоей воле. Даже Кузьму Шубина так не привечал.

— Откуда у тебя, княже, лик расцарапан? — для почина спросил ярыжка, будучи проведен в горницу. В прошлый раз он ждал, что Кузьма Иванович про то сведает, но подьячий не стал.

— Это-то? — Лычкин потрогал щеку, сморгнул. — С горя сам себя окарябал. Когда доченьку мертвой увидел.

Показал ногти (такими можно было и хуже окарябаться), горестно шмыгнул носом, но Маркел все равно не поверил. Царапины были не сегодняшние — вчерашние либо вовсе третьеводнишние.

Коли хозяин сразу начал врать, разговор с ним лучше отложить на после, подумал ярыга.

— Оставайся здесь, княже. Я пойду на женскую половину один, а ты в том зазора не усматривай.

— Не буду. Пойду лишь предварю всех, чтоб не пугались и говорили с тобой, как на духу. Покушай пока квасу с калачом.

Конечно, лучше было бы потолковать с княгиней и княжнами без предварения, врасплошно, но они при виде чужого мужчины, пожалуй, начнут орать.

— Изволь, — разрешил Маркел. — Только живо.

— Я одним духом.

И побежал мелкой топотой, брюхан. А хорошо это, оказывается, — настоящего князя погонять.

Юнош взял ковш, отпил, рванул зубами калач (с утра ничего не жрал, за безденежьем). Жуя и похлебывая, обошел покой.

Может, если считать по-княжески, Лычкины жили и небогато, но ярыжке здесь всё было в диво. Один стулец поразил его своей затейливой красой: с резной спинкой — тулово опирать, с поручнями — локти покоить. Экое удобство, не то что на лавке сидеть. У стены высились диковинные рундуки — такие высоченные, что и не сядешь. И с дверцами. Приоткрыл одну — а там кубки, мисы, ковши. Какие оловянные, а какие и серебряные!

Ух ты, а это что? Сбоку от киота, где иконы, висел бумажный лист, креплен малыми гвоздецами. На нем картина, нерусская: большая вода с крутыми волнами (должно быть, море-океан), по воде плывут крутобокие корабли с парусами, а с неба дует ветром круглощекий бородач. Эко диво! В книгах про море многажды читано, а зрительно воображалось трудно: как это — вода без конца и края? А оно вон какое — море...

Вернулся запыхавшийся князь.

— Предварил, ждут. Что ни спросишь — ответят без утайки.

Верно, сказал домашним, чтоб не болтали лишнего, подумал Маркел, однако молвил: «благодарствуй, княже» и пошел дорогой, какую помнил — из горницы переходом в мужнину спальню, а оттуда к хозяйке.

Марья Челегуковна сидела на табурете посреди комнаты, прямоспинная и хмурая, сложив на груди руки. Не поднялась, не поздравствовалась. Никакого трепета перед сыскателем, хоть бы и беззазорным, княгиня не выказала.

— Чего тебе, служивый? — сказала. — Какого еще допыта? Дайте нам покойно наше горе горевать.

Если так, Маркел тоже чинничать не стал.

— Не больно-то ты горюешь. Муж твой плачет, дочери тоже, а у тебя глаза сухие, некрасные. Не жалко падчерицы?

Княгиня зло сверкнула глазами и стала краше прежнего. Есть на свете такие люди, которым злоба только к лицу.

— Мы, черкешенки, в горе не плачем. И дочь моя рожёная Аглая тоже не плачет, коль ты приметил. Остальные — те да. Одна молится и рыдает, другая сычихой воет, головой бьется. Не моя кровь.

— А может, ты не плачешь, потому что княжну Лукерью не любила? — продолжал наседать Маркел. Он уже не помнил о прежней робости, о своем жалком ярыжном состоянии.

Вторник. СЫСК БЕЗ ЗАЗОРА

Парня будто влекла за собой некая азартная сила — как охотничьего пса, взявшего след.

— Не любила, — спокойно согласилась Марья Челегуковна. — И не за что ее, злыдню, любить. Лукерья была девка ехидная, пакостная, завидущая. Одну только Хариту не обижала. И понятно отчего. Та — уродина и перестарок. У Лукерьи все разговоры были — как она за богатого-пригожего замуж от нас уйдет, а мы тут все в бедности сгнием. Приданое себе копила, в сундук запирала: что выклянчит, а что и скрадет. А когда мой троюродный братушка князь Василий, богатый-пригожий, выбрал в невесты Марфу, Лушка от досады мало не взбесилась. Я даже забоялась — не отравила бы родную сестру. Да только оно вон как вышло...

— И кто бы, по-твоему, мог такое лихо сотворить? — тихонько, словно опасаясь спугнуть добычу, спросил Маркел. Он и не ждал, что первая же свидетельница окажется столь пряма и говорлива.

— Известно же. Тать какой-то со двора влез и прирезал. Теперь Лукерья лежит мертвая, и поп нейдет. А душа ее черная, поди, уж у чертей на сковороде, — с удовлетворением молвила Марья Челегуковна и натвердо сомкнула уста.

Стало ясно, что более допытывать у нее нечего. Что хотела — сказала, и всё.

Ох, немягка княгиня, ох недобра, подумал Маркел. Саму, верно, на том свете черти ждут не дождутся.

Встал, поклонился, пошел дальше, к девичьим светлицам.

Но прежде, конечно, еще раз повернул направо — к мертвому телу и двери в сад.

Над убитой Маркел встал на четвереньки. Держа подсвечник, нагнулся чуть не самым носом в пол, будто принюхивался, и стал совсем похож на собаку.

Времени приглядеться теперь было много, и ярыга заметил то, что пропустил в прошлый раз.

Во-первых, нашел лежащую близ трупа веревочку, лазоревого цвета, витую. Была она завязана узелком, а посередке оборвана. Кто-то, возможно, носил снурок на запястье, да обронил. Конечно, веревочку могли потерять и в иное время, без связи с душегубством, а все ж Маркел ее прибрал.

Вторая находка была того интересней. Осматривая голову покойницы (не без страха — очень уж жутко пялились на дерзеца пучёные глаза), Маркел приметил на виске надорванный лоскуток кожи. Не сразу, но догадался: это убийца дернул кокошник, а тот зацепился за волоса. И в подтверждение угадки, тут же, увидел на полу, близко, малое блестящее зернышко. Похоже, повредилось что-то от рывка в кокошнике — стал осыпаться. Поодаль, шагах в трех, мерцал еще камешек. Юнош на карачках переполз туда, ближе к выходу. Других жемчужинок до самой двери не обнаружил, толкнул створку, переполз на крылечко. Подсвечник за ненадобой отставил, наоборот прикрыл глаза от яркого солнца.

Поползал по земле еще малое время. Ага, опять белый шарик. Что странно — не на пути к тыну, куда бы бежать татю с добычей, а с противоположной стороны. Там ничего нет, только стена дома да колодец.

Хмуря пятнистый лоб, Маркел приблизился к срубу. Заглянул.

Внизу маслянисто чернела вода — близко, аршинах в четырех или пяти. В низинах Белого Города глубоких колодцев не копают. Московский край лесной, болотный, до подземных ключей рукой подать.

Где-то тут должен быть багор — подцеплять бадейку, если сорвется с вервья или если что уронят.

Длинная палка с крюком лежала здесь же, в траве. Юнош сунул ее в сырую яму, достиг недальнего дна, начал шуровать и скоро что-то подцепил.

Ах! По дощатым стенкам запрыгали световые зайчики. На крюке, покачиваясь, висело дивное диво, волшебно-переливчатая корона, какими в сказке увенчивают царевен!

Не веря такой скорой удаче, Маркел бережно взял кокошник. Так и есть: с одного края сканная нитка порвалась и несколько самых мелких жемчужин выпали, а еще прицепился клочок светлых мокрых волос.

Оглянувшись на дом (не смотрят ли), ярыжка сунул драгоценную вещь за пазуху. Шутка ли — семьдесят пять рублей! Однако же выкинули...

— Диковинная татьба, — бормотал Маркел, возвращаясь к дому. — Диковинная...

Он хотел побеседовать с княжнами по старшинству, начав с Хариты Борисовны, но перед дверью княжны замялся — постучать, нет? Государеву человеку, которому грамота дала большую власть, стучать вроде не к лицу, а как впереться невежею к деве высокого рода?

С той стороны донеслось: ууу — туммм, ууу — туммм... Всё колотится, сердешная.

Ярыге стало робко. К девичьим слезам он не привык, вблизи их никогда не видывал.

Какой с Харитой разговор, коли она припадочная? Ну ее.

Малодушно попятился, решив оставить самую трудную собеседовательницу на после.

Лучше для почина говорить с самой кроткой из дев — Марфой Борисовной. С нею, тихой и богомольной, выйдет легче.

Дверь в соседнюю светлицу была приоткрыта, оттуда неслись звуки, непонятные, однако совсем не богомольные.

Кто-то там что-то прошипел, потом кто-то вскрикнул. Опять свистящий, невнятный шепот. Опять вскрик.

Маркел заглянул в щель.

Внутри были несчастная невеста и девка-горничная — на коленях перед ней, с положенными на лавку руками.

— Сколько раз тебе, сучьей стерве, говорено — чулки сторожко стирать? — цедила Марфа Борисовна сквозь ощеренные зубы.

И четками горничной по костяшкам пальцев, с размаху. Этак и покойный Гервасий не лупцевал.

— Ой!

— Говорила я тебе: дырку не простирай? Говорила?

Снова удар.

— Ой!

Вот тебе и кроткая дева...

Стукнул в дверь.

— Княжна! К тебе я, приказный человек Маркелов!

Стало тихо.

— Входи, сударь, — тоненько, жалостно отозвалась княжна.

В переход, сопя носом, выскользнула служанка. Маркел схватил ее за локоть, шепнул:

— Ты куда, Евдошка?

— К себе, в чулан... Боярышне чулок штопать.

Глаза у девки были слезные, голос дрожал.

— Будь там, жди. Скоро приду.

Княжна сидела на той же лавке, где только что казнила Евдошку, понурая и хрупкая. Белыми ручками перебирала четки, лицо всё в слезах (и когда только успела замокриться?).

— Батюшка велел во всем тебя слушаться, отвечать без лукавства. А я, сударь, и знать не знаю, что за лукавство такое. Я дева простая, глупая, уж не взыщи.

И глаза такие беззащитные, доверчивые.

Все, что ль, они такие, Евины дочери, мысленно подивился Маркел. На людях овечки, а сами — волчицы лютозубые?

Не было у него никакого навыка разговаривать с благородными девами.

— С сестрой-покойницей вы каковы были? — спросил он, вспомнив слова княгини, что Лукерья была злыдня и ладила только с Харитой. — Чай ссорились?

Эх, не надо было так, в лоб-то. Спохватился, когда уже выскочило.

Вторник. СЫСК БЕЗ ЗАЗОРА

— С Лушенькой? — поразилась Марфа Борисовна. — Что ты, сударь! Мы же с ней от одной матушки. Вместе произросли, вместе сиротствовали под мачехой. Лушенька на год меня старше. Всегда защитит, всегда полакомит. Как я теперь без нее жить буду, без моей отрадушки?

И залилась слезьми, и затрепетала плечьми, и от великого того рыдания говорить более не могла.

Маркел засомневался. Невозможно так горевать из притворства. Кажется, княжна истинно убивается. Иль нет? Бес ее разберет.

— Будет тебе, будет, — сменил он грозный глас на ласковый. Еще и по голове ее погладил, утешительно.

Опять только навредил. От доброго слова Марфа Борисовна расплакалась еще пуще, совсем сомлела. Зубки у ней застучали, из горла поднялось икание. Бледные губки пролепетали:

— Прости, ик, сударь... Не могу я говорить... Лушеньку, ик, жалко...

Помялся над ней Маркел минуту или две, крякнул да и вышел.

С допросами пока шло не шибко ладно.

Девка-служанка сидела в глухом закутке под лестницей, душном и даже среди дня темном. На краю лавки, бывшей тут и столом, и сиденьем, и кроватью, тлела лучина.

— Когда Лукерья невестино платье мерила, ты с ними была? Помогала?

— Оне меня прогнали. Сначала меж собой собачились, после на меня напустились. Запачкаешь, говорят, шелк-атлас, грязнолапая. Иди отсель! А мне надо? Я спать пошла.

Евдошка глядела на казенного человека опасливо, но отвечала без замешки. Бойка. Это хорошо.

— О чём собачились?

— Обо всём. Бельчанки, оне такие. Лукерья собака куса-чая, а и Марфа потачки не даст, но эта больше исподтишка жалит, по-змеиному.

— Бельчанки?

— Мать у них была Бельчанинова, потому Бельчанки. Это мы их так зовём, дворовые.

Говорливую Евдошку особенно и тормошить не при-шлось — только поворачивай разговор, куда надо. Повезло Маркелу со свидетельницей. Или, может, простые люди по-тому и зовутся простыми, что с ними проще.

— А как вы остальных зовёте?

— Князя никак — «князь», а в глаза «боярин», он любит, хотя никакой он не боярин. Княгиню Марью Челегуковну — Чугункою. У неё кулак маленький, а будто чугунный. Ух, страшна бывает! Княжна Харита у нас Бурёнка. Потому что рыжая и бодается, коли осерчает. Хотя так-то она не злая. Только если сильно разобидится — тогда напролом идёт.

— А младшую? — спросил ярыга про черноокую красавицу.

— Аглайку? Ртутью. Она как ртуть — быстра, блескуча и ожечь может. Но её мы ничего, любим.

Маркел сел рядом, вытянул ноги.

— Скажи, Евдоша, а не знаешь ты, когда князь себе лик расцарапал?

— Третьего дня. И не сам он. Это Лукерья ему харю окро-вянила, мало глаза не выскребла.

— Лукерья? — Ярыга выпрямился. — За что?

— А он в сундук влез, где она приданое копит. Ключ подо-брал или что, не знаю. И вытащил волосник златопрядный — Лукерье на прошлые именины тётка подарила, богатая. Что крику было! Князь бежит, за рожу держится. Орёт: «На отца руку подняла! Прокляну! Отрину!» Лукерья за ним. «Убью! Не родитель ты мне — Ирод!» Смехота...

Девка захихикала.

Эка оно как, у князей в теремах, подивился про себя Мар-кел. Тоже ведь люди.

64

Вторник. СЫСК БЕЗ ЗАЗОРА

Однако в каморке становилось душно.

Он поднялся, толкнул дверцу — так дышать было вольготней.

— Ночью, поди, нараспах держишь?

— Ага. Не то задохнешься тут.

Небрежно, как бы в продолжение прежнего разговора, ярыга спросил:

— Крепко спала? Не слыхала чего?

— Поспишь у них. Шастают. Пол-то старый, скрипучий. Хоть на цыпках крадись — слышно.

— А кто-то крался?

— Было.

— Задолго перед тем, как учинился крик?

Евдошка задумалась.

— Не скажу... Я скоро сомлела. Пробудилась, когда Марфа заголосила.

Очень довольный разговором, Маркел встал с лавки.

Теперь — к младшей княжне. Вдруг она тоже ночью что слышала?

Аглая Борисовна по прозвищу Ртуть на простой вопрос — крепко ли ночью почивала — долго не отвечала, рассматривая сыскальщика своими черными матовыми глазами, которые по временам посверкивали льдинками или, уместней сказать, звездочками. Будто перед княжной объявился некий пока что неразъясненный предмет, и еще непонятно, надо ль удостоить его внимания.

Маркел слегка поежился. Внимательный, изучающий взгляд действовал на него странно. Щеки стали горячими, а руки холодными. Сердце сжалось, сбилось дыхание. А еще перепутались мысли, и юнош уже сам забыл, о чем только что спрашивал. В детстве у Бабочки была сказка про птицу Си-

рин, у коей глава и грудь прекрасной девы, тулово соколицы, огненные крыла и волшебный голос: как зачнет петь, человек всё забывает, самого себя не помнит. Аглая даже и не пела, просто глядела, а вышло то же самое.

Какой у ней лик! Вроде тонкий, а в то же время круглый. Кожа белая, будто из ромашковых лепестков. Губы цвета красной смородины, и меж ними, чуть приоткрытыми, посверкивает сахарная полоска.

— Одного не пойму, — пробормотал Маркел вслух то, о чем подумал. — Как князь Черкасский на смотринах тебя не выбрал. Слепой он, что ли?

Что-то в лице княжны после этого вопроса изменилось. Оно утратило каменную недвижность и будто ожило, очи засветились уже не холодными огоньками, а искорками, притом веселыми. Истинно — Ртуть и есть.

Похоже, Аглая Борисовна решила, что предмет достоин внимания.

— А я рожу учинила. Я умею. Гляди.

Она скосила глаза к носу, отвесила нижнюю губку, спустив с нее ниточку слюны, и сделалась похожа на дуру, за какими по улице, дразнясь, бегают мальчишки.

— Еще и животом забурчала, противно. Это потруднее будет, надо сильно натужиться и под ложечку себе нажать.

Держа дурью гримасу, княжна приложила руку к платью, под высокую грудь, и раздался звук навроде журчания иль булька, вовсе не показавшийся Маркелу противным.

Он прыснул — так это было неожиданно. Звонко, беззаботно рассмеялась и Аглая Борисовна. Это уж вовсе показалось Маркелу чудом: только что была косоглазой дуркой и вдруг как бы воссияла радостным светом.

Теперь у самого ярыги лицо стало глупым. Недосмеявшийся рот застыл, челюсть отвисла, а грудь вдохнуть вдохнула, да не выдохнула.

— Ты смешной, — сказала княжна — так, словно это было похвалой. — На живого человека похож. А то ходят вокруг все какие-то мертвые иль полумертвые, не на ком взгляд задержать. Ты кто? Царский слуга?

— Я никто. — Он понемногу приходил в себя. — И говорить про меня нечего. А... почему ты за князя замуж не захотела? Он сильный, богатый. Иль собой нехорош?

— Красивый, статный, напористый. А только мне такого не надо. — Она двинула плечом. — Глянула на него — нет, думаю. Не буду с тобой жить, детей тебе рожать.

— Да разве девки выбирают, с кем им жить и от кого рожать?

— С кем жить — нет. От кого рожать — да, — уверенно ответила княжна. — Дитё должно рождаться только по большущей любви, иначе оно вырастет злым и несчастливым. Я рожу или от того, кого полюблю, или вовсе не рожу.

Маркел слушал — не мог понять, шутит она, что ли, или говорит глупое по девичьей чистоте?

— По-всякому рожают, — сказал он. — От нелюбимого мужа тоже. Сколько их на свете, кто по любви живут? Я чай, мало. Если бы женки рожали только от любимых, земля б обезлюдела.

— Ну и ляд бы с ней, — беспечно молвила Аглая Борисовна. — Лучше пусть человеков будет мало, зато сплошь счастливые и любимые. А про женок ты не говори, чего не знаешь. Не захочу рожать от постылого — не рожу. На вашу мужскую силу есть бабьи хитрости, о каких вы, дураки, и не догадаете.

Прежде Маркел таких дев не видывал и даже не знал, что они бывают. Как только это подумалось, пришла еще одна мысль, очевидная: а других таких и нет. Вот она, единственная дева на всем белом свете. Повезло ему узреть ее собственными глазами. А может, и не повезло, а совсем наоборот. Потому что никогда больше в княжий терем на женскую половину Маркелка Маркелов не попадет, и выдадут единственную за какого-нибудь боярина, и запрут ее в другой терем, еще неприступней этого. И как после этого любить обычную женку, как с ней жить, зная, что есть настоящая, единственная? Всякая сласть обратится горечью, всякая ласка — прахом...

От тоскливого предвиденья сделалось томно и печально. Опустил Маркел голову на грудь и тяжко, убито вздохнул.

— Э, ты чего? — Княжна попросту, по-детски, тронула его пальчиком за кончик носа. — Тебя звать-то как?

— Мар...кел.

— Мар-кел, — повторила она. — Ты, Маркел, верно, обижаешься, что я на твой спрос не ответила? Про то, как я ночью спала? А потому что нечего издали подбираться. Спрашивай прямо: выходила ль я из комнаты, а если не выходила, то не слышала ли чего?

— Да. — Он тряхнул головой, гоня прочь нелепые мысли. — Про то я и хотел сведать.

— Выходить не выходила, незачем было. А слышать... Ничего такого приметного не слышала.

— Не скрипел ли пол, будто кто-то крадется?

— Скрипел, он тут каждую ночь скрипит. — Аглая Борисовна поморщилась. — Все друг у дружки под дверью подслушивают, в щелку подглядывают. Больше всех Лушка-покойница это любила. Но и Марфушка, и мачеха, а в последнее время Харитка тоже словно взбесилась. На прошлой неделе гляжу — она у Марфиной двери стоит, ухом прижалась. «Ты что? — говорю. — Тебя-то какая блоха укусила?» Только глазами обожгла. Не дом у нас, а змеюшник...

Внезапно княжна прижала палец к губам и повела себя диковинно.

Она сидела на лавке в накоснике на черно-блестящих волосах, в домашнем камчатом платье, в остроносых турских сапожках. И вдруг, подняв ногу, сняла один сапожок, другой. Маркел заморгал, ничего не понимая. Аглая же, бесшумно ступая в чулках, подошла к двери и рывком ее отворила.

— Что я тебе говорила? Полюбуйся!

За порогом, хлопая глазами, стоял Борис Левонтьевич.

— Подслушиваешь, батюшка? — Княжна подбочениласъ. — Давно ли?

Князь замахал на нее:

— Окстись, Аглаюшка, бог с тобой. Как можно? Дело государево! Только-только подошел, постучать хотел... Прости за помеху, сударь, — обратился он к Маркелу, — но у нас дело великое. Чуть повремени с сыском, не возьми в гнев. Пожалуй со мной, всё объясню. А ты, Аглая, надевай всё лучшее и тоже приходи. В горницу иди, там все. Да быстрее!

И взял Маркела под локоть — вежливо, однако настоятельно. Потянул за собой.

— Гость пожаловал, дорогой гостюшка, — зашептал Лычкин, все не выпуская ярыжкину руку. — Сам князь Василий Петрович, Марфин жених. Был он в палатах у патриарха, повстречал там Степан Матвеича, прознал про сыск и пожелал самолично учинить спрос, потому как Черкасские нам уже почти родня, и дело касается ихней чести. Велел всем нам пред ним быть. Маркелушка, батюшка, не подведи! Замолви словцо! Скажи ему, что сыск уже был и что старый подьячий Шубин, бывалый человек, никакого урона для нашей чести не выявил!

— Так сыск еще не кончен, — попробовал спорить Маркел, но у старика затряслось жирное лицо.

— Не погуби! Конец нам, коли Василь Петрович разорвет помолвку! Никто на моих бесприданниц после такого позора и глядеть не станет! А жить нам нечем. Последнее, что было, на свадебный наряд страчено, и кокошник жемчужный, за пол-полтораста рублей скраден, не вернешь!

Они стояли в князевой спальне, медля войти в горницу, откуда слышался невнятный, раскатистый бас.

— Вот он, кокошник. — Маркел достал из-за пазухи колодезную находку. — Где я его нашел, про то пока не спрашивай. До окончания сыска сказать не смогу.

Борис Левонтьевич схватил драгоценный венец, прижал к губам, будто святую икону. Слезы заструились по пухлым щекам.

— Бог... Бог тя благословит за твою честноту, душа человек! — Лычкин воздел мокрые глаза к потолку. — Яви еще одну милость, выручи. Повтори князь-Василию, что давеча подьячий говорил. И только.

— Повторить можно, — неохотно молвил Маркел, — но...

— Вот и благо, вот и ладно!

Не дослушав, Борис Левонтьевич повел парня в горницу. Там было так.

У стола, мрачнее тучи, сидел чернобородый молодец лет тридцати. Сердито стукал по столу крепкой холеной рукой в алмазных перстнях. Алмазными были и застежки на багряной ферязи, а высокий ворот густо заткан золотым шитьем. Пожалуй, одна эта ферязь стоила дороже, чем вся усадьба Лычкиных. Лицо у стольника было пригожее, с крупными чертами, с резкой складкой на лбу, говорившей о крутом нраве. В правом ухе на золотом колечке висела грушевидная жемчужина.

Напротив, тоже красивая, похожая на родственника хищной красотой и гордой посадкой головы, сидела Марья Челегуковна. Две княжны, Харита и Марфа, стояли поодаль, у стенки. Первая не плакала и неотрывно, не мигая, будто в страхе или ошеломлении глядела на Ахамашукова. Вторая, невеста, была сама кротость и скромность: очи опущены, ручки смирно сцеплены на подоле, на лице приличная случаю скорбь, однако щеки нарумянены и брови начернены.

— ...Ныне же всё сам сыщу, — грозно говорил жених, не прервав речи при появлении хозяина. — Коли обнаружу хоть малое бесчестье — не взыщи, Борис Левонтьич. Ноги моей здесь боле не будет. Отвечайте мне все, как на исповеди. Коли случилось что стыдное — расстанемся добром. А коли станете что утаивать — не прощу. Ты, Борис Левонтьич, меня знаешь.

— Знаю, князюшка, знаю, — закланялся Лычкин. — Да только нечего нам утаивать. Вот и государев человек, Маркел Маркелов скажет. С утра они тут сыскивают, ничего зазорного не выявили...

Ахамашуков-Черкасский на Маркела и не взглянул.

— Говорил мне Проестев, приказная мышь. Не придумал ничего лучше, как простого ярыжку для сыска прислать! Попомню я ему эту обиду! Где еще одна твоя дочь, которая косоглазая? Всех разом допросить желаю!

— Сейчас будет, сейчас...

— Так пусть поспешит! Мне долго ждать недосуг!

Грозный гость стукнул кулаком по столу, и Маркел вздрогнул. На крепком смуглом запястье висели витые снурки: красный, синий, желтый, зеленый — с десяток.

— Отведай пока каши медовой, испей кваску... Дай тебя попотчевать.

Вторник. СЫСК БЕЗ ЗАЗОРА

Лычкин согнулся над столом, придвигая мису и ковш, сунул стольнику в руку расписную ложку.

— Черта ль мне твоя каша?! — взъярился Ахамашуков, да переломил ложку надвое, словно щепку. Швырнул обломки на пол. — Не виси надо мной! Сядь!

Хозяин оторопело бухнулся на лавку.

— Дозволь, батюшка, пока Аглаи нет, я с князь-Василием поговорю с глазу на глаз, по-родственному, — сказала Марья Челегуковна, кажется, нисколько не испуганная яростью троюрода. — Пойдем, Вася, потолкуем.

И пошла, не дожидаясь ответа, уверенно. Стольник скрипнул зубами, но поднялся. Оба вышли.

— Вон оно у нас как... — вздохнул Лычкин, растерянно глядя в пол, на переломанную ложку.

Княжна Харита вдруг быстро подошла, опустилась на корточки и подобрала обломки. Сунула в рукав.

Маркел сызнова вздрогнул, замигал, а Борис Левонтьевич молвил с досадой:

— Без тебя бы прибрали. Ты какая-никакая, а княжна! Мы, Лычкины, Гедиминова семени! Будет всякая черкасская беспородь меня срамить!

Брякнул и опасливо глянул на дверь, за которой скрылся стольник — не услышал ли? Покосился и на Маркела, увидел, что тот весь красен — забеспокоился.

— В сердцах я это, не по злобе. Не перескажешь?

— Не перескажу, — медленно пробормотал ярыга, потирая лоб.

Тогда князь истолковал красноту его лица по-иному.

— Ты, верно, думаешь, что это стыд и неподобие — когда жена с чужим человеком у мужа не спросясь уединяется? Ничего, они родня. Марья к ним, к Черкасским, в домовую церковь каждое воскресенье на молебен ездит. Не одна, конечно. С Харитой.

Но Маркел хотел спросить про другое.

— А что это у него на руке за цветные веревочки? Не знаешь ли?

— Знаю. Обереги ихние, черкесские. И Марья Челегуковна такие раньше носила. От сглаза, от злых духов. Ты не думай, бесовщины в том нет. Князь Василий каждое воскресенье свои обереги в церкви перед родовой иконой кладет, заради укрепления святой силой... Что это они там? О чем беседуют?

Лычкин с тревогой смотрел на дверь.

А Маркел решил, что ему чиниться нечего. В грамоте сказано: сыск без зазора. Стало быть, кто тут в сей час главный? Кто государево око? То-то.

Встал, подошел к двери, заглянул.

Никого. Но на том конце виднелась еще дверь. Подошел и к ней. Приложился.

— ...оно и лучше бы. Ни с кем не хочу тебя делить, ни с кем! — со страстью, глухо говорил низкий голос. Маркел не сразу и догадался, что княгинин.

— Так не огневаешься, значит? Из-за тебя одной ведь сюда ездил. Ладно, идем. Объявлю.

А это был Ахамашуков.

Поразившись — уже который раз за день — человеческой неочевидности, ярыга тихонько вернулся в горницу.

— Идут, — сказал он, избегая смотреть хозяину в глаза и смущенно потирая родинку.

Они и вошли: впереди хмурый стольник, за ним Марья Челегуковна, с целомудренно сложенными на животе руками. Печально посмотрела на мужа, покачала головой.

А князь Василий встал посреди комнаты, расставив ноги, взялся руками за парчовый пояс.

— Вот тебе мой сказ, Борис Левонтьевич. Злое дело, свершившееся в твоем доме, у всей Москвы на языке. Болтают всякое неподобное, от чего чести Лычкиных великий урон. Хоть княжна Марфа мне мила, но я должен о своем роде думать. Нельзя, чтоб моя свадьба всем Черкасским пошла во вред. Потому, уж не обессудь, помолвку я расторгаю, а тебе по-дружески советую уехать из города. Княгиня Марья пускай остается в Москве. Она нашего рода, мы ее в обиду не дадим, а ты пожил бы вдали, пока не утихнут слухи. Я тебе отпишу, когда можно будет вернуться.

Вторник. СЫСК БЕЗ ЗАЗОРА

Князь Лычкин слушал и жалобно сопел, даже перестал жевать, однако Маркел смотрел не на хозяина, а на княгиню с княжнами.

Марья Челегуковна стояла с непроницаемым лицом, глядя в пол. Харита Борисовна не сводила глаз с Ахамашукова, оцепенелая, будто сонная. Шевелилась только Марфа Борисовна — кусала накрасненные губы, горестно вздымала нарисованные брови.

Тут появилась и запозднившаяся третья княжна. Повернув к ней голову, Маркел про всех остальных забыл.

Аглая Борисовна нарядилась в узорчатое, шитое травами-цветами платье, повязала голову сребротканой лентой и сделалась до того хороша, что в горнице стало светлей, словно ярче засияло солнце за окном.

Ахамашуков сбился на полуслове, пораженный. Увидев, что за гость в доме, младшая княжна смешалась, попробовала было скосить глаза к носу, но, кажется, поняла, что поздно, и просто низко поклонилась, а лица потом уже не подняла.

Но стольник продолжал на нее пялиться, разинув рот.

Сделалось очень тихо.

Пользуясь тем, что о нем все забыли, Маркел бесшумно попятился к двери и выскользнул за нее. Далее пошел быстро.

В комнате княжны он быстро огляделся. Обстановка была скудная: кровать под образами, малый столец с завешанным зеркалом, лавка, под лавкой сундуки.

С них и начал.

В одном лежало бережно уложенное белье: верхние и нижние сорочки, чулки, платки, какие-то белые женские затейности, назначения которых ярыга не знал. Во втором два платья: простое, для повседневного выхода, и с шитьем — для воскресного. В третьем обувь: две пары башмаков, две пары сапожек.

Всё не то.

Маркел заглянул под кровать. Ничего — лишь ночная посудина.

Под подушками?

Нету.

Искомое нашлось на полке за иконой Богоматери: малый ларец, любовно укутанный в кус шелка.

Оттуда ярыга извлек, разложив на лавке, мужскую перчатку зеленого бархата, сухой огрызок яблока и два витых снурка — лиловый да красный.

Вздохнул, сел. Стал ждать.

Довольно скоро — пожалуй, через четверть часа — послышались скорые шаги. Дверь отворилась.

— Новое сокровище принесла? — спросил Маркел. — Заходи, княжна. Рассказывай, как сестру убила.

Она не закричала, не отшатнулась. Веснушчатое некрасивое лицо осталось недвижно, только чуть встрепетали рыжие ресницы.

— Не я убила, — молвила Харита. — Сатана убил. Вженился в меня и убил. Я — это не я. Душа во мне истаяла, а моя плоть — вместилище сатанинское. Веди меня на суд, государев слуга. Пускай терзают, пускай казнят. Всё лучше, чем самой на себя руки наложить...

Он поднялся, взял ее за рукав, потянул в комнату. Разжал деве пальцы, отобрал переломанную надвое ложку.

— Давно его любишь?

— Как первый раз увидела. С мачехой была на обедне, в ихней церкви. Он вошел, взглядом меня ожег. С того мига вженился в меня Сатана, и стала я сама не своя...

Говорила она легко и даже охотно. Должно быть, измаялась столько времени носить в себе муку.

— Перчатку он обронил, а ты подобрала?

— У сердца спрятала.

— А огрызок?

Вторник. СЫСК БЕЗ ЗАЗОРА

— Он перед тем, как в церкву войти, на землю кинул. Я подняла, малый кусочек откусила — где его зубы только что касались. То-то было сладко!

Грубое лицо Хариты ожило и будто похорошело.

— А оберег ты из-под иконы украла? Завязывала себе на руку? Когда ударила Лукерью ножом, снурок и порвался.

— Не хотела я! — крикнула Харита. — Я думала, это Марфа, вориха и разлучница! И не я там с ножом таилась — Сатана! Я спать не могла! Думала одно: не отдам его, не отдам! Либо себя порешу, либо ее! И схватила нож, себя не помня, пошла к ней — убить. А у нее Лукерья, смеялись они... Ладно, думаю. Уйдет Лукерья — тогда. Встала там, за углом. Стала ждать. А она вышла, в венчальном платье — будто в насмешку надо мной. Я ее мимо пропустила — и ударила, куда придется. Сатана ударил. Он меня вел, он! Сорви, шепчет, кокошник. Выкинь. На татя подумают. Я всё исполнила, как он велел. Только обманул меня Диавол... Вместо Марфы подсунул Лукерью...

Исступление, в котором княжна вела свою сбивчивую речь, вдруг ослабело. Харита закрыла руками лицо, оперлась спиной о стену, опустилась, да так и осталась на корточках.

— ...Хотела я в монастырь уйти, до конца дней страшный свой грех отмаливать... Но так еще лучше. Веди меня в тюрьму. Не буду отпираться. Потеряла я Васеньку... Пускай с нею будет. Мне уже всё едино...

— Князь отказался от твоей сестры. Хоть этим-то себя не мучай, — нахмурился Маркел.

Ему стало жалко княжну. Ведь, истинно, не она это за нож схватилась, а злое любовное безумие. Безумие сошло, а живая девка осталась. Теперь будут ее, как законом положено, допрашивать. Что призналась — неважно. Может, еще какую правду утаила, а на дыбе да под кнутом скажет? Разломают дуре плечи, иссекут спину. А если она и дальше будет про вженившегося Сатану плести, сожгут на костре как ведьму...

— От одной отказался, к другой прилепился, — невнятно, сквозь ладони сказала княжна. — Аглайку он теперь хочет.

Сказал батюшке: «Коли женюсь, то на этой, а Марфы мне не надо». Батюшке какая разница? Обрадовался. Сразу по рукам и ударили...

Маркел пошатнулся.

— Здесь будь. Не вздумай бежать!

— Некуда мне бежать. От себя-то...

Осталась, как была, обмякшая и безвольная. Даже не посмотрела ему вслед.

Пойти к ним, объявить, что сыск окончен, лихорадочно думал ярыга. Великое страшное злодейство: одна сестра убила другую. Это всем позорам позор, всем бесчестьям бесчестье. Отступится князь Василий, не сможет жениться.

Но до горницы не дошел. Навстречу, с мужской половины, бежала Аглая — так друг на дружку и налетели.

— Ох! — Она ударилась о его грудь, но не отпрянула, а наоборот прижалась. Глядела снизу вверх, и в глазах не было озорства, не было дерзости — один страх. — Меня сосватали! За коршуна за этого! Не пойду за него! Не хочу!

— Не кручинься. — Маркел крепко взял ее за локти. У него кружилась голова от близости к Аглае, от запаха ее волос. — Свадьбе этой не бывать. Я не попущу.

— Что ты можешь, Маркелушка? — Она всхлипнула. — Как не попустишь? Князь-Василию и приказный судья ничто, а ты ярыжка простой... Ну почему ты ярыжка?

Спрошено было с горькой обидой, и Маркел завиноватился. В самом деле, отчего он безродный сирота, бесхлебный никчемник, а не царский стольник, не сын боярский, не князь? Раньше жил на свете — думал, ничего, как-нибудь проживу и в простоте. А они, оказывается, вот зачем нужны — родовитость и богатство. Чтоб Аглаю Борисовну никому другому не отдавать.

Вторник. СЫСК БЕЗ ЗАЗОРА

— Небось, не получит он тебя, — сказал юнош с твердостью. — Я сейчас пойду, такое им открою, что Ахамашуков отступится.

— Видел бы ты, как он на меня зрел... Ажно трясся весь. Нет, — замотала головой плачущая дева, — он теперь не отступится.

— Ничто. Как бы он ни хотел на тебе жениться, ему старшие Черкасские не дадут. Для ихнего рода с Лычкиными родниться ныне будет срамно.

— Почему срамно?

— Потому что княжну Лукерью убила родная сестра, Харита. Я сыскал, а она призналась. Позор будет вашему имени. Никто тебя теперь замуж не возьмет. Ты ведь хотела этого?

— Харита...? — повторила княжна, качнувшись назад и схватившись за грудь. — Лукерью? Господи, страсть какая... Да с чего бы? Невозможно!

— Харита стольника любит, до ужасности. Хотела его невесту порешить, да в темноте перепутала. Не веришь? Спроси у ней сама.

Это он сказал Аглае уже в спину — княжна и сама бежала к Харитиной комнате.

Маркел, тяжело вздыхая, остался в переходе. Пускай сестры поговорят меж собой наедине.

Переступал на месте, слушал невнятные голоса. Тонкий, взволнованный что-то вопрошал и восклицал; вялый, усталый отвечал и вроде как даже утешал.

Когда разговор сменился двойным безутешным плачем, Маркел решил, что пора.

Тихонько встал на пороге.

Сестры, обнявшись, рыдали. Младшая прижалась головой к груди старшей; та ласково гладила ее по волосам.

— Теперь поверила? — спросил ярыга. — Поплачьте, попрощайтесь. Пойду в горницу, объявлю.

— Не ходи!

Аглая обернулась. Глаза у ней от слез сияли еще ярче всегдашнего.

— Маркелушка, не губи ее. Что сделано — не поправишь. Лукерью не вернешь. Пускай Харита в монастырь идет, молить Бога о прощении. Люди ее не простят, а Бог — Он всё прощает, так в книгах написано.

— Да как же? — Маркел задохнулся. — Ты-то как? Тебе тогда за князь-Василия идти, а ты за него не хочешь!

— Не хочу. — Она встала, грустно улыбнулась. — Я бы за тебя вышла. И ничего бы мне больше не надо. Ничего... Да кабы всё в жизни по-нашему выходило, тогда б не надо и Царства Небесного...

— Дура ты, Аглайка. — Харита вытирала глаза рукавом. — Такое тебе счастье, а ты нос воротишь. Да я бы ради одного денечка, ради одного часочка с Васенькой на какую хошь муку пошла...

И снова обе обнялись, зарыдали.

Маркел, пошатываясь, вышел вон. И тоже заплакал. С отрочества, с двенадцати лет, в первый раз.

С утра его позвали к Проестеву.

Степан Матвеевич долго рассматривал понурого ярыжку, стоявшего перед ним с шапкой в руке, задумчиво поглаживал бороду. Наконец сказал:

— Чёл твою грамотку. Складно писана. Значит, верно сыскал Шубин? Княжну Лукерью убил ночной тать, для грабежа? Зря я тебя, выходит, вдругорядь посылал?

— Виноват, господин судья. Напридумывал лишнего...

Голос у парня был тусклый.

— Какой же это грабеж, если тать добычу, кокошник жемчужный, в колодезь кинул?

Вопрос Маркела врасплох не застал.

— Схватил сначала от жадности, а на дворе сообразил, что его через тот кокошник быстро найдут. Вот и выкинул. Знать, не дурак.

Вторник. СЫСК БЕЗ ЗАЗОРА

— Мда-а, тать-то не дурак, это ясно, — протянул Проестев. Поднялся из-за стола, мягко ступая, подошел к ярыге, оказавшись на пол-головы ниже. — Про тебя только не пойму, дурак ты иль нет. Князь Борис пишет, что ты-де мог кокошник утаить, однако не стал. Он тебя хвалит, а я вот думаю: либо ты совсем дурак, либо очень уж честен.

— Может, то и другое? — тихо предположил юнош.

— Скорей ни то, ни другое... На дурака ты не похож, больно врать ловок. Ну-ка, в глаза мне смотри.

Маркел укоризненно, безвинно воззрился на судью: вот он я весь перед тобой, господин, напрасное про меня вздумал.

Негромко рассмеявшись, Степан Матвеевич ткнул его пальцем в родинку.

— Два глаза глядят честно, а про третий-то и забыл. Я через него тебе прямо в башку зреть могу.

При этих словах Маркел вздрогнул — не от страха. От воспоминания.

Вчера, когда расставались, Аглая Борисовна сказала: «Не свидимся мы с тобой больше. Дозволь напоследок сделать, чего мне очень хочется — поцеловать твою отметинку. — И коснулась губами его лба, и шепнула: — Живи счастливо, а мне без тебя доли не будет».

— То-то, — удовлетворенно кивнул сам себе Проестев. — Заслезился. Не трясись, наказывать тебя не буду. Но скажи правду. Которая из сестер Лукерью порешила? Я у них в доме бывал, всех знаю. Старшая, взбесившись от перезрелости? Средняя по какой-нибудь бабьей обиде? Иль младшая, по бешеной черкесской крови?

— Княжну убил лихой ночной человек, с улицы, — упрямо ответствовал ярыга.

Судья вздохнул.

— Значит, свадьба все же будет? Подумал я сначала: хозяин тебя подкупил, чтоб ты Черкасского не отпугнул. Но у князя и денег таких нет — кокошник, что ты вернул, дороже стоит. А ныне у Бориса Левонтьевича радость. Марфа, поди, тоже по небу летает?

81

— Нет, Марфа Борисовна льет слезы. Князь Ахамашуков переменил свою волю. Он женится на княжне Аглае Борисовне.

Сказал — и голос не дрогнул.

Мятое лицо Проестева пошло удивленными морщинами.

— Так это черненькая себе дорогу расчистила? Ишь ты... А я на рыжую грешил. Ну, Аглая!

— Нет, это не она! — горячо воскликнул Маркел.

— Ага! — Степан Матвеевич недобро прищурился. — Вот ты, братец, и проговорился. Которая тогда: Харита или Марфа? На дыбу тебя подвесить — скажешь правду?

Ярыга не отвел глаз.

— Вешай, твоя воля.

— На что она мне, правда, — вздохнул судья. — Не всегда до нее надо докапываться. Мне что? Князь Борис доволен, князь Василий доволен — и ладно. Татя ночного мы поищем, да вряд ли найдем, коли он такой умный... Ступай, упрямая башка. Бог с тобой.

Не веря, что легко отделался, Маркел поклонился, хотел идти — надо было еще со старшего подьячего за вчерашнюю службу получить алтын да копейку, немалые деньги.

— Погоди-ка, — окликнул его начальник. — Хватит тебе ярыжничать, под крыльцом топтаться. Ты грамотен, сметлив, неробок. Три глаза опять же. Всякие людишки у меня есть, а трехглазого еще не было. При мне теперь будешь. Может, пригодишься.

Середа
У ШВЕДОВ

—Чисто у них тут, умственно, а только против нашего, русского, жидко, — рассуждал жилец. — Взять хоть церкви ихние, кирки эти. Наши головами круглы, приятно-золотны, крестами почтительны. Глазу ласкание, Всевышнему благоговение. А в Ливонии что? Торчат кольями тонкими, острыми, тычут Богу прямо в гузно... То есть не в гузно, прости Господи, — виновато закрестился Митрий, — а во облацы. Оно и колко, и срамно. Опять же взять ихнее времяисчисление. С днями они торопятся, суетничают. У них, вишь, май уже, а у нас еще апрель. Куда спешат? Про год и говорить нечего. Мы и древней, и исконней. У нас нынче который год? 7140-й. Сила! А у них? Только 1632-й, тьфу! На пять с полтыщей лет они от нас отстали.

Государев жилец Митрий Лопатин был совсем молод, говорлив и любил философствовать. За долгую дорогу Трехглазый к его трескотне так и не привык. Чтоб не раздражаться, перестал вслушиваться. Думал о своем или просто глядел вокруг на чужие, необычные края. Когда улавливал в голосе спутника вопросительность, поддакивал. Большего не требовалось.

Ехали уже двенадцать дней, верхие, и до цели оставалось совсем ничего. Только заночевать, а завтра к полудню уже Рига.

Остановились на последнем перед городом постоялом дворе, в деревне Нойермюлен, что по-немецки значит «Новая мельня». Она и вправду тут стояла, мельня, на неширокой и небыстрой, а все ж напористой речке, что текла из Югла-озера в Киш-озеро. На перешейке меж двух водных разливов, оседлав Псковский шлях, и встала деревня. При ней — оборонная крепостца да постоялый двор в бывшем монастырьке.

— Эй, Маркел! Ты спишь ай нет?

— Сплю, — буркнул Трехглазый, лежавший на соломенном тюфяке не раздеваясь и в сапогах, чтоб разом вскочить. — И ты бы спал, Митрий Ива́нов, надоел.

Другой бы дворянин на такое от рядового стрельца обхождение обиделся бы, но Лопатин был добродушен. Маркел всю дорогу, от самой Москвы, на него невесть за что злобился, на доброе слово огрызался, а жилец не серчал — не умел.

— Не уснуть мне. Завтра увидим Ригу! Грамоту королевскому воеводе отдадим, и свободны. Ужасно охота поглядеть, что за Рига такая, да как немцы со шведами живут. Погуляем по городу, Маркел? Пива выпьем. У меня деньги есть, угощу.

— Да отвяжись ты! — рыкнул Трехглазый. — Спи!

— Не, не усну, — вздохнул Митрий и — минуты не прошло — засопел тонким юношеским сапом.

Тревожно было Маркелу, муторно.

Тревожно от ожидания, муторно от чувства вины перед славным простым парнем.

Судья Проестев сказал:

— Ныне доверю тебе дело немосковское и неземское. Большое дело, государственное.

Маркел, вызванный в приказ спозаранок, стоял, позевывал. За двенадцать лет при Степане Матвеевиче дела бывали всякие — московские и немосковские, земские и неземские. Бывали большие, бывали и большущие.

Проестев, всем столичным тайнам знатец и хозяин, был ценим и патриархом Филаретом, и государем Михаилом Федоровичем. Много лет держа за собой Земский приказ, Степан Матвеевич по их воле иногда исполнял и другие службы. Случалось, временно управлял неспокойными городами, езживал с трудными посольствами, досматривал за наемными иностранцами, которых в Москве развелось тьма тьмущая. И почти всюду при судье состоял его доверенный помощник Маркел Трехглазый, даром что не имел ни чина, ни оклада. Зато никому, кроме самого Проестева, не подчинялся.

— Служба, которую я тебе доверяю, с другими несхожа. В шведскую Ригу, к губернатору и королевскому комиссару Ягану Шютте от патриарха едет гонец с секретной грамотой. Будешь того гонца сопровождать.

— Всего-то? — удивился Маркел.

Тоже еще секреты! В Москве из служивых людей мало кто не слыхал, что патриарх сговаривается с Густав-Адольфием Шведским идти на поляков войной. У ляхов тяжело хворает король Жигмонт, вот-вот помрет, и тогда начнут они по своему шляхетскому обыкновению рядиться, кого сажать на трон, и все между собой перебранятся. Тут на них бы и ударить, отобрать назад Смоленск с городками — все русские земли, которые по прошлому тяжелому миру пришлось уступить.

Для того казна уже который год тратит немеряные тыщи: закупает мушкеты и шпаги, льет пушки, кует брони, платит щедрое жалованье чужеземным офицерам, чтоб превратили лапотных мужиков в солдат, обучили европейскому строю.

— Гонцом едет кремлевский жилец Митька Лопатин, хорошего рода и красно́го вида, но щенок и пустельга. Его служба — отвезти туес с письмом. У тебя задача будет хитрей.

Маркел слушал внимательно, уже догадавшись, что служба предстоит непростая. Судья вел речь не лениво, расслабленно, как обычно, а сдвинув брови и сверля помощника маленькими колючими глазками.

— На границе, за Псковом, у поляков на шведской заставе свои глаза. Когда Лопатин объявится караульному начальнику, что он царский гонец, — поляки о том прознают. У них и в Риге, и по всей Ливонии лазутчиков — что блох на собаке.

Беспременно они захотят государеву грамоту перехватить. Знают, что дело идет к войне.

— Не сомневайся. Гонца защитить я сумею. Даром, что ли, к Кеттлеру хаживал. — Трехглазый похлопал рукоять шпаги. — Сам знаешь, Степан Матвеич, я всякие виды видывал.

Два года, чуть не ежедневно, Маркел учился у ротмистра Кеттлера итальянскому шпажному бою. Шпага для рукопашной сшибки удобнее сабли — легче, сноровистей, и можно обходиться движением одной кисти, не тратясь на размах.

Наука длилась до тех пор, пока Маркел на испытании не кольнул учителя пять раз подряд, сам оставшись нетронут. Тогда немчин обнял ученика, прослезился и сказал: «Фар цур хёлле, ду хаст хир нихт мер цу тун» — мол, всю мою премудрость ты превзошел, ныне ступай себе с богом (махая шпагой, Трехглазый заодно обыкся понимать по-немецки).

— Дурак ты! — осердился Проестев. — Не перебивай, а слушай. Если б надо было гонца защищать, я послал бы с ним десяток стрельцов. Твоя служба не защищать его, а глядеть в оба. Как только польские лазутчики на вас нападут — удирай. Я знаю, скакать на коне ты ловок и на ногу быстр.

Трехглазый обиделся:

— Ты меня за то выбрал, что я шустро удираю?

— Нет. Я тебя выбрал и патриарху предложил за твою попугайскую память.

Что правда то правда — память у Маркела с детства была редкостная. Если что раз услышал или прочитал, заседало навсегда. Степан Матвеевич однажды побился на спор: сумеет ли его подручник с одного раза заучить без запинки длинный и мудреный царский указ. Окольничий Салтыков поставил сорок соболей и проиграл. После, отдавая Трехглазому долю, две шкурки, судья похохатывал: надо нам с тобой, Маркелка, с царской службы уходить, станем лучше по ярмаркам ездить — озолотимся.

Но сейчас Проестев смеяться и не думал.

— Грамота пусть достанется полякам. С гонцом я тебя посылаю, дабы наверняка знать, что письмо перехвачено. Послание то ложное, в нем враки: что государь Михаил Федорович союзничать с Густавом-Адольфием передумал и воевать с поляками не станет. Истинное же послание доставишь ты. Бумаге его доверять нельзя. Затвердишь наизусть, слово в слово, по-шведски. Ты ведь на незнакомом языке тоже можешь?

— Могу... А гонец что же? Поляки его, чай, убьют?

Судья подавил зевок. Главное было уже сказано.

— Ничто. У нашего царя людишек много, не оскудеем. Такие Лопатины по копейке за пучок идут.

— А какая, к примеру, цена мне? — набычился Маркел.

— Тебе-то? — Проестев оглядел его ладную фигуру. — Рублишек сто, пожалуй, не жалко. А то и двести.

Может, пошутил, а может, и нет — у него не всегда разберешь.

Однако главное, несказанное Трехглазый уже сообразил. Если он на пути в Ригу и сгинет, государству урона не будет. Никакой бумаги при нем нет, да и сам невелика птица.

Вот почему Маркел все двенадцать дней отворачивался от разговорчивого спутника, избегал смотреть ему в глаза и на него же злился. От виноватости. Вёз Трехглазый парня на верную гибель. После границы каждый раз, когда они оказывались на пустынной дороге, или в лесу, всё ждал: сейчас налетят, сейчас!

Никто не напал. А завтра уже Рига. Если что и будет, то нынешней ночью, до света.

Стало Маркелу совестно, что на мирное слово снова рявкнул: отвяжись-де, спи. Если Митрию сегодня умирать, пусть умрет не во сне, не по-овечьи. Человек, прощаясь с жизнью, должен осознать, что всё, настал конец его земной юдоли. Должен прочесть молитву — хотя бы короткую, мысленную.

— Эй, Митрий Иванов! Будет спать! Отдадим грамоту — тогда выспимся.

— А? — Жилец вскинулся. — Не сплю я.

Щелкнул огнивом, зажег свечу. Зевнул.

Постоялый двор, а прежде монастырь, откуда шведы десять лет назад, отобравши у ляхов Ригу, прогнали монахов, весь состоял из келий, и Маркел нарочно выбрал самую дальнюю. Малый домишко, в котором когда-то неправославно молился Богу некий басурманский чернец, был с одной дверью и одним же окном, притом дверь не запиралась и выходила во двор, а окошко нависало над оврагом. Со двора лихим людям ворваться очень способно, зато через окно можно отлично выпрыгнуть — и не догонят. Жильцу Трехглазый уступил кровать, она была ближе к входу, сам устроился на широком подоконнике, раму раскрыл. Лег одетый, обутый, портупею не снимал. Если нападут — только перекатиться на ту сторону.

— Я чего спросить хотел, Маркел. Трехглазый — это у тебя родовое имя или прозвание? Чудно́е.

— Раньше было прозвание. Теперь и в бумагах так пишусь.

Середа. У ШВЕДОВ

Что это зашуршало в овраге? Ну, как они через окно полезут — тогда что?

Маркел высунулся, вглядываясь в темноту. Нет, до земли не меньше сажени, отсюда не сунутся.

— А в Стремянном полку ты давно служишь?

Для поездки Трехглазого нарядили в красный кафтан государева телохранительного полка — стремянных часто назначали в охрану посланникам и царевым гонцам.

— Давно. Проверю-ка пистоли.

Сел на подоконнике, как бы осматривая оружие, а на самом деле — чтобы переложить обе ручницы за пояс. Они были хорошей шведской работы, за каждую по два рубля плачено. Не ляхам же оставлять.

А ну как не явятся никакие ляхи? — пришла в голову тревожная мысль, не в первый уже раз. Провалится тогда у патриарха с судьей их хитрый замысел.

Нет, не могут не явиться. На граничной заставе Маркел нарочно затеял ор. Кричал на шведов, тряся подорожной: не смеете-де вы, собаки, государева гонца с важной грамотой к рижскому генералу-воеводе досматривать. Людишки вокруг толпились, слышали.

— Какой ныне день, Митрий Иванов?

— Вторник. Нет, уже середа — время заполночь. Из Москвы мы поехали в пятницу, на позапрошлой седмице, на священномученика Евпсихия, а ныне середа, — охотно и, как всегда многословно, стал отвечать Лопатин.

Он сидел на кровати в исподней рубахе, продолговатый туесок с государевым письмом висел на ремешке, через плечо. Гонец должен всегда держать грамоту на себе. Усы у жильца были тонкие и подкрученные, подбородок по молодости гол. У мнимого стрельца усы загибались подковой, а бороду Трехглазый стриг коротко — чтобы в схватке враг не мог ухватить горстью.

Черт их знает, песьих детей, как им это удалось, но Трехглазый не услышал, как они подкрадывались, хоть вроде был настороже. Верно, оттого, что ждал целую ватагу, которая непременно зашумела бы, а супостаты оказались дерзей.

Вдруг от сильного пинка распахнулась дверь, опрокинув поставленный перед нею стул, и в келью ворвались двое в черных плащах и черных же клобуках.

Лопатин даже не привстал, лишь разинул рот. Маркел подхватил шпагу и, опасаясь пули, перевалился за окно, ухнул вниз.

О землю ударился нечувствительно, малость скатился по склону.

Вот и всё, дело сделано. Можно бы уходить, да не шли ноги.

— Не замай! Не отдам! — несся сверху тонкий крик. — Маркел! Маркел!

А, пропади оно всё! Ни о чем не думая, Трехглазый вскарабкался обратно — почти так же быстро, как падал.

Обежал домишко, у порога крикнул:

— Ребята, за мной! Федулка, кличь остальных!

И кинулся вперед, выставив вперед шпагу.

Черные оба стояли над жильцом. Один, коренастый, держал у лопатинского горла тесак, другой, тощий, надевал себе через голову отобранный туесок.

Трехглазый остановился, как бы не желая лезть на рожон. Снова оборотился назад:

— Ребята, их только двое! Живьем будем брать!

Тощий — он, похоже, был старшим — сдернул с себя туесок, сунул тому, что держал Лопатина.

— Uciekaj! Chyżo! Ja ich zatrzymam! Spotkamy się na Głowe!

Коренастый схватил грамоту и с разбега, бесстрашно, прыгнул в окно.

Оставшийся лазутчик лязгнул выхваченной из ножен саблей, хотел рубануть съежившегося гонца по прижатым к голове рукам, но Маркел не дал — сделал выпад, и кривой клинок ударился по прямой.

Пока еще не решив, колоть врага или дать ему тоже убежать, Трехглазый уверенно, расчетливо отогнал противника от кровати и стал понемногу теснить к окну. Вот когда проявились достоинства шпажной науки перед сабельной. Лазутчик махал что было мочи — и справа, и слева, и сверху, а Маркел лишь двигал кистью, легко отбивая наскоки.

Середа. У ШВЕДОВ

Тогда ворог скинул плащ, сковавший его движения. Под клобуком он оказался коротко стрижен, длинноус, костляв лицом. К лицу Трехглазый, впрочем, не приглядывался. В рубке смотреть надо только на вражий клинок — иначе пропадешь.

— Грамота, Маркел! Грамота! — вопил сзади Митрий. — Догонять надо!

Раз письмо уже покрадено, можно, пожалуй, второго взять и допросить — к такому Маркел пришел решению.

Надумано — сделано.

Двойным вывертом с захватом вышиб у поляка оружие, приставил острие к горлу. Свободной рукой цапнул со стола свечу. Теперь можно было посмотреть и на рожу.

Она будто застыла. Зубы намертво закусили нижнюю губу, а глаза сверкали странно — один светлым пламенем, другой темным.

Это было лицо из страшных ночных видений! То самое! В снах разноглазый дьявол Вильчек гнался за маленьким Маркелкой с острым ножом, крича: «Где скипетр? Где скипетр?» Спящий с криком вскидывался с подушки и потом долго не мог отдышаться.

Вот и теперь Маркела замутило, потащило в черную дыру, в прошлое.

Он потер глаза, чтоб отогнать дурноту и бесовское наваждение, — и лазутчик этим воспользовался.

Сильный удар в грудь чуть не сбил Трехглазого с ног. Отлетев на несколько шагов, он еле удержался, выправился, но увидел перед собой только узкую спину. Еще мгновение — и нежить из ночных снов исчезла в окне, будто примерещилась.

— За ними, за ними!

Крича и плача, Лопатин полез на подоконник, в руке у него был кинжал.

— Грамоту надо спасать! Беда!

Еле успев ухватить жильца за пояс, Трехглазый хрипло сказал:

— Чего уж теперь. Поздно...

Обоих била дрожь. Лопатина — крупная, Маркела — мелкая.

Митрий пал на колени, рванул рубаху. Грудь у него была безволосая, на ней болтался золотой крестик.

— Зачем ты меня не пустил? Лучше б меня прирезали... — Лопатин утирал слезы, а они всё лились. — А-а-а!!!

Взрыднув, он широко размахнулся и всадил бы себе кинжал прямо в сердце — Маркел едва перехватил руку.

— Пусти! Все равно жить не буду! Я царское письмо не сберег. Позор на мне. Только кровью смыть!

— Себя убить — хуже нет греха перед Господом. За это в ад, — попробовал образумить его Трехглазый.

— Вот и ладно. Мне там и место! Отдай кинжал! Всё одно жить не буду! Чего для? Вернусь — попаду к палачу на лютую казнь. За государево письмо знаешь что бывает? Рубят руки и ноги, потом голову. Лучше уж я сам...

Делать нечего — пришлось всё ему рассказать, а то правда убился бы, дурень.

— Гляди, Маркел, у жёнок в окне перси голы! Гляди, сосцы видать! А власы непокрыты!

Жилец привстал на стременах, задрал голову, пялясь на этакое диво. Непокрытые головы, для русской бабы худший срам, поразили Митрия больше всего.

Ливонки, щекастые да грудастые, свешивались через подоконник, глядели на московитов, скалили зубы.

— Попомни это место, Маркел. После сюда вернемся. Это блудной дом, мне про них сказывали! — Лопатин всё оборачивался. — Эй, девки, вы нас дождитесь!

Хорошо быть молодым, думал Трехглазый, считавший себя в тридцать два года человеком траченым. Давно ль Митька хотел руки на себя наложить, а ныне снова весел и мелет языком — не заткнешь.

Однако говорливость спутника Маркела больше не злила. Во-первых, успокоилась совесть. А во-вторых, было на кого злиться. На себя.

Как, как можно было, держа за горло лютого всей жизни погубителя, его упустить? Ищи теперь, свищи. Знай, что бабочкин убийца где-то здесь, близко, а не достанешь. Живи с этой укоризной, мучайся...

Дорогу в десять поприщ от Нойермюлена до города Трехглазый едва запомнил — так себя угрызал. Местность, правду сказать, была невидная: плоская, в пасмурном утреннем свете белесая, и лошади рысили трудно, вязли копытами в песке.

Показались валы со рвами — первая линия укреплений. После заставы потянулись слободы: неказистые домишки меж широких пустырей, однако тут уже был близко виден сам город. Стены вкруг него стояли хорошие, каменные, над ними торчали острые верхушки крыш и острия храмов, ужас до чего высоких. Прав Лопатин — Богу прямо в облацы.

Въехали через пузатую башню и сразу попали на тесные улицы. Тут дома были не то что снаружи, а ладного каменного строения, в три-четыре жилья. Только очень уж лепились друг к дружке — будто локтями толкались.

Трехглазый глядел по сторонам молча. Лопатин молча не умел — то удивлялся, то восхищался, трогал рукой болтающиеся над головой вывески, а об одну (жестяной сапог) стукнулся башкой, заглядевшись на деву, что ехала мимо в открытой лаковой колымаге.

Хорошо хоть не надо было дорогу разыскивать, иначе заблудились бы. На заставе к важным иностранцам приставили капрала, он их и вел к дворцу ливонского генерал-губернатора Шютте.

Терем барона находился в детинце-цитадели и показался Маркелу скучным: серый, без резного крыльца с балясинами, без нарядных оконниц — одна каменная скукота. Внутри тоже было чинно, да не радостно.

— У нашего царя-батюшки в палатах стены все в предивных цветах, со сказочными зверями, на синих потолках златые светила со звездами, — нудел в ухо Лопатин. — А тут дубовые доски коричнев-цвет, да каменные мужики с бабами — голытьба срамотная. Опять же никакой ни в чем важности. Саблю не отобрали, на образа кланяться не заставили, только велели шапки снять...

Они сидели в не шибко просторной зале с шахматным полом, ждали, когда позовут к воеводе.

Охраны тоже было кот наплакал. Стояли каких-то два кирасных истукана в ребристых железных шапках, с алебардами — и всё. Трехглазый даже засомневался, так ли уж велик Яган Шютте, как описывал Степан Матвеевич. Проестев говорил, что барон у короля второй по чести после канцлера, знаменитого графа Оксеншернова, а может, даже и первый. Шютте воспитывал Густава-Адольфия, был при нем дядькой, а когда принц в шестнадцать лет осиротел, стал заместо отца.

Середа. У ШВЕДОВ

Якобы шведский царь ничего без барона не решает и недаром доверил ему Ригу, вторую столицу своей державы.

У государя Михаила Федоровича таков же отец-патриарх, но попробуй войти к нему запросто, со шпагой на боку. В приемном покое не присядешь — страшно такое и представить. А сколько там челяди вокруг, да келейников, да дворян ближних и дальних, да владычьих стражников.

— Бедна Швеция. Скудна золотом и народом, — нашептывал Митрий. — Вот у нас в Кремле — там величие, а тут тьфу!

Однако ж войско у них первое в Европе, не нашему чета, подумал крамольное Трехглазый. И Москва против Риги — деревянная деревня, даром что большая. А стольный шведский град Стекольна, надо полагать, и того краше...

Распахнулись высокие, но узкие двери, будто сами собой. Вышел немчин, завитые власы до плеч, красный кушак по камзолу, белы чулки, козловые башмаки с пряжками. Легонько поклонился, прижал одну руку к груди, другой тронул острую бородку.

Маркел изготовился понимать по-немецки, но иностранный человек заговорил по-нашему:

— Я при его милости толмач и московских дел пристав, именем Якоб Крюгер. Мне сказали, один из вас гонец царя Михаила, другой — телохранитель. Который гонец?

Митрий поклонился — не ниже, чем кланялся тот, и тоже приложил руку к груди — собезьянничал.

— Его царского величества жилец Лопатин. А се стрелец Стремянного полка Трехглазый.

— Пойдем, господин Лопатин, к его милости. Охранник твой пусть тут ждет.

Русские переглянулись.

— ...Нет, пойдет он. А я тут подожду, — молвил жилец, зная, что при секретном разговоре ему быть не положено. (Что ему и в живых-то быть не предусмотрено, того Маркел не сказал.)

Толмач-пристав поглядел на одного, на другого. Пожал плечами.

— Как хотите. Его милости господину барону все равно, кто передаст грамоту.

Ведя Трехглазого к двери, спросил:

— Тебе велено передать что-то на словах сверх писаного. Верно я угадал? Что-то тайное?

Маркел не ответил. Велено-то велено, да не толмачу.

— На колени падать не надо, — предупредил Якоб у входа. — Здесь не Московия. Да и не любит господин барон лишних церемоний. Просто поклонись в полпояса. Про здоровье не спрашивай, у его милости время дорого. Сразу говори дело. Я переведу.

За длинным, сплошь в бумагах столом (как у Проестева, подумал Маркел), сидел седой старик, лет наверно шестидесяти. Одет он был в черное, будто монах, белел лишь кружевной воротник, сливаясь с белой же бородой.

Яган Шютте протянул руку ладонью вверх, произнес короткое слово: «Брев».

А боярин-то вправду большой, важный, понял Маркел по скупости движений и речи. Глаза холодные, привычные видеть людей насквозь.

— Говорит: грамоту давай.

— Скажи: грамота здесь. — Трехглазый постучал себя по родинке. — А сам ступай. У меня приказ зачесть письмо с глазу на глаз.

Ждал, что толмач заспорит, но Якоб только перевел сказанное, и голос сделал точно таким же — решительным и неуступчивым.

Передавая ответ, тоже заговорил, как барон: отрывисто, властно.

— Якоб Крюгер ведает все наши русские дела. От него у меня тайн нет. Говори.

Коли так — ладно.

Маркел поднял глаза к потолку, отбарабанил зазубренное — и, должно быть, складно, потому что Якоб сначала крякнул, а в конце тихонько спросил:

— Ты знаешь шведский? Чисто говоришь!

— Языка вашего я не знаю, — ответил Трехглазый громко — не толмачу, а боярину. — О чем в послании, мне неведомо. Так же запомню обратное письмо от шведского королевского величества государю, без вникновения.

Шютте произнес, будто сам себе (а Крюгер перевел):

— Полезные слуги есть у русского царя... Ну-ка, пусть зачтет сызнова.

Московское послание Трехглазому пришлось повторить до трех раз. Старик что-то записал на листе, надолго задумался.

Наконец заговорил, устало потирая веки:

— На всё, с чем ты послан, я могу дать ответ своей волей. Есть у меня на то полномочность от короля. Однако ж мне надо подумать. Будь здесь завтра в полдень. Заучишь мое письмо в Москву, а я потом проверю — верно ли. Иди. Якоб определит тебя на постой.

И сразу будто забыл, что в покое есть кто-то кроме него. Придвинул лист, обмакнул перо, начал писать.

Толмач тихонько подтолкнул Трехглазого к выходу.

Крюгер же и отвел московских людей к месту постоя — в длинную домину, где внизу была конюшня, а в верхнем находились комнаты для губернаторских слуг. Пока шли, болтали про пустое. Лопатин спрашивал, много ль в Риге домов с веселыми девками, да где самые дородные, да почем берут, да в ходу ли русские серебряные копейки. Якоб отвечал со знанием дела, подробно. Трехглазый помалкивал.

Митрий сразу же и засобирался к блудням, ему не терпелось. Звал с собой шведа, заманивал и Маркела — сулил угостить, но толмач отговорился служебным недосугом, Трехглазый просто покачал головой.

— Эх вы, нудни!

Жилец выложил лишнее серебро, чтоб девки не уворовали, подкрутил усишки, заломил на затылок шапку и отправился любиться.

Едва он вышел, Крюгер сказал:

— Вижу, хочешь меня о чем-то распытать. Почему не стал при товарище?

— Это дело, в котором мне Митрия не надобно. Скажи, Якоб, что такое «Гуо́ва»?

— По-польски это «голова», а еще не знаю.

— Есть ли в Риге-городе кабак или постоялый двор прозванием «Голова»?

Толмач подумал.

— Может, трактир «Голова Мавра» на Рыночной площади? На что тебе это?

— Пойдем. Проводишь.

По дороге Маркел рассказал про ночное нападение, умолчав о подсунутой ляхам ложной грамоте (про русскую хитрость шведам знать незачем), зато подробно описал Вильчека.

Крюгер напряженно слушал.

— Худой, с загнутым носом, а глаза один голубой, другой черный? Это Латавец. Почему ты зовешь его Вильчеком?

— Латавец?

— Так он себя называет, это по-польски значит «коршун», а настоящее имя нам неведомо. Он — слуга короля Жигмонта, ведает польскими лазутчиками по всей Ливонии. Давно его не можем поймать.

Волчок обзавелся крыльями и стал коршуном, подумал Маркел, взволновавшись. Раз шведы его знают, ищут — может, еще выйдет свидеться, расплатиться за старое?

Они вышли на широкую торговую площадь, над которой возвышался каменный храм с деревянным восьмигранным шпилем.

— Вон «Голова Мавра», — показал Якоб на узкий дом с намалеванной деревянной вывеской: мужик в чалме, ликом черен, во рту трубка — табак пить. — Ты тут оставайся. Зайду, расспрошу кабатчика, не было ль человека, похожего на Коршуна.

Трехглазый встал за углом, сам не зная, чего хотеть: чтобы Вильчек-Коршун сыскался или чтобы нет. Если Крюгер позовет стражников и шведы схватят главу польских лазутчиков, тот уйдет от расплаты. Ну, посадят его в тюрьму, а после полякам же отдадут за выкуп либо в обмен на какого-нибудь слугу шведского короля. Того ли надо? Господи, пускай Коршуна там не окажется!

Среда. У ШВЕДОВ

Через малое время толмач вышел, еще издали мотая длинноволосой башкой.

— Не было такого. Хозяин мне знакомый, врать не станет. Зачем ему?

И Маркел понял, что не о том просил Бога, да было поздно. Лучше б Коршун попал в шведский застенок, чем летать на воле!

— А другой «Головы» в городе нет?

Крюгер развел руками.

— Что ты еще знаешь про Коршуна, Якоб?

— Люди у него все отборные, служат ему верно. Боятся его, как черта. Он на расправу скор. Ему человека зарезать что курицу... Еще у нас говорят, что родом он не поляк — русский. Но это, наверно, врут. У шведов с ливонцами чуть что плохое — сразу русские виноваты. Не любят они нас.

— Нас? — не понял Маркел.

— Так я русский, нешто по речи не слышно? Раньше был Яшка Крюков, сын боярский, из Новгорода. В Смуту, когда все со всеми воевали, прилепился к шведам. Так и остался. Но душой я остался русак. И веры православной не поменял.

Ишь какой, думал Трехглазый, удивленно разглядывая «русака». А по виду немец немцем.

— Я тебе про то сокровенно говорю, потому что вижу: человек ты непростой, стрельцом только прикидываешься. Скажи в Москве начальным людям, что Яков Крюков отечеству не изменял. Это я раньше, когда на Руси своего царя не было, пошел служить шведскому королю, а ныне на Москве собственный государь. Отсюда, издали, видно: держава крепнет, народ живет сыто. Приезжие русские люди, купцы да посольские, сказывают. Города-де строятся, красные девки песни поют, колокола малиново звонят. Лепота медовая!

Глаза толмача наполнились трогательными слезами, а Маркел почесал затылок. Купцы с посольскими — они расскажут... Не стал, однако, расхолаживать человека, истосковавшегося на чужбине.

— Передашь начальным людям, что я свой, русский?

— Передам.

Крюгер обрадовался.

— Тогда знаешь что? Идем, я тебе покажу, какие вокруг города строят укрепления. Где будут пушечные батареи, где рвы. Ты примечай, а то и запиши для памяти. Придут наши под Ригу — пригодится.

— Мы со шведами воевать не думаем. Нам бы у Польши свое отобрать, — попробовал отговориться Трехглазый, у которого мысли сейчас были о другом.

Но Яков потащил его чуть не насильно — очень уж желал явить секретному московскому человеку свою полезность.

Пошел Маркел не смотреть на валы со рвами, а послушать, что Крюгер расскажет про губернатора.

Толмач говорил много, в том числе важное.

Что барон Шютте королю шлет отписки каждый второй день и король ему так же исправно отвечает. Что графа Оксеншернова барон не любит и мечтает сам занять канцлерово место. Что Густав-Адольфий собрал для большой войны четырнадцать тысяч пикинеров, шесть тысяч мушкетеров, три с половиной тысячи рейтаров и шестьдесят пушек. Что шведы будут сулить русским много, а дадут мало, ибо ни денег, ни

Среда. У ШВЕДОВ

лишнего войска у них нет, самим не хватает. Им надо только, чтоб московиты оттянули на Смоленск литовскую силу.

Трехглазый слушал, запоминал. Всё это Степану Матвеевичу пригодится, как пригодится и сам Крюгер.

Они шли по городской стене, и Яков перемежал свой рассказ, показывая на земляные работы: там-де будет бастион, там куртина, там равелин. Это Маркел по большей части пропускал мимо ушей. Российская держава, может, и крепчает, но не настолько, чтобы воевать у шведов Ригу.

Вдруг Трехглазый насторожился.

— Как ты сказал? Повтори-ка.

— Я говорю: вон там, где развалины Копфтурма, будет поставлен редут на шесть пушек.

За дальним пустырем, саженях в трехстах от городских стен, виднелась полуразрушенная крепостца, когда-то, должно быть, прикрывавшая Ригу с востока. Старинная, приземистая, крутобокая, она напоминала голову врытого в землю великана.

— Погоди... — Маркел припомнил немецкий. — «Турм» — это башня, а «копф» — голова. Так?

— Ну да.

— Что там сейчас?

— Ничего. Раньше, при поляках, была караульня. В двадцать первом году мы, осаждая Ригу, сделали под Копфтурм подкоп, обрушили. Ныне там пусто. Плохое место. Внизу погреба, подвалы. Прячутся в них лихие люди. Бывает, грабят. Могут и жизни лишить. После заката люди близ башни не ходят... Ах, ты вот о чем! — вскинулся Крюгер и тоже стал смотреть на развалину. — Думаешь, Коршун про Башню-Голову говорил? А что, очень возможно!

Лицо толмача оживилось.

— Побегу, доложу барону! Возьму отряд стражи, окружим, перевернем там каждый камень! Если возьмем Коршуна с его спионами, будет мне награда!

— Их давно след простыл, с рассвета-то.

— Не-ет. Днем по дорогам не пройти и не проехать. Всюду заставы, караулы. Если Коршун хочет к польской границе попасть, будет сидеть дотемна, ждать ночи. Возьмем его!

Якоб, кажется, уже не помнил, что он русак и Яшка — так ему хотелось отличиться перед губернатором.

— Нельзя его брать, — сказал Маркел.

И объяснил про хитрость с ложной грамотой — что обманное письмо непременно должно попасть к полякам, пришлось все-таки.

— Ловко придумано, — восхитился толмач. — Мы, русские, всех на свете умней. Не буду про то барону рассказывать, незачем ему. А что с Коршуном делать? Неужто дадим уйти?

— Жалко, конечно. — Трехглазый сокрушенно вздохнул. — Однако государева польза важнее.

Еще до сумерек он засел в малой лощинке, откуда хорошо просматривались развалины. Коня привязал поодаль, подвесив к морде мешок с овсом. Рыжий жеребец из царских конюшен был объедлив и, когда жрал, ничего вокруг не видел, не слышал. Оно и хорошо — не заржет, не выдаст.

В башне точно кто-то был. Пару раз в бреши блеснуло нечто железное. Потом высунулся человек, огляделся по сторонам. Коренастый, в черном плаще — похож на того, что был с Коршуном.

Маркел молился Богу о двух вещах. Чтоб это были не простые разбойники, а разноглазый ирод с помощником. И чтоб Коршун по темноте отправил помощника с похищенным письмом, а сам бы остался. Тогда и грамотка дошла бы куда следовало, и с бабочкиным убийцей вышло бы поквитаться.

Представляя, как разыщет в башне старого знакомца, как назовется ему, Трехглазый улыбался лютой, жадной улыбкой. Тот, поди, давно забыл, как порешил старуху и мальчонку — экая малость. Он с тех пор, верно, еще много душ на тот свет спровадил. Ничего, напомним. А после — пусть Бог рассудит. И рассудит Он как надо. Потому что Маркел Трехглазый, волчья ты пасть, коршунова падаль, это тебе не перепуганный мальчонок, которому ты ножом грозил!

Середа. У ШВЕДОВ

...Вечерний свет почти совсем уже погас, когда из-под обваленной стены вышли двое, ведя коней в поводу. Один был повыше, узкий. Второй широкий и короткий.

Они!

На обоих железные колпаки, под плащами блеснули кирасы. Нарядились в шведских солдат, на случай встречи с дорожной заставой, догадался Маркел.

Вот они сели, тронулись.

Что ж, первую молитву Господь исполнил, спасибо и на том. Плохо, конечно, что Коршун тоже едет. Прочел грамотку, понял ее важность и решил сам доставить. Еще бы! Тому, кто привезет в Варшаву утешительную весть, что царь отказывается от войны, дадут щедрую награду.

Пока не придумав, как совместить свою правду с государственной, Трехглазый вернулся к вороному. Отобрал у него, недовольно всхрапнувшего, овес. Впрыгнул в седло, двинулся следом.

Сначала ехал, прислушиваясь к несшемуся спереди чавканью копыт. Но скоро дорогу осветила луна, и стало возможно поотстать. Две конных фигуры были видны издалека.

У них шлемы, доспехи, это нехорошо, соображал Маркел. А стрелять нельзя — на шум может прискакать шведский разъезд, всё испортить...

С другой стороны, железный шлем — оно очень даже и неплохо, пришла в голову новая мысль, интересная.

Стал вертеть ее, крутить, примериваться.

Риск, конечно. Тут как повезет. Но ничего иного не придумывалось.

Эх, была не была! Государство государством, но надо было и о своем сердце порадеть. Сердце требовало утешения, сердце грозилось: не воздашь злодею за злое — не дам тебе покоя до конца твоих дней.

Маркел слегка тронул вороного шпорами. Конь всхрапнул, тряхнул ушами, зарысил быстрее, но без спешки. Надо было, чтоб те, передние, услыхали топот, да не заподозрили погоню.

Скоро они заоборачивались. Настороженно, но без большой тревоги.

А чего тревожиться? Едет себе по лунной дороге человек, немножко торопится. Человек невоенный, бездоспешный, а что в русской шапке, так в Ливонии многие их носят — и литовские люди, и приграничные обитатели. Трехглазый еще и насвистывал, как бы в беззаботности.

Польские лазутчики (а это точно были они, вблизи сомнений не осталось) все же время от времени поглядывали на приближающегося всадника, о чем-то тихо переговариваясь. Коршун ехал справа, его напарник слева.

— Майне херрен, — приветствовал их Маркел слегка заплетающимся голосом, объезжая врагов со стороны коренастого.

Шапку надвинул пониже, чтоб не было видно лица. Коли он прошлой ночью рассмотрел Коршуна, мог и тот его запомнить.

Одной рукой Трехглазый держал узду, в другой, засунутой под мышку, сжимал за ствол тяжелый пистоль.

Поравнявшись с коршуновским помощником, что есть силы ударил его рукояткой по железному колпаку. На что пистоль был крепок, а переломился пополам. Зазвенело, отдало в ухо. Ударенный кувыркнулся из седла в пыль, да и не встал.

Коршун выбранился матерно (вот она, русская-то кровь), с удивительной скоростью выхватил из ножен саблю и рассек воздух, но Маркела не достал. Тот был готов — качнулся в сторону, уклонился. Отъехал на шаг, выставил второй пистоль — не фитильный, а кремневый, на колесике, мгновенного боя. Коршун замер с клинком, занесенным для нового удара. Дуло глядело ему прямо в лицо.

— Ponownie ty! Kim jesteś, ty nędzny psie?!

Сам ты пёс. Думаешь, что узнал. Нет, гадина, ты меня еще не узнал...

— Имя мне Маркел Трехглазый. Я служилый человек русского государя Михаила Федоровича!

— Врешь! — перешел с польского на русский Коршун. — Это я служилый человек русского царя — Владислава Жигмонтовича, а твой Михаил самозванец!

Оно, конечно, так. Польский королевич Владислав, некогда позванный русскими боярами на царство, от венца не отказывался и романовской власти не признавал.

Середа. У ШВЕДОВ

Но спорить о том, чей государь законней, Маркел не стал. Он сдвинул шапку на затылок, повернулся навстречу луне.

— А еще я вот кто. Не признаёшь?

Коршун молчал, не опуская сабли.

— Не помнишь... Зато я тебя не забыл. Двадцать лет назад ты убил старую женку и малого мальчонку.

Нисколько не испуганный, а скорее удивленный, злодей молвил:

— Я много кого на своем веку убил. И молодых, и старых — всяких. А тебя знать не знаю.

— В монастыре. Под Боровском. Пана Сапегу-то помнишь? Девку Маришку? Их ты тоже убил, да черт бы с ними. А за Бабочку я твою жизнь возьму.

— А, вот ты кто! Пятно на лбу! — Вспомнил. Дернулся в седле, зарычал, сверкнули зубы. — Ворёнок! Вор!

И, перегнувшись, молниеносным боковым движением попробовал чиркнуть Маркела острием по горлу, а когда не достал, пустил коня грудью на вороного, да завертелся в седле — справа махнет, слева, пригнется, качнется. Хоть стрелять было почти в упор, а попробуй попади. Не человек — юла.

Трехглазый опустил пистоль, выхватил шпагу. С ней надежней.

Однако ныне получилось не так, как давеча. Шпага хороша в пешем бою, а в конном, когда двигаешься только туловищем, рубить много сподручней, чем колоть.

Маркел едва успевал отбивать кривой клинок, казалось, норовивший ужалить со всех сторон. Самому атаковать не получалось. Вроде считал себя ловким наездником, но где ему было до Коршуна? Тот со своей белой лошадью был будто одно тело, да и сама лошадь билась вместе с хозяином — грызла вороного, дралась копытами. Не человек на коне, а человеконь Центавр, про каких пишут в грецких книгах.

Стало совсем худо, когда Коршун, выпустив повод, вытянул с другого бока еще одну саблю и замолотил двумя клинками — в глазах зарябило. Про татарское искусство рубиться с обеих рук Маркел только слыхивал, а видеть никогда не видывал.

Хорошо, что вороной под натиском белой пятился назад, только это и спасало. Кое-как отбиваясь шпагой от града звонких ударов, Трехглазый все пытался крутануть большим пальцем колесико на пистоле. Не выходило. По-правильному как? Правой наводишь, левой крутишь — тогда проскакивает искра, и выстрел. А одной рукой трудно.

Шпага отлична от сабли еще вот чем: много легче, потому что тонка. В фехтенной науке оно кстати, в конной рубке — наоборот. С пятидесятой или, может, сотой сшибки случилось то, что должно было случиться. Узкий клинок переломился о широкий, и остался Маркел с одной рукоятью.

Засмеялся Коршун. Более не опасаясь укола, махнул открытым и мощным ударом, справа налево — снести противнику голову с плеч.

Трехглазый нырнул носом к конской шее, но недостаточно проворно. Сабля перерубила на нем шапку, срезав на макушке лоскут кожи с волосами.

Тогда Маркел бросил бесполезный обломок, освободившейся рукой повернул запальное колесико и выпалил.

Ослеп от вспышки, оглох от грохота.

Несколько мгновений впереди был только дым. Потом он проредился. Белая стояла как вкопанная, дрожа. В седле было пусто.

Трехглазый спешился, нагнулся над лежащим человеком. Пуля попала в лицо. Вместо одного глаза — того что был голубым — темнела дыра, из нее надувался черный пузырь.

Неужто всё?

Всё...

На щеке было мокро. Маркел утерся, непонимающе поднял ладонь — она была красной.

И сразу засаднила пораненная макушка.

Однако надо было поспешать. Стрелять все-таки пришлось, и, может, дозорные уже скачут.

Он снял с мертвеца сумку, порылся в ней и сразу нашел туесок. Вынул свиток, отшвырнул в сторону, на землю. Зато забрал кошель, взял легкий мушкет, обе сабли с хорошими ножнами.

Середа. У ШВЕДОВ

Что бы еще взял обычный грабитель?

Пожалуй, седло — оно с серебряной оковкой.

Постоял над вторым лазутчиком, оглушенным.

Постанывает. Скоро очнется.

У него тоже срезал кошелек.

Еще ночной лиходей, конечно, увел бы лошадей.

Маркел связал обеих узда к узде, прицепил сзади к седельной луке своего вороного.

Можно уезжать, дело сделано. Коренастый очухается, увидит, что грабитель письма не взял, не понял его ценности. Подберет, доставит своим.

Вот оно всё и сладилось. Государству вреда не вышло, а сердцу покой.

Бабочка жила, в Бога не верила. Говорила: помру — ни в рай, ни в ад не пойду, буду за тобой, несмышленышем, из каждого куста, из каждой травинки доглядывать.

Если правда доглядывает — пусть порадуется.

Хорошо было Маркелу. Только покруживало. И земля шла волнами. Из-под волос текла, текла кровь — по шее, за воротник.

Трехглазый осторожно потрогал рану. Тут-то у него настроение и попортилось.

Было там, наверху, мокро и голо.

Кожа затянется, но вырастут ли волосья? Или останешься навечно с проплешью на макухе, да еще со струпом, как шелудивая собака? Давно пора жениться, про это много думано. А кому нужен такой жених? Мало того, что ни двора ни кола, так еще лысющий?

Четверток

ВЕЛИКОЕ ГОСУДАРЕВО ДЕЛО

Ладное хозяйство, грех жаловаться. Крепкий дом из сосновых бревен — куплен по-за Дмитровым, на вывоз, и собран-просмолен лучше прежнего. Двор со службами, прочный забор еловой доски. А краше всего сад, глазу и душе отрада.

Маркел отер пот со лба, снова взялся за лопату. С утра он посадил уже три смородины и три малины — это чтоб сластиться ягодой, а теперь для сладости взора собирался пообочь вкопать розовые кусты, особой чухонской морозостойкой породы. Работа была тяжелая, но приятная, истинная гармония пользы, красы и душевного покоя. Поверх сапог у садовника были рогожные чуни, на кафтане мешковинный балахон, чтоб не запачкаться. В двойной справе было жарковато, даже несмотря на октябрьскую погоду. Но при такой службе Трехглазого могли потребовать в приказ со всей срочностью, так что и не переоденешься — прыгай в седло да гони. Бывало и иначе: всю седмицу сидишь дома, и ни разу не понадобился. Однако все равно будь на месте. Мало ли что?

В прошлом году благодетель и терзатель Степан Матвеевич, пожалованный за великие государевы службы высоким

Четверток. ВЕЛИКОЕ ГОСУДАРЕВО ДЕЛО

чином окольничего, получил в ведение Приказ Большого Прихода, по-короткому Большой Приход. Ведомство, несмотря на название, не столь большое, но важное. Отвечает за содержание приезжих иноземцев и наших послов, которые едут в чужие страны. Довольствует, кормит, дает лошадей и повозки, снабжает нужными бумагами, и прочее, и прочее. Таково всем видное, но не главное назначение приказа. Большой Приход — глаза, которыми российское государство зорко смотрит на окрестные страны, и уши, чутко внимающие тамошней жизни. Что у соседей полезного? Что опасного? Что нового? Каковы вести и слухи? Какие в чужих землях начальные люди и чего хотят?

Частью всё это узнается от приезжих — тайно иль явно, частью от своих, которые ездят в другие страны. В каждом посольстве и каждом купеческом караване обязательно есть человечек от Большого Прихода, со своим поручением. Езживал так и Трехглазый — на запад, на восток, на юг. Но чаще пригождался дома. Среди проезжих иноземцев тоже попадались люди непростые, охочие до московских секретов, а то и умышляющие недоброе. И если у окольничего Проестева возникала надоба кого-то прощупать или разгадать какую-нибудь каверзу, на то имелся Маркел. Вызывал его к себе Степан Матвеевич и говорил: давай-ка, Трехглазый, пособи, прозри мне эту заковыку, а то двумя глазами невпрогляд.

Чин Маркел себе выслужил не сказать чтоб громкий — числился неверстанным подьячим, то есть сидел без жалованья. Но положение это было лучше, чем у любого верстанного. Сколько получает обычный подьячий? Два-три рублишки в месяц. Самый заслуженный — ну, четыре. Не раскормишься. А Трехглазому окольничий платил из своей тайной казны, положенной от государя на неочевидные дела, по семи с полтиною. Да бывали наградные. Весной ездил в Царьград с учеными книжниками, в монашеской рясе, по Азовскому делу — жаловано пятнадцать рублей и штука красного сукна. А за поимку блудного душегуба в Немецкой слободе, резавшего тамошних девок, Трехглазого пожаловали соболями, да слобода в благодарность поднесла триста ефимков. Плохо ли?

От хороших прибытков Маркел прикупил в Белом городе, у Покрова-в-садах, старое пожарище, поставил дом, разбил сад. Отсюда до приказной избы десять минут бега, две минуты скока. Конь Мишка с утра каждый день стоял оседлан, тоже и у него была неплохая служба. Стой, хрупай зерном. Может, придется сегодня копытами работать, а может, и нет. Ишь, бока-то наел. Но конь был справный, небалованный. Когда требовалось послужить — служил честно.

— Маркел! Марке-ел! Я узвар яблочный сварила, хорош! Принесть иль сам придешь?

Жена выглядывала из окна, махала рукой.

Супруга у Трехглазого тоже была добрая, под стать дому. Оно как вышло? Сначала Маркел обстроился, потом понял, что хозяйству без хозяйки неладно. Пошел к Проестеву: так, мол, и так, Степан Матвеич, сыщи мне молодую вдову. Девку-то брать в жены было поздно. Трехглазый уже дохаживал четвертый десяток, на лбу морщины, башка порченая. От сабельного шрама, багровой отметины, вниз поползла плешь, и облезла голова, что твой желудь. Маркел и раньше, с родимым пятном на лбу, был не Иосиф Прекрасный, а теперь вовсе стал, как конь в яблоках. Опять же девку всему учить надо: как дом держать, как щи-кашу варить, как хлеб печь, как корову доить (завелась к тому времени и корова). Самого бы кто научил.

Окольничий, как всегда, не подвел — нашел невесту лучше не надо. Подьяческую вдовицу, не юную, но еще сочную, нравом тихую, к тому же бездетную. Хорошо быть вдовой матёрой — это когда ты мать. От людей уважение, и сама своему имуществу хозяйка. А если Бог оставил бабу после супружества яловой, бесполезной, всё добро заберет мужнина родня, и живи у них из милости либо ступай в монастырь. Потому Катерина сватовству обрадовалась и с Маркелом была старательна, за всё благодарна. А когда, тому два года, благословил их Господь сынком Аникеем, жизнь стала совсем семейная, утешительная.

Хорошая жена, нечего Бога гневить.

— Докопаю — приду! — крикнул Маркел.

Четверток. ВЕЛИКОЕ ГОСУДАРЕВО ДЕЛО

Окно затворилось, но он знал, что Катерина сразу не отойдет — будет еще некое время на него смотреть. Он часто ловил на себе ее украдливый взгляд, непонятного смысла. Как бы чего-то ждущий или о чем-то вопрошающий. А повернешься — быстро отворачивается. Кто их знает, баб, что у них на уме.

Для проверки он и сейчас оглянулся через плечо — так и есть. За окном (не слюдяным, а настоящим, стеклянным) белело лицо.

И шевельнулось вдруг в памяти что-то, как это бывает, когда померещится: такое прежде уже было, точно было, да не ухватить.

Ан нет, вспомнил. Не померещилось...

Маркел закрыл глаза, вызывая картину из прошлого, и она тут же предстала перед ним, словно въявь.

Восемнадцать... нет, девятнадцать лет назад было. Дал Проестев поручение, от которого у Маркела заныла душа: ехать к князю Василию Петровичу Ахамашукову-Черкасскому. В ту пору стольник Черкасский отбывал с посольством в Польшу, разбирать пограничные споры, и судья посылал ему от себя наставление.

Войдя в широкий двор, перед богатым теремом Маркел остановился — очень уж прыгало сердце. Аглаи Борисовны с того незабытного дня ни разу не видел. И вот он — дом, в котором она живет. Двор, по которому она ходит. Вон тополь, на который она каждый день смотрит.

Увидеть княгиню, конечно, не чаял. Она на женской половине, за дверями-запорами. Мелкий порученец — не дорогой гость, ради какого выводят жену на показ и привечание. Но душа все равно сжималась. Встречаться с князь-Василием тоже было маятно.

Однако ничего тужного не случилось. Черкасский бывшего ярыжку не признал — едва взглянул и уткнулся в бумагу.

Потом, перечитывая, задал пустой вопрос про Степана Матвеевича, здоров ли. Напоследок велел передать, что всё исполнит — и дело с концом.

А Маркел смотрел на суровое, горбоносое лицо человека, который видит Аглаю каждый день, с ненавистью — особенно на гневливую продольную морщину поперек лба — и думал: убью, коли ее обижаешь. Да поди знай, обижает или нет. Кто расскажет?

Главное произошло, когда уже вышел во двор и оглянулся.

В верхнем жилье, за окном, белело чье-то лицо. Кажется, женское. Идя прочь, Маркел всё оборачивался — она, нет? Та, наверху, тоже не отходила. И вроде качнулось там что-то. Платком махнули? Или рукой?

Он так и застыл. Стоял, пока сторож не крикнул: долго еще ворота нараспашь держать?

Может, конечно, и не Аглая это была, а девка какая-нибудь комнатная, глазела от безделья.

А саму Аглаю Борисовну, явно и несомненно, Маркел видел после того через два года, когда Черкасский уезжал на воеводство в Псков. Зная, когда оно случится, Трехглазый нарочно поехал к заставе, встречать княжеский поезд.

Впереди, подбоченясь, ехал сам воевода в собольей шапке с пером и шелковой шубе — давал зевакам на себя полюбоваться. Потом, верхами же, следовали оружные холопы для дорожного сбережения, тоже все нарядные, в одинаковых синих кафтанах. Потом — пустые крытые сани князя с четверкой каурых коней, обитые алым сукном, с узором из золотых гвоздиков. Толпа от такой красы заохала, один Маркел смотрел дальше, на коробчатый возок с зарешеченным оконцем — в нем должны были везти княгиню.

И явилось чудо. Замешкались там что-то, на заставе, и все остановились, и возок тоже остановился. Открылась дверца, и высунулась Аглая Борисовна, точь-в-точь такая, какой ее запомнил Маркел. Нет, еще краше. Только у рта, с двух сторон, появились две малые морщинки.

Он недалеко стоял, шагах в десяти, а подошел еще ближе. Рывком сдернул шапку.

Четверток. ВЕЛИКОЕ ГОСУДАРЕВО ДЕЛО

На быстрое движение Аглая Борисовна чуть повернула лицо, они встретились взглядами, и оба замерли.

Сколько они могли так друг на дружку глядеть? Полминуты, минуту? А показалось, что долго. Дольше, чем тянулась разлука.

О чем тогда думала Аглая, Маркел не знал и никогда не узнает. А сам мечтал: смотреть бы на нее так до скончания века, просто смотреть, и ничего не надо.

Потом закричали что-то, подбежал челядинец, дверцу закрыл, возок двинулся. И больше Маркел ничего не видел, мир затянуло влажной пеленой, и померк дневный свет, хотя по-прежнему сияло яркое зимнее солнце.

С тех пор Аглаю Борисовну он не встречал. Знал лишь, что детей у нее с князь-Василием не родилось. Может, Бог не дал, но Маркелу нравилось думать, что не полюбила она мужа, вот и не захотела от него детей — как и сулилась.

Мечтание всё это. Небывальщина. Сон.

Тряхнул головой, отгоняя пустое видение. Жизнь на мечте не поженишь.

Отправился в дом, пить яблочный узвар.

Но не дошел. Заколотили с улицы в ворота чем-то деревянным — обухом плетки или чем:

— Отворяй, Маркел!

Посыльный от Степана Матвеевича.

Сегодня Проестев должен был с утра ехать в думу, на доклад перед государевыми очами. Доклад важнеющий, всё по той же Азовской докуке. Донские казаки самоуправно захватили у турок крепость, и что с той непрошеной добычей делать, никто не знает — то ли брать под царскую руку, то ли отдать, не дразнить салтана.

Если человек прискакал конный, значит, надобность спешная. Требует окольничий Трехглазого, сведущего в Азовском вопросе человека, для службы.

Неужто решилось наконец? Великое дело, великое.

— Катерина, ворота! — крикнул Маркел, а сам побежал к коновязи, сбросив на землю балахон. Запрыгал на одной ноге, сдергивая чуни.

Розы останутся недосажены, узвар не испит, да и ночь дома, верней всего, не ночевать.

А и хорошо. Скучно без службы.

Запрыгнул в седло, привычная жена без лишних вопросов тянула воротную створку. Там нетерпеливо крутил на месте лошадь знакомый ярыга.

— В приказ или куда? — только спросил Трехглазый.

— В приказ.

Мишку по загривку ладонью (плеткой Маркел коня не обижал) — и вскачь.

На приказном дворе стояла кожаная колымага окольничего, сам он сидел на подножке, нетерпеливо постукивал тросточкой по голенищу. Степан Матвеевич, как всегда при поездках во дворец, был в парадной ферязи, на плечи накинута шуба. Высокая соболья шапка лежала на коленях. С палкой африканского дерева, тонкой, но крепкой, Степан Матвеевич хаживал уже лет пять — ноги неважно держали его раздавшееся к старости тело. Но умом Проестев был по-прежнему остр, а нравом все так же переменчив. Пожалуй, еще и поболее.

— Давай, давай, поехали, государь ждет! — закричал он, едва завидев Трехглазого.

И вскочил, полез в колымагу, да уронил шапку, нагнулся за ней, из-за великого чрева не достал — заругался.

Соскочив наземь и бросив поводья (подхватит кто-нибудь), Маркел подбежал. Шапку поднял, грузного начальника подтолкнул в спину, уселся на переднюю скамеечку.

Степан Матвеевич ударил палкой в низкую крышу, возница щелкнул кнутом, поехали. До Кремля ходу было — только через Троицкую площадь, но приказному голове в звании окольничего полагалось прибывать на государев зов не иначе как в карете четверней, иначе урон монаршей чести.

Четверток. ВЕЛИКОЕ ГОСУДАРЕВО ДЕЛО

Минуты две иль три протряслись — и уже государев двор, дальняя стража. Вылезай. Тот же строгий чин предписывал дальше шествовать смиренно, на своих двоих, хоть ты окольничий, хоть боярин, хоть кто.

Трехглазый пока вопросов не задавал — Проестев этого не любил. Сам скажет.

Но начальник ныне был какой-то странный. Сердитый, а в то же время вроде как смущенный. Проестев — да смущенный? Небывалое дело.

— Что с Азовом-то? — наконец не выдержал Маркел. — Неужто решили-таки взять под государеву руку? Не послушал тебя государь? Беда. Я же после Царьграда говорил и в бумаге писал: нельзя нам воевать с турками. Не сдюжим.

Они остановились на лестнице перед новым государевым теремом, затейного каменного сложения, с разноцветной крышей — не хуже заграничных палацов. Степан Матвеевич от быстрого хода задыхался и употел.

— Не было на думе разговора про Азов. — Он снял шапку, пропуская к распаренному лбу холод. — И думы не было...

— Куда ж мы поспешаем? И на что понадобился я, если не для турецких дел?

За двадцать с лишним лет московской службы Трехглазый так близко от монаршего дворца еще не бывал и не думал, что когда-нибудь попадет. Мелкая птаха порхает близ земли, к солнцу не лётывает.

— Царь тебя требует.

— Меня?!

Трехглазый двумя глазами замигал, третий наморщил.

— Зачем?! Откуда он... откуда его царское величество...

Хотел сказать «про меня и ведать-то ведает?», но не сказал. Был указ: кто ляпнет, что царь чего-то не ведает иль не смекает, того облыжника за невежие к государскому величию тащить в приказ и поганый язык рвать клещами.

Проестев и так понял.

— Когда царь думным людям про беду рассказывал, плача, мы все, бояре с окольничими, тоже заохали. Его величество, осердясь, ручкой замахнулся. «Что мне, говорит, с ваших охов? Вон вас сколько бородатых, шапками в потолок, а случись лихо — ни от кого никоторой пользы!» Тут бес меня и дерни. Есть-де у меня, государь, один человечек, привычный к сыску. Любую, говорю, тайну проницать умеет, будто есть у него третий глаз, особенный. За то, говорю, и прозван Трехглазым... — Окольничий хлопнул себя ладонью по губам. — Хвастун я старый! Перед государем выставиться хотел... Брякнул — и страшно стало. Да поздно... Царь-батюшка ножкой топнул: вези, говорит, сюда своего трехглазого сей же час!

Мягкое лицо Проестева плаксиво скривилось.

— Гляди, Маркелушка, не подведи. Государь так-то незлобен, но коли что с наследником — делается трепетен. Тогда жди всякого. Давеча мастер часовой Юшка Шницлеров пообещал царевичу к Спасу тележку малую самоходную сделать, да не поспел, и царевич плакал. За те слезыньки велено Шницлерова бить кнутом до двадцати раз, отчего немец помер... Я государя таким напуганным, как нынче, не упомню. Спасай, Маркел!

— Неужто, не дай бог, с цесаревичем что? — перекрестился Трехглазый.

Наследника Русь ждала долго, целых шестнадцать лет. То-то было ликования, когда наконец родился. Было потом у государя еще два сына, да не зажились. Остался один Алексей Михайлович, храни его Христос, Богоматерь и вся святая рать. А не сохранят — быть новой Смуте. Нельзя государству без законного наследника.

— Со вчерашнего дня не ест, не пьет, ночью не почивал, всё-то плакал. Лекари напоили декохтом — выблевал. До шести крат в обморок падал. Боится за него государь.

— Отравили? — ахнул Маркел. — Про то и сыск?

— Типун тебе на язык! Кошка у него пропала, у Алексея Михайловича.

— Какая кошка?

— Любимая. Было в прошлом месяце персидское посольство. Среди прочих даров поклонились царевичу кошкой ихней персидской породы. Шерсть у ней пушистая, голубого цвета, глаза оранжевы, нос розов. Царевич с нею неразлучен

Четверток. ВЕЛИКОЕ ГОСУДАРЕВО ДЕЛО

был. Расчесывал златой гребеночкой, кормил с ложечки красно-рыбицей и астраханской икрой, велел выстроить теремок в своей опочивальне. А кошка возьми и пропади. Вот он, болезный, и убивается. У царевича нрав нежный, чувствительный. Во дворце крик, плач и скрежет зубовный. Все бегают, голосят, государь за грудь держится. А у него ведь сердце слабое...

Окольничий тоже осекся. Говорить печальное про царское здоровье нельзя, закон воспрещает. Но всем известно: Михаил Федорович хвор.

— Искать надо, всех вокруг опросить, — сказал Маркел, не понимая, на кой он понадобился царскому величеству. — Раз кошка приметная, кто-нибудь видел. Она кошка иль кот?

— Почем мне знать? Я ей под хвост не заглядывал! — окрысился Проестев. — Я ее и в глаза не видывал! Ты вот к чему это спросил, Трехглазый? Какая к бесу разница, кот или кошка?

— Ну как... Ежели кот и на блудни убежал, тогда плохо. Могли другие коты задрать. А если кошка, по женскому делу, то ничего. Ну, приплод даст.

— Спасибо тебе за ученое мнение. — Степан Матвеевич язвительски поклонился. — Не могла она... или он сбежать. Тут злое дело.

— Почему не могла сбежать?

— Увидишь. Как ты есть розыскных дел мастер, должен ты похитителя добыть, а пуще того — найти кошку. Выручай, Маркел! — воззвал окольничий со слезным дрожанием. — ...Ладно, отдышался я. Лезем дальше. Государь ждет.

Но Маркел остался стоять внизу.

— Я — кошку сыскивать?!

Проестев обернулся.

— А что такого? Сыскал же ты в позапрошлом году евнуха-перса, который бабой-ворожеей прикинулся? Кот тоже перс. И, может, тоже не кот и не кошка, а евнух.

На верхней площадке, у златой решетчатой ограды, стояли стремянные стрельцы, каждый в сажень ростом. Им окольничий назвался, а про спутника сказал: «Надобный человек, зван к государю».

У входа в Постельные хоромы, где домашествовало пречистое царское семейство, посетителей приняли жильцы, сплошь ясноглазые да румяные, но невысокие. Для внутренней дворцовой службы таких отбирали нарочно: чтоб были пригожи, а не дылдасты — не высились над помазанником божьим. Жильцы отвели явившихся к придворному дьяку, и тот записал в книгу, что 7149 года октября в двадцать первый день, в четверток, званы в Государеву Комнату и прибыли пополудни в два часа с четвертью Большого Прихода судья Степан Матвеев сын Проестев и того ж приказа подьячий Маркел Трехглазый.

Два стольника с заплаканными лицами (это были люди ближние, им полагалось радоваться и горевать вместе с государем) уже ждали в Передней, и один, старший, попрекнул: долго-де добирались, царь трижды спрашивал.

Повели в Верх, прямо в Комнату, где самодержец всея Руси правил свои великие заботы. Старший стольник, являя усердие, тянул окольничего за рукав; младший легонько подталкивал в спину Трехглазого.

Проестев ковылял со своей тростью, глядя под ноги, чтоб от спешности не споткнуться на швах косящатого пола, в красный и черный дубовый кирпич. Маркел же глазел во все стороны, дивясь дворцовым красам.

Стены здесь были расписаны цветными узорами, золочены золотыми разговорами, серебрёны серебряными кренделями. В затейного литья шандалах, даром что светлый день, горели многие свечи, а в просторной зале, убранства которой Маркел толком не разглядел, под сводами сияли пречудесные паникадила. По лавкам там сидели важные, бородатые мужи, уставя в пол посохи — все скорбные, тихо шепотливые. Не иначе — Боярская дума. Увидя Проестева, замолчали, проводили взглядами. Степан Матвеевич приосанился, лицом изобразил суровую деловитость, а на Маркела, и так не отстававшего, прикрикнул:

Четверток. ВЕЛИКОЕ ГОСУДАРЕВО ДЕЛО

— Живее ты, живее! Государь ждет!

Тут все стали смотреть на Трехглазого. Он шел, во все стороны кланяясь и от смущения никого из больших людей не узнавая. А Степан Матвеевич и головой не кивал. Ему, поспешающему на высочайший вызов, тратить время на поклоны было невместно.

— Войдешь — встань коленно у порога, очей не поднимай, — шепнул Маркелу стольник, подпихивая к двум белокафтанным рындам, сторожившим высокие двери — на одной створке златой лев, на другой златой единорог, а поверху златой же орел о двух головах.

Рынды взялись за костяные ручки, плавно потянули — двери разом распахнулись, и сразу будто запели-защебетали райские птицы.

Проестев, кланяясь на каждом шагу, прошел первым. Трехглазый, как велено, переступил порог и бухнулся коленками в алебастровый пол.

— Привел? — послышался надтреснутый, одышливый голос. — Да будет тебе спину гнуть! Не до чину. Подойди, Степан.

Глядеть вниз, однако, было жалко. Маркел начал потихоньку осматриваться. Сначала исподлобья да искоса.

Первое, что увидел — птичьи клетки. Их тут было много, стояли на ажурных столбцах, в ряд. Соловьи, канареи, дрозды, скворцы, перепела и еще какие-то яркие, неведомые. Многие выпевали свои птичьи песни. Не примерещилось, значит, райское пение.

Трехглазый вспомнил, как кто-то рассказывал, что государь любит птичью утеху. Видно, оно и вправду так.

Потом, осмелев, забрался взглядом чуть выше.

Увидел большой лаковый шар в полуобруче — глобус.

— Эй ты, вставай. Иди сюда, — сказал тот же голос.

Маркел догадался — ему.

Встал.

С великим трепетом, сначала смежив веки, осмелился поднять глаза.

Владыку и строителя русской земли он раньше видел только издали — из толпы, во время большого царского вы-

езда или в престольные праздники, на высоком соборном крыльце. Царь сиял золотом, глядел в небо, и, когда шествовал или ехал, всё склонялось.

А сейчас Трехглазый увидел перед собой не шибко высокого, но сильно толстого человека с круглым, опухшим, ничем не примечательным лицом. Борода у царя была тоже круглая, рыжеватые усы кончиками кверху. Одет просто: в малиновый легкий зипун, выше брюха перехваченный зеленым кушаком, на голове малая бархатная тафейка.

Пухлые белые руки в перстнях потянулись к Трехглазому, взяли его за ворот, притянули — и обмерший Маркел увидел в двух вершках от себя водянистые, полные слез глаза с дряблыми подглазьями.

— Сыщи кошку. Спаси мне сына! — прошептал владетель российской державы. — Награжу тебя безмерно. А не сыщешь — гляди. Я в горе, меня за лютость Бог простит.

Маркел зажмурился. Не от благоговения перед величеством и не от страха, а чтоб прояснить голову.

Четверток. ВЕЛИКОЕ ГОСУДАРЕВО ДЕЛО

Сыскному делу благоговение и страх помеха, о наградах и карах думать тоже незачем, а вот без ясности ума прока не выйдет.

— Мне бы осмотреться. Людей попытать. Да чтоб не чинились, а отвечали по моему спросу, — сказал он, вновь открывая глаза и смотря на божьего наместника уже без трепета.

Царь выпустил ворот.

— Поведу куда захочешь. Велю отвечать, как мне самому. Кого надо — допытывай безосторожно. Хоть царицу. Только сына утешь. Он уж не встает, не плачет — слез не осталось. Только иком икает, лапушка. Дохтур Клюге говорит: не найдете кошку, может приключиться горячка иль сердечная сухотка. Ну, с чего почнешь?

Подумав и еще раз велев себе ни от чего не робеть, Трехглазый сказал:

— Веди меня, твое величество, прямо к наследнику. Оно и для дела хорошо, и его высочеству для здоровья лучше. Надежда — она лучше всякого лекарства.

— Ступай за мной.

Михаил Федорович подобрал длинные полы, чтоб быстрей идти. Засеменил к малой угловой дверце, совсем не по-царски.

Чудны дела Твои, Господи, подумалось Трехглазому. Самодержец у меня в провожатых.

Ин ладно. Сыск есть сыск.

— У царевича покои в Чердаке, — сказал великий государь на лестнице и завздыхал, мелко крестясь. Ему, кажется, самому было в диковину кому-то что-то объяснять.

— Понятно, — ответил Маркел, кашлянув. Нельзя не ответить, когда царь с тобой слово молвил.

Проестев, едва поспевавший сзади, ткнул Трехглазого тростью в спину, шепнул:

— Не забывайся, собака! Понятно ему!

Прошли галерейкой, вдоль стен которой стояли придворные. Будто ветер пронесся над лугом, сгибая траву — так, волной, кланялись кремлевские. Перед тем как сложиться в пояс, каждый с любопытством бросал взгляд на человека, которому венценосец, оборачиваясь, вроде как докладывал:

— ...Чем только Алешеньку не тешили, чем только не отвлекали. Не глядит, не утешается. Сердечко у него мягкое, привязчивое. Полюбил он персиянку эту мохнатую. Надумал ей жениха искать, уж и котяткам имена придумал...

Ага, все-таки кошка, подумал Маркел. Уже лучше: чужие коты не порвут, коли на крышу сбежала. Хотя Степан Матвеич вроде говорил, что сбежать ей было невозможно?

Вошли в залу, которая была на одну половину людной, на другую — почти пустой. Маркел увидел, что тут, кажется, одни бабы с девками, и уразумел: это семейные царские покои, куда чужим хода нет. Самое в Кремле заповедное место. Попасть сюда можно только по особому допуску, да и то малому количеству проверенных людей, а из мужчин почти никому. Притом даже всегдашних царицыных боярынь со служительницами не пустят, если бледна, либо, наоборот, слишком красна. А ну как хвора? Не заразила бы цесаревича с царевнами. Грустным тоже от ворот поворот — ну, как на них сглаз?

Но сегодня все тут были и бледны, и грустны.

— Подайтесь вы! — сердито крикнул государь на теток, мамок, нянек. Они, шурша, кинулись в стороны, и открылся проход в пустую половину залы.

Там, на низком креслице ал-бархат, обложенный подушками, вяло сидел в одиночестве нарядный отрок лет одиннадцати или двенадцати. Его нежное лицо показалось Маркелу голубым, как у помершего в чахотке покойника. Глаза с длинными ресницами будто тонули в синих ямах. Безжизненный взгляд устремлен в потолок.

А между тем перед царевичем творилось такое! Шут в красно-синем кафтанце скакал на руках, потешно дрыгая ногами. Малый карлик и совсем крошечная карлица плясали

Четверток. ВЕЛИКОЕ ГОСУДАРЕВО ДЕЛО

пляску, постукивая в бубенки, да еще мужик в красной рубахе делал что-то с хвостатой мартышкой.

— Кыш вы! — махнул государь. Затейников будто смело.

Но Алексей Михайлович, казалось, и не заметил, что стало тихо. Он все так же тускло глядел в потолок, из груди с трудом вырывалось дыхание.

Эвона какой нежный, подумал Трехглазый. И правда не помер бы. Осиротеет держава.

У царя, с отчаянием смотревшего на отрока, который, похоже, отца и не заметил, по щекам струились слезы.

Маркел сзади шепнул:

— Твое величество, скажи царевичу, что кудесника привел...

Михаил Федорович не привык, чтоб ему сзади в ухо шептали — отшатнулся. Средь придворных прокатилось гудение — ах, дерзец!

Но государь коротко кивнул Трехглазому — понял.

Смахнул слезы, приблизился к креслицу и с бодростью объявил:

— А кого я к тебе привел, Алешенька! Погляди на сего честно́го мужа!

Нет, не поглядел.

— Се человек кудесный, вникновенный во многие тайны. Видит то, чего никто не видит, потому его зовут Трехглазый. Вишь, у него на лбу знак? Скажи, Трехглазый, зачем ты сюда пожаловал.

— Чтоб кошку найти. И найду, если твое царское высочество мне поможет, — твердо сказал Маркел.

Тетки заохали, многие закрестились, а иные поплевали через плечо во сбережение от Лукавого, зато мальчик будто очнулся.

Страдальческий взгляд оборотился на Маркела, задрожали ресницы.

— Най...дешь отраду? — спросил слабый голосок. И громче, сильнее: — Найдешь?!

Отрок сел на подушках.

— Найдет, как ему не найти, — обрадовался государь. — Нельзя ему отраду не найти, иначе я ему голову с плеч... Покушай пряничка, золотце. Иль хоть ягодку винную. Не кушал же ничего.

Схватил со столика поднос, стал совать царевичу. Тот, однако, на родителя не посмотрел, поднос оттолкнул. Поднялся, взял Трехглазого за руку (другой рукой Маркел мял себе шею — она вдруг засвербела в месте, куда рубят топором).

— Колдуй, дяденька, если надо. Я после грех отмолю. Но сыщи Отрадушку.

Видно, это кошку так зовут — Отрада, сообразил Маркел.

— Расскажи, твое высочество, кто и когда видал Отраду в последний раз.

— Я. Третьего дня вечером, когда ее в терем спать укладывал. А вчера наутро стал звать — не мяучет, не выходит. Нету! Пропала. Опустел терем... Злая чара ее схитила, сколдовала, иначе как? Расколдуй Отрадушку обратно, добрый ведун!

Что за «терем», из которого кошка не могла выйти? Непонятно.

Четверток. ВЕЛИКОЕ ГОСУДАРЕВО ДЕЛО

— Мне нужно осмотреть место злодеяния, — сказал Трехглазый, решив, что будет действовать, как при обычном сыске. — Пойдем!

Наследник повел Маркела за собой, не выпуская его руки.

У дверей Трехглазый оглянулся — и стало не по себе.

Сзади выстроилось препышное шествие. Впереди переваливался с боку на бок владетель державы, с ним рядом плыла такая же дородная женища в парчовом платье (не иначе сама царица Евдокия Лукьяновна), а за ними, толпой, следовали боярыни с боярышнями: головные убрусы у них были алы, желты, сини, малиновы, лазоревы, изумрудны — в глазах зарябило. Сбоку, в приличном отдалении от женства, покачивая длинными рукавами шуб, шли двое мужей. Один был Степан Матвеевич, бодрительно кивнувший. В другом Маркел признал наибольшего государева боярина, грозного Ивана Борисовича Черкасского. Этот показал кулак.

А ну вас всех, подумал Трехглазый, отворачиваясь.

В опочивальню вошли вдвоем с царевичем. Даже государя Маркел почтительнейше попросил остаться на пороге.

Комната была, будто драгоценная шкатулка — истинное любование. Синь потолок расписан облаками и ангелами, над ложем шелковый шатерчик, пол в турских коврах, а у стен рядами всякие игрушки. Но более всего Трехглазого поразил потешный терем-теремок искусной деревянной работы. Был он изукрашен картинками, резными крылечками, настоящими стеклянными оконцами, увенчан башенками — а сам не выше двух аршин.

— Здесь Отрадушка ночевала, — стал объяснять Алексей Михайлович. — Вишь, как оно устроено? Через сию дверку малую я ее почивать провожаю. Там внутри три горенки, в глубине спаленка. Я утром Отраду уговариваю выйти доброй волей. Иной раз по получасу и дольше.

— А крючок на двери зачем?

— Запирал я ее на ночь. Чтоб по дому не бродила.

— Вчера утром, когда твое высочество Отраду звал, крючок заперт был?

— В том и дело, что заперт. Не могла она сама выйти. Я ж тебе толкую: колдовство!

Маркел на четвереньках поползал вокруг домика. Окошки были тоже закрыты. Труба мала даже для кошки. Сунул руку в дверь, пошарил. Нет, до кошачьей спальни не достать. Внутрь тоже не втиснешься.

В самом деле диковинно. Сбежать не сбежала, вытащить ее тоже не могли...

Вынув из кармана мерный складень, Трехглазый замерил проем. Ширина восемь вершков, высота — двенадцать.

Снизу широко раскрытыми глазами смотрел царевич, ждал чуда. В дверях пузом вперед стоял царь-государь, у него из-за плеч выглядывали остальные.

— А есть у твоего высочества товарищи, с кем играть?

— Есть. Ваня Голицын, Артамоша Матвеев, Николка Стрешнев. Во дворце живут.

— Доставить сюда, — повернулся Маркел к двери.

Государь крикнул:

— Товарищей царевича сюда! Живо!

Голоса подхватили, зашумели, донесся удаляющийся топот множества ног.

Подумав еще немного, Трехглазый спросил:

— А с государынями царевнами, твоими сестрами, играешь ли?

— На что они мне? — наморщил нос наследник. — Иринка с Анкой дуры, а Татьянка еще малая.

— Однако ж Отраду ты им показывал?

— Показывал, но гладить не давал. Вот еще!

Маркел снова сказал через плечо:

— А и царевен бы позвать.

Там заголосили:

— Царевен! Царевен!

Четверток. ВЕЛИКОЕ ГОСУДАРЕВО ДЕЛО

Опять побежали.

Страшно Маркелу уже не было. Он расхаживал по царевичевой спальне, сопровождаемый многими взглядами, сам собою гордый.

Думал: может, головы я и не сношу, но сей час я главный человек во всей православной державе. Сам царь у меня на посылках. Повелел — боярыни бегают, царевен ко мне волокут. За такое и головы не жалко.

Первыми доставили трех перепуганных отроков. Втолкнули в комнату, велели встать в ряд. Но Маркел на них, замерших от ужаса, коротко глянул — махнул рукой: уведите.

Через малое время запустили царевен, Ирину Михайловну и Анну Михайловну. Первая была уже почти дева, вторая наследнику погодница — длинная, похожая на жеребенка.

— Нет, не то, — сказал Трехглазый, смерив Анну Михайловну взглядом. — Младшая царевна где?

— Здесь, сударь. Почивала, разбудили.

Придворная мамка ввела за руку девчушку лет четырех, после сна хмурую, толстая щечка намята подушкой.

Вот ею, пресветлой царевной Татьяной Михайловной, расследователь заинтересовался.

Присел на корточки, приложил к плечикам складень. Семь с половиной. Пролезла бы.

Мамка испуганно прижала к себе девочку.

— Чего это он, батюшка государь?

Царь на дуру прикрикнул:

— Так надо. Не перечь!

Царевна начала выгибать губки, готовясь разреветься.

— Ладушки-ладушки, где были — у бабушки, — запел Маркел, выставляя вперед ладони.

Поднял ладошки и ее высочество — разок хлопнулись. Однако ручки были слишком тонки, такие кошку не удержали бы, да и сама царевна совсем еще кроха.

Трехглазый со вздохом распрямился.

— Уводите царевен. А иные малые дети, гостебные, у царевича бывают?

— Господь с тобой. — Мамка подняла Татьяну Михайловну на руки. — От пришлых может быть хворь. Здесь только свои, наперечет. Ты всех видал.

Шея в нехорошем месте снова зачесалась, но Маркел страх в себя не впустил.

Он пошел кругом по опочивальне, медленно, сопровождаемый многими взглядами.

— Ну что? — не выдержал долгой тишины самодержец. — Куда она отсюда делась?

— Молебен надо большой. С патриархом. — Это молвила царица, со слезным трепетанием. — Нечистый тут наозоровал.

А царевич стоял молча и просто смотрел на Маркела с надеждой.

Четверток. ВЕЛИКОЕ ГОСУДАРЕВО ДЕЛО

Трехглазый ему успокоительно кивнул, а помазаннику ответил:

— Мне бы по палатам походить. Одному, без присмотра. Дозволь, твое величество. Я недолго.

— Иди куда хочешь. Эй, передайте страже — чтоб всюду пускали!

Поклонился Маркел царю, царице, царевичу, протиснулся меж притихших боярынь с боярышнями, вернулся назад, в залу.

Там остались только служанки, да затейники, что давеча пытались развлечь наследника.

Поискав глазами, Трехглазый подошел к карлику с карлицей. Сначала померил складнем мужичка — оказался велик. Карлица пискнула, когда сильная рука легла на ее тонкое плечико. Была она еще девчоночка, оттого вдвое меньше напарника.

— Ну-ка отбрызните, — сказал Трехглазый шутам с шутихами.

Они кинулись от сурового человека врассыпную. Рванулась было и малютка, но Маркел ухватил ее за пеструю юбчонку.

— Тебя как звать?

— Оринка, государева дурка. Пусти!

— А лет тебе сколько?

— Десять...

Сев на корточки, Трехглазый перешел на шепот:

— Ты куда кошку дела? Кроме тебя никто к ней в терем не пролез бы.

— Не брала я, дяденька. Богом-Троицей!

Закрестилась. Сложенные персточки были меньше, чем у четырехлетней Татьяны Михайловны.

Маркел ухватил одну лапку.

— А это откуда?

На запястье виднелся след от когтей.

— Пойдем-ка отсель, милая...

Пигалица не захотела, и он легко перекинул крошечное тельце через плечо, понес сучащую ножонками карлицу прочь из зала.

За дверью, где никого не было, поднял до уровня собственных глаз.

— Ты хоть и дурка, но не дура. Сама знаешь, что будет, коли к палачу попадешь.

Девка заплакала.

— У него и так всё есть, у царевича... И лев живой, и слон, и берблюд с берблюдихой. А я попросилась котку погладить, и то не дали... А она такая, такая — ух какая! У ней шерсточка голубой пух! Я ей молочка, а она ластится. Я ей брюшко чешу — мурлычет. Она спит, а я сижу, смотрю, так-то хорошо... Сказнят меня — и пускай! — Оринкины глаза горели отчаянием и восторгом. — Два денечка мои были! Ныне знаю, каков он — рай. Веди меня к палачу, мне теперь и помирать нестрашно!

— Сначала ты меня веди. Где ты тут обитаешь?

— Под лестницей, в чуланишке, где метелки...

— Вот она, твоя Отрада, Алексей Михайлович.

Трехглазый достал из-под кафтана голубой пуховый ком. Пока нес, кошка там уютно обустроилась, притеплилась. И Маркелу с ней тоже было душевно, прямо жалко отдавать.

Закричал державный наследник, запрыгал, будто малое время назад не лежал в подушках, бессилен и полумертв.

Завопила и царица. Один царь повел себя как следовало — осенился крестным знамением, широко поклонился в пояс святым иконам, возгласил хвалу Господу.

Главный боярин князь Черкасский не кричал, Бога не славил. Поманил Трехглазого пальцем.

— Кто кошку похитил?

— Никто. Сбежала.

— Да как она могла? Крючок снаружи был закрыт.

Повернулся и государь — послушать.

Ему Маркел и ответил, чтоб не смотреть в грозные очи боярина.

Четверток. ВЕЛИКОЕ ГОСУДАРЕВО ДЕЛО

— Умная она. Лапу через окошко просунула, крючок откинула. А выйдя, заложила обратно.

Князь Черкасский хмыкнул, но при царе дальше спрашивать не посмел.

— Как же ты ее сыскал? — спросил Михаил Федорович.

— А вот как. — Маркел снял с плеча голубую волосинку. — По шерсти. У меня глаз зоркий. Пошел по следу и сыскал. В чуланце каком-то, под лестницей. Спала, яко агнец.

Подбежал наследник, прижимая к груди кошку.

— Вот этот глаз зоркий, который во лбу? Дай потрогать!

Осторожно погладил пальцем склонившемуся Маркелу родинку. Потревоженная Отрада недовольно заурчала.

— А по-кошачьи ты понимаешь?

— Самую малость.

— Что она говорит?

— Сейчас поспрошаю.

Трехглазый почесал кошке бок, она поурчала еще.

— Не пойму, про что она... Оринка это кто?

— Есть такая. Карлица.

— Говорит, желаю, чтоб Оринка при мне была и меня обихаживала.

Севши в колымагу ехать из дворца, Маркел сразу взопрел в дареной царской шубе.

Степан Матвеевич завистливо пощупал вышитый позументами обшлаг, потрогал пуговки рыбьей кости.

— Рублей в триста шуба-то. Жаль, не продать — государю обида.

— В горнице на стенку повешу. Не по улице же в ней ходить?

— Это да... — Окольничий глядел искоса. — Кто кошку стащил? Карлица?

Трехглазый кивнул. Думы у него сейчас были про другое.

Вот ведь двадцать с лишним лет царю отслужил. Каких только дел не делывал, каких только доблестей не являл. И что имел? Подьячество неверстанное да невеликий домишко. А тут кошку мурлявую сыскал — и уже дворянин при жалованном поместье да на плечах шуба ценой еще в два поместья.

Покачал головой, дивясь баловству судьбы.

Степан Матвеевич понял без слов.

— Это потому так, Маркелушко, что дело велико не смыслом, а надлежностью. Кто эту правду уяснил, высоко взлетает.

— Как это — надлежностью?

Окольничий объяснил:

— Почему царя величеством называют — знаешь? Все, что до него надлежит, хоть горшок ночной — великое. И лучше при царском ночном горшке состоять, чем вдали от царя быть воеводой.

— А по мне лучше воеводой, чем при горшке.

— Острый у тебя ум, да не дальний. Потому не быть тебе воеводой. Воеводой станет тот, кто за царем горшок выносил. Эх ты, кошачий переводчик...

Посмеялся Проестев, но недолго. Пришла ему в голову другая мысль, от которой начальник посмотрел на новоиспеченного дворянина уже без усмешки.

— Однако ж наследнику ты приглянулся. Станет Алексей Михайлович государем — вспомнит о тебе, приблизит. Этак еще я у тебя буду попечения искать. Не попомнишь зла старику?

Пятница

ВСТРЕЧА С САТАНОЙ

—Знаю я, Маркел Маркелов, что ты близок к государю-батюшке, что ценит он в тебе великий ум и прозорливость. Потому и надумал я потолковать с тобою без мест и чинов, по-дружески. Ты забудь, что я князь и боярин, а ты всего лишь стряпчий. Одному Богу молимся, одному царю служим. Да и возраст у нас с тобой, мнится мне, вровень. Сколько тебе годов?

— Пятьдесят три уже.

— Вот видишь? — обрадовался великий посол. — А мне пятьдесят четыре. Считай, ровесники. Ты не стой передо мной, ты садись. Я же говорю: потолкуем попросту.

И взял за рукав, усадил к себе на скамью, еще и приобнял. Закадычные друзья, да и только, подумал Маркел. Кабы князь ведал, что царь меня к себе близко не подпускает, так бы не ластился.

Взойдя на отцовский престол, Алексей Михайлович про кошачьего спасителя, казалось, запамятовал. Правда, был он уже не доверчивый к чудесам мальчонок, а шестнадцатилетний юнош, да и кошки Отрады давно не стало. Говорили, что сбежала она из своих пышных палат к вольным московским котам и с тех пор никто ее никогда не видывал. Скорее всего, польстился какой-нибудь злыдень на голубой мех, и сделалась прекрасная персиянка оторочкой для шапки.

Окольничий Проестев, покойник, сильно надеявшийся, что его помощник вознесется при новом царствовании, философически молвил: «Кесарева память коротка, яко тень от полуденного солнца».

И ошибся.

Это царский дядька, боярин Морозов, никого к молодому государю не подпускал, окружал своими верными слугами, а когда после Соляного бунта Алексей Михайлович начал править сам, оказалось, что память у него цепкая и добро он помнит.

Вокруг престола появились новые люди, известные царю с детства. Не забыл государь и про человека с волшебным глазом — должно быть, на него, отрока, тот случай произвел сильное воздействие.

Однажды Степан Матвеевич прикатил к дому Маркела на колымаге, во двор вошел с криком: «Едем! Зовет!»

Вытянувшийся в один рост с Трехглазым, но такой же нежнолицый и сердцетрепетный помазанник строго спросил ломающимся баском: не присягал ли Маркел врагу человечества, не чернокнижник ли, чтёт ли божьи молитвы, ходит ли к причастию?

Не только чту, но и весь псалтырь наизусть знаю, ответствовал тот — и начал честь псалмы один за другим, а государь подхватывал, светлел лицом. Успокоившись насчет нечистой силы, Алексей Михайлович спросил уже без страха, с любопытством: верно ль, что Маркел понимает речи зверей?

— Знал когда-то, да забыл, — ответил тот, испугавшись, что получит назначение в царский зверинец толмачом.

На следующий вопрос, про лоб — обычное на нем пятно иль особенное, сказал, что в точности не ведает, однако ж при сосредоточении мысли сия точка нагревается и для сыска это полезно.

— Поэтому ты видишь то, чего другие не видят? — опасливо поглядел на родинку государь. — Ладно, ступай. Будет тебе служба.

Пятница. ВСТРЕЧА С САТАНОЙ

И четыре года после того была у Маркела не служба, а сахарный мёд. Взяли его во дворец стряпчим, великая честь для дворянина без-году-неделя. Притом являться без особого вызова не велели, только когда царь потребует, а жалованье положили хорошее, и поверстали еще одной деревенькой. Требовали же во дворец редко — если случалось что-нибудь затруднительное для рассудка. Должность Трехглазого называлась звучно и даже страшно: «государев стряпчий тайных дел», однако по большей части приходилось заниматься безделицами. То надо было найти любимую золотую зубочистку, которой Алексей Михайлович привык после трапезы ковырять в зубах (нашлась за отворотом государева кафтанца). То надо было сыскать, правда ли, что ее величества сенная боярышня забрюхатела от сонного виденья архангела Гавриила (неправда, что от архангела, но правда, что от Гавриила, царского рынды). То надо было — и это еще хорошо — во время посольского приема прочесть по лицу крымского мурзы его тайные помыслы (а что их читать, и так ясно: соболей хочет).

От непыльной этой службы Трехглазый скучал, толстел. Прежнюю, приказную, вспоминал со вздохом. Правда, возврата на нее все равно уже не было. Степан Матвеевич стал совсем стар, ушел на покой в монастырь и там, мирным иноком, вскоре преставился. Идя со свечой за гробом, Маркел думал: моя жизнь тоже на закат пошла, досумерничаю как-нибудь, и ладно. А и что плохого? Живу дома, с заботливой женой, с сыном. И возраст немалый, полста лет уже.

Однако в прошлом году наконец случилось настоящее дело, после которого оказалось, что покой у Трехглазого был не окончательный, а временный.

Во дворце стряслась злая беда. Непонятно с какой причины удавился комнатный стольник Бельдеев, опоганил государевы честные палаты. Их, конечно, заново освятили, патриарх Никон справил молебен, но тем не удовлетворился. Призвали во дворец стряпчего тайных дел, и его святейшество в присутствии его величества повелел Маркелу сыскать, с чего стольник согрешил страшным грехом: с бесовселения или с чего иного?

От такого задания Трехглазый будто на десять лет помолодел. Времени ему понадобилось не более часа.

Первым делом он осмотрел труп. Увидел, что, хоть на шее борозда от веревки, однако же язык не высунут, а во рту нашел лебяжью пушинку. Осмотрел на кровати подушки — на одной прокушена наволочка. Ясно: задушили подухой, а подвесили уже мертвого. Дальше было просто.

Патриарх еще от государя не вышел, а Трехглазый уже явился докладывать. Сатанинской силы-де не обнаружено и Бельдеев себя не убивал, а убил его другой стольник, Мишка Патрикеев, потому что накануне проиграл покойнику в зернь шестьдесят ефимков и не захотел отдавать, и тот Мишка уже во всем повинился.

Еще не закончив рассказа, Маркел увидел, что дело неладно. Государь со страхом глядел ему на лоб, многажды осеняя себя крестом. Кажется, устрашился такой прозорливости. Слабым голосом сказал: «Ты иди, иди...»

Впредь к себе не подпустит, понял Маркел. Третьего глаза убоится. В царский дворец мне отныне не хаживать. Как бы вообще подальше из Москвы не усели.

Угадал он наполовину — что государя ему более не видывать.

— Рыбки откушай. Хороша днепровская рыбка. — Князь Борис Александрович подвинул блюдо с жареными окунями, да другое с ранними огурчиками в сметане. — Не взыщи, что потчую постным — ныне ведь пятница, память Страстей Господних.

Перекрестился на образ Спасителя, стоявший посреди стола в окружении свечек. Репнин был великий богомольник,

Пятница. ВСТРЕЧА С САТАНОЙ

по его собственному выражению, «враг срамословия, нечестия и всяческих похабств».

— Я ныне был в Лавре, у катакомбных отшельников. Видишь, купил икону древнего греческого письма. Дал за нее кошель золота. Коли по божией милости вернусь в Москву живым-здоровым, хорошо исполнив государеву службу, поклонюсь сей киевско-печерской святыней патриарху. Как думаешь, Маркел, понравится ему? Он, говорят, любит византийскую старину, Никон-то?

Рот растянулся в умильной улыбке, хитрые глазки выжидательно впились в Маркела.

Э нет, подумал Трехглазый. Этот, пожалуй, про мое от государя отлучение знает. Но знает он и то, что у меня теперь другой господин. Вот и подкатывается.

Тогда ведь как вышло, после сыска о повешенном стольнике? Назавтра вызвали Маркела в патриаршие палаты, к его святейшеству. И сказал Трехглазому новый царский любимец и попечитель:

— Государь тебя больше не хочет, стряпчий. Твоего лбяного ока боится — не от Сатаны ли оно. Служить теперь будешь мне. Я Сатаны не страшусь, а твоему острому глазу пользу найду.

Даже не спросил — согласен, нет. Да и кому бы пришло в голову отказывать самому Никону?

И началась у Маркела совсем другая жизнь. Ни покоя, ни дома, ни семьи.

Святейший Никон правил не только церковью, но и всей державой, Алексей Михайлович ни в чем ему не перечил. Потому работы Трехглазому выпадали самые разные. Чем только он за минувший год не занимался!

Ездил тайно проверять двух воевод и одного наместника, про которых доносили, что сильно воруют. Сыскивал кражу монастырской казны в Троицкой обители. Списывался с русским лазутчиком в шведской Риге, старым своим знакомцем. Но чаще всего Никон использовал Маркела для малороссийских дел. Патриарх задумал великое дело — залучить под государеву руку мятежную Украйну — и слал много грамоток гетману Хмельницкому со старшиною. Иные письма были явные, и их белили писцы, но случались послания доверительные, которым лишний глаз вреден. Такие святейший наговаривал Маркелу, тот запоминал слово в слово, потом своей рукой записывал и отправлял.

Забот на патриаршей службе было много, а награда только одна: в следующий раз давали дело труднее прежнего. На пожалования и похвалы Никон был скуп. Говорил, что охотничьих псов надо держать в тощете.

И то сказать — за год весь жир с Маркела сошел, морщин и седины прибавилось. А всё ж хорошая была жизнь. Другие на шестом десятке уже старики, Трехглазый же был поджар, на мысль скор, на ногу легок.

За то и доверил ему святейший задание особенной важности.

В Польшу, к королю Яну Казимиру, отправилось посольство — увещевать ляхов, чтоб не воевали с украинским казачеством, не лютовали, не обижали православных.

В начале весны пан Стефан Чарнецкий, набрав двенадцатитысячное войско, отправился усмирять Украйну на новый лад, как никто до него еще не пробовал. Он говорил: где нет людей, там некому и бунтовать. Жестокого карателя называли коротко — Czarny, Черный, потому что он был черен рассудком. В прошлом году, когда казаки в сражении под Батогом взяли в плен несколько тысяч ляхов и стали их всех убивать, Чарнецкий отсиделся в стогу сена. Он видел, как его товарищей живьем потрошили, рубили ломтями, сажали на колья — вот разумом и почернел. Теперь он то же делал со всеми, кого считал бунтовщиками, а бунтовщиками для него были все украинцы. Где проходило его войско, земля оставалась безлюдной. Воины Стефана Черного были под стать своему начальнику, а некоторые и хуже. Убитые убиты, казненные казнены, они по земле не ходят, они в земле лежат. Но некто полковник Кричевский по прозвищу Огнеглаз пленных

Пятница. ВСТРЕЧА С САТАНОЙ

не предавал смерти, а выжигал им очи и отпускал на волю. Сотни и тысячи страшных слепцов спотыкались по дорогам, разбредаясь во все стороны и вселяя в народ ужас.

Пуще всего в Москве заволновались, узнав, что, воодушевленные успехами Чарнецкого, паны на сейме постановили собрать королю армию для окончательного усмирения Украйны. Деньги нашлись: всех жидов Речи Посполитой обложили поголовной податью — пускай за погибель схизматиков платят нехристи.

Патриарх давно уж пенял государю, что грех и негоже отдавать православных агнцев на терзание католическим волчищам, но миролюбивый Алексей Михайлович кровопролития боялся и войны не хотел. Потому и отправил к Яну Казимиру увещевателей.

Возглавил посольство великопермский наместник князь Борис Репнин-Оболенский, с ним были еще двое ближних государевых людей — боярин князь Федор Волконский и дьяк Алмаз Иванов, а начальствовать над охраной посольского поезда патриах поставил Трехглазого. Поскольку ехать предстояло через всю Украйну, где творилось неисчислимое лихо, стража была многочисленной, а ее голова в дорожных грамотах писался сразу после послов, именем с полуотчеством: не просто «Маркел», а «Маркел Маркелов». Так оно теперь в разрядных книгах навсегда и останется — что стряпчий Трехглазый бывывал в великом посольстве четвертым. Великая честь!

Но дороже явной чести была неявная: тайный от патриарха наказ — много важней, чем государев наказ послам. Те должны были всего лишь явить Яну Казимиру московское миролюбие и, если удастся, отсрочить вторжение королевской армии на Украйну. У Трехглазого же задание было хитрее. Получалось, что это не он сопровождает великих послов, а они его. Князь Репнин о том догадывался, вот и потчевал сладкими речами да днепровской рыбкой.

Не дождавшись ответа на вопрос о патриархе, боярин улыбнулся еще слаще.

— Исполню государеву волю, протяну королю ветвь мирныя оливы — и удалюсь от мирских дел. Бо всё суета и томление духа. Вот я и наместник великопермский, и боярин, и великий посол, а нет во мне никакой гордости. Одно смирение и уничижение. Ныне с утра опять стих написал, души излияние. Послушай.

Князь развернул свиток, стал читать:

> Всех днесь и утро окаянную свою душу честию облагаему,
> От неких же лестию и завистию, и ложными словесы облыгаему.
> Слышу по вся дни почитающих мя и зовуща человеком начальным
> И ужасаюся присно и хожду сетовальным сердцем печальным.
> Да некако вменит ми ся сия величания и в гордость,
> И отъемлется от мене сего ради разумение и бодрость.

Декламируя, прослезился. При дворе Репнина называли Ехидной, ибо Борис Александрович умел вползти тихим зме-

Пятница. ВСТРЕЧА С САТАНОЙ

иным извивом в любую щель. Лишнего говорить ему было нельзя, иначе захочет выслужиться перед патриархом и только напортит.

— Складные вирши, — учтиво сказал Маркел. — Уху ласкание.

— Со скуки сочиняю. Долго нам еще в Киеве сидеть? Город дрянь, одни развалины. Встали, и пятый день ни с места. Когда дальше поедем?

Согласно посольскому наказу, путевым обережением, а значит, выбором дороги и длительностью остановок ведал глава охраны.

— Как только узнаем, где король, сразу тронемся. Я послал выяснить, — в который уже раз объяснил Трехглазый. — Что нам попусту по Украине кружить?

На самом деле он уже сведал, что Ян Казимир ныне во Львове, близ которого собирается войско, однако уезжать из Киева пока было рано. Главное дело, порученное патриархом, должно было свершиться здесь.

Едва прибыв в Киев, Трехглазый отправил в гетманскую ставку, в Чигирин, тайного гонца к Ивану Кабаненке, генеральному судье казачьего войска. Из ближних советников Хмельницкого этот был главный московский радетель, а среди высшей старшины имелись люди разные, и всяк тянул Богдана в свою сторону. Одни — мириться с польским королем, другие — идти под турецкого султана, третьи — держаться крымского хана, четвертые — податься к шведам, пятые — никому не подданствовать, а строить свою украинскую державу. Гетман всех слушал, со всеми бражничал, а что у него на уме и куда повернет — поди знай.

Для того и было предписано Маркелу секретно встретиться с Кабаненкой, давно состоявшим в переписке с патриархом. Следовало выспросить, что на самом деле думает Хмельницкий, посулить помощь. У Трехглазого с собой был кожаный мешок, в нем золотые червонцы для передачи. Еще имелась патриаршья грамота со многими обещаниями гетману — ее Кабаненко вручит, когда сочтет нужным. Она-то и решит дело.

Генерального судью Маркел ждал со дня на день, и покуда тот не прибыл, трогаться из Киева было нельзя. Только великому послу знать о том не полагалось.

Послушал Трехглазый еще виршей, поел окуньков да и пошел прочь, оставив князя в маетной томительности.

Благословением киевского митрополита Сильвестра посольство разместилось на Софийском подворье, в братском корпусе, для чего монахов временно выселили. Трехглазый же устроился на отшибе, в надстенной башне, откуда было видно весь город, а главное — способнее вести тайные дела без лишнего догляда. Охранная стрелецкая полусотня, не допущенная в божью обитель, встала лагерем на площади, благо июнь и тепло. Соседняя Замковая гора, поверху заросшая буйными белыми черемухами, походила на жбан пенистого пива. А кабы не черемухи, было бы видно, что там одни головешки. Два года назад литовский гетман Радзивилл пожег и замок, и все тамошние строения.

Когда только приближались к Киеву с русской стороны, плыли на лодках через Хрещатицкий перевоз, город в зелени садов, с белыми домиками выглядел великим и нарядным, а вблизи оказался и не город вовсе, а несколько холмов, меж ними пустые расщелины с речушками, огороды, выпасы. Пепелищ почти столько же, как в Москве после Смуты. Она теперь переместилась сюда, в некогда богатый южный край и грызла его своими гнилыми зубищами. Почему нельзя, чтобы беды и войны совсем нигде не было — сие великая Божья притча, и разгадать ее человеческому уму не под силу.

По правде сказать, Трехглазому надоело сидеть здесь без дела не меньше, чем князю Ехидне. Про русских говорят, что-де нерасторопны, но по сравнению с козачьём чубатым мы стрижи пребыстрые, думал Маркел, позевывая на своей башне. Сколько из него добираться, из того Чигирина? Если

Пятница. ВСТРЕЧА С САТАНОЙ

одвуконь — полтора дня. Однако генеральный судья не спешил. Что бы это значило? Не случилось ли чего с гонцом? Не послать ли другого?

И только в голову стукнула эта беспокойная мысль, на каменной лестнице застучали сапоги. Сняв шапку, вошел запыхавшийся стрелец.

— Маркел Маркелов, за стеной шум был, крик. Караульные прибежали — говорят, человека убили. А за пазухой у него вот...

Он протянул свернутую бумагу, залепленную сургучом. На сургуче оттиск: свиная голова с клыками — печать Ивана Кабаненки. И надписано: «Пану стряпчему Маркелу Трехглазому».

Вскрывать письмо Маркел пока не стал, а опрометью кинулся вниз, через двор, в ворота, да на площадь.

— Где убитый?

Его отвели за угол, где собралась толпа стрельцов. Распихав красные кафтаны, Трехглазый склонился над лежащим навзничь человеком. Он был длинноус, с бритой головы откинулся в сторону чуб-оседлец. Жупан снят, сапоги сдернуты, от сабли на боку остался лишь оборванный ремень.

— Грабеж, — сказал сотник Антипов. — С коня его, что ли, сшибли. Вишь, нагайка валяется. Озорно у них тут, в Киеве. Средь бела дня режут, святой Софии не робеют.

Маркел присел над трупом, потрогал вмятину на виске.

— Не режут, а шестопером бьют. Или еще чем тяжелым... Что видали, стрельцы?

— Убегали какие-то двое, Маркел Маркелыч. Коня в поводу за собой тянули, — ответил караульный. — Кабы знать, что этот человек к тебе ехал, мы бы погнались. А так — зачем оно нам?

— То есть они его только что уделали? — Трехглазый потер родинку.

— Ага. Мы на крики пошли за угол, посмотреть, а этот уже лежит, а те двое бегут.

— Ну-ну...

Сощурившись, Маркел осмотрел проулок, тянувшийся вдоль монастырской стены. Напротив высились заборы каких-то усадеб. Удобное место для злодейского дела, пустынное.

Отойдя в сторону, Трёхглазый внимательно осмотрел бумагу, даже понюхал. Поковырял пальцем сургуч — печать была подлинная, как на письмах к патриарху. Только тогда вскрыл. Рука знакомая. Посмотрел в конец — подписано обычным образом: «При том доброго от Господа Бога здоровья и щасливого вашей милости повоженья зычу. Судя енеральный Войска Запорозского Иван Кабаненко».

Московский благожелатель писал, что долго не мог отправиться в путь, потому что гетман Богдан, которому должно бы быть с войском, нагрянул в Чигирин, и, пока не отбыл обратно, невозможно было съехать и ему, Кабаненке. А приезжал Хмельницкий не просто так — к нему прибыл посланец от шведской королевы. С каким делом, вызнать не удалось, однако ж гетман с Москвой криводушествует и веры его словам давать нельзя. В конце же сообщалось, что Иван уже едет и скоро будет в Киеве, парубка же посылает вперед, чтоб Трёхглазый никуда не отлучался. Сам судья посольским не покажется, а пришлет верного человека, и тот проводит пана стряпчего в надежное место.

— Ишь ты, — пробормотал Маркел, дочитав. — Кудревато...

На лбу у него нарисовалась глубокая морщина, обогнув родимое пятно снизу. Однако размышлял стряпчий недолго.

— Эй, Антипов! Пришли ко мне в башню Лопуха и Рогова.

Шаг у Трёхглазого стал легким, будто танцующим, кулаки сжимались и разжимались, а поднимаясь по лестнице, повеселевший Маркел запел про комаринского мужика.

Надвигалось настоящее дело.

Лопух был ражий, медвежьей силы стрелец с сильно оттопыренными ушами, за которые и получил свою кличку. Десятник Рогов — длиннорукий, молчаливый, обманчиво медлительный, но в драке и в сабельной рубке бешеный. Другие стрельцы его опасались, звали просто «Рогов». Оба были

смышленны, оба бесстрашны. Трехглазый присмотрел их еще в дороге на случай надобности вроде теперешней.

— Готовы ль исполнить службу, о которой я вас предупреждал? — спросил Маркел.

— Ага, — ответил Лопух. — Чего делать?

Рогов промолчал.

— Раздевайтесь до исподнего, садитесь к окошку. Буду делать из вас казаков.

В город их таких, с бородами и остриженными в кружок волосьями, пускать было нельзя — сразу видно, что москали. Трехглазый засучил рукава, начал стрельцов брить. Лопуху было весело, он фыркал, хлопал себя по голой щеке, гладил сизый череп, дергал свисающий оседлец. Круглая лопоухая голова стала похожа на горшок с ручками. Обритый Рогов оказался татароват, скуласт, лютолиц — вылитый запорожец.

Из походного сундука Маркел достал заготовленную на подобный случай одежду.

— Вот вам жупаны, шапки, шальвары. Суньте за пояс по два пистоля. Сабли оставьте свои.

Осмотрел — остался доволен. Казаки как казаки. В здешнем киевском полку таких много.

— Будьте у ворот. Ждите.

— Долго? — спросил Лопух. — Чего делать-то надо?

— Что скажу. А ждать... Думаю, недолго.

...Так оно и вышло. Часу не миновало, снова постучал караульный:

— Маркел Маркелыч, казак к тебе. Пустить?

— Сам сойду.

Перед башней стоял, глазел по сторонам усач с кривой турецкой саблей на боку. Сдернул красноверхую баранью шапку, поклонился.

— От пана енерального судьи до твоей милости. Он ждет тебя. Проше пана пожаловать за мною. Толки обецуй абы еден был.

— Понятно, что один. — Трехглазый кивнул. — Сейчас оденусь понеприметнее. Ты подожди за воротами, на площади.

Поднялся, сменил кафтан на худой мещанский зипунишко, надел под него тонкую кольчугу бухарской работы, повесил под мышку чехол с булатным ножом, а на спину, за пояс сунул легкий пистоль.

Хорошо было Маркелу. Молодо.

У ворот поманил к себе Лопуха с Роговым, велел: пойдете за нами на отдалении, невидно. Когда свистну — бегите ко мне со всех ног.

Негромко, в четверть силы, показал, как свистнет.

Провожатый ждал, привалившись к монастырской стене.

— Далеко идти?

— На Евсейкову, за Лядьски ворота. У пана судьи там салотопня с ковбасней. Место тихое, нихто не побачить..

Маркел вспомнил, что Кабаненко богат мясной торговлей, владеет в разных городах свинарнями и скотобойнями. Неудивительно, что и в Киеве.

Больше ни о чем не говорили, шли молча. Время от времени оба оглядывались.

Трехглазый своими был доволен. Только раз заметил у дальнего плетня Лопуха — тот пошатывался, будто пьяный. Рогова же вовсе не видел.

Хорошо, что в Киеве не было прямых улиц. Верней сказать, никаких не было. Просто разбросаны дворы — как придется. Иной слева обойдешь, иной справа. Избы почти все беленые, с соломенными, камышовыми, черепитчатыми кры-

Пятница. ВСТРЕЧА С САТАНОЙ

ками. Дома побогаче — с высоким крыльцом на столбах. Заборы бревенчатые, оплетенные ветками, перед заборами растут подсолнухи, одуванчики, мальвы.

Сравнивать с Москвой — тут, конечно, и нарядней, и веселей, и просторней, да еще Днепр под высоким берегом лучится широченной золотистой лентой. Славно, но все же не город. Только что церквей много, а так — будто накидали без порядка множество хуторов, как придется. Ни тебе кремля, ни городских стен, ни важности.

Вал, правда, был, но плохонький, полуосыпавшийся. Перелезай где хочешь.

Провожатый так и повел — не воротами, а по земляной насыпи, потом через сухой ров, в хозяйственную слободу, где, похоже, собрались ненадобные в городе промыслы. Здесь пахло кровью и требухой, сырыми кожами, навозом, тухлятиной — хоть нос зажимай.

Обошли одну скотобойню, другую, близ скорняжного двора свернули в узкий полуулок. Казак остановился перед глухой безоконной стеной длинного дома или хлева, стукнул особым хитрым образом в малозаметную низкую дверь. Она открылась.

— Заходь, пане. Я зачекаю за дверима.

Где-то неподалеку истошно визжала свинья. Свиньи — известно — чувствуют свой смертный час. Не то что бараны, которые прутся прямо под нож и только блеют.

Помедлив и, будто из осторожности, оглянувшись назад (далеко ли стрельцы?), Маркел пригнулся, шагнул в полумрак.

Сначала он увидел только стол, на котором в шандале горела одна свеча, остальные были незажжены. Потом — сидящего человека. В шапке, немолодого, с длинными полуседыми усами. Вместо глаз темные тени. Руки сложены, тревожно пошевеливают пальцами.

— Вот ты каков, пан Трехглазый, — сказал генеральный судья с мягким выговором. Про Кабаненку было известно, что он бегал от ляхов на Русь и подолгу там живал, потому хорошо говорит по-московски. — Ране мы с тобой только переписывались, а ныне довелось свидеться.

Он привстал, левой ладонью оперся на стол, правую протянул для пожатия.

Маркел малость свыкся с темнотой, посмотрел вокруг.

Комната была пустая, только у задней стены высоко, будто дрова в поленнице, лежали какие-то белые плоские штуки. Трехглазый догадался: сложенные друг на дружку шматы сала. Тут ведь салотопня.

— Здравствуй, здравствуй, твоя милость...

Шагнул вперед, сжал поданную руку, а вторую, лежавшую на столе, с размаху пригвоздил к дереву ножом.

— Агхххх! — захлебнулся хрипом длинноусый, забился, попробовал вырваться — не вышло.

— Ты такой же судья, как я турецкий султан, — тихо сказал Маркел в перекошенное от боли и страха лицо. — Подкинули покойника, будто только что убитого, а у него уже кожа остыла. И письмо на нем оставили. Дурак я вам, что ли? А ну говори, песий сын, кто ты таков?

И повернул нож в ране.

Лже-Кабаненко взвыл:

— Ыыыы!

— Скажешь?

— Ска...жу. Я слуга пана полковника... Кричевского.

Трехглазый удивился. Идя в ловушку, он думал, что это злокозничает кто-то из украинской старшины, враг Москвы и генерального судьи, а полковник Кричевский, помощник пана Чарнецкого — это совсем иной поворот. Пронюхали, значит, поляки про тайные сношения меж Кабаненкой и патриархом...

— Ладно. Будешь со мной прям — оставлю жить.

Завернув нижнюю губу, Маркел засвистал условным свистом, по-прежнему крепко держа ряженого, чтоб не вырвался.

Сзади стукнула дверь. Вбежал один человек, за ним второй.

Пятница. ВСТРЕЧА С САТАНОЙ

— Ну-ка примите его, ребята, — сказал Трехглазый, не поворачиваясь.

Но приняли не поляка, а самого Маркела, да так крепко, сноровисто, что он обезручел и обезножел: сверху взяли за локти, снизу за колени.

Это были не стрельцы, а какие-то неведомые мужики, очень сильные и, кажется, свычные к хватательному делу. На что Трехглазый был жилист, но вырваться не сумел, только зря головой тряс.

— Рогов! Лопух!!! — заорал он во все горло.

Снова скрипнула дверь, однако не с улицы, а с другой стороны. Вошел кто-то высокий, в полумраке едва различимый. Видно было только седую голову и вислые рукава кунтуша, да странной золотой искрой блеснуло сбоку лицо.

— Зря кричишь, Трехглазый, — послышался надтреснутый стариковский голос. — Кончили мои гайдуки твоих людей. Не дозовешься.

Ложный судья, освободившись, выдернул из раны нож и громко застонал.

— Поди вон, Ершило. Не скули, — презрительно бросил ему вошедший. — Прав он. Генеральный судья из тебя, как из курёнка орел.

Задние сноровисто завернули Маркелу руки за спину, скрутили веревкой. Вынули из-под зипуна пистоль. Самого поставили коленями на пол, но не выпустили, продолжали держать с двух сторон. Пленный оказался лицом вровень со столешницей и всё пытался разглядеть, кто это тут командует.

А тот не торопился. Пропустил мимо Ершилу, просеменившего к двери с прижатой к груди рукой. Не спеша высек искру кресалом.

— Ты кто таков? — просипел Трехглазый. Ему трудно дышалось — сзади перекрутили ворот.

— Я полковник Кричевский, кого здешняя чернь прозвала Огнеглазом...

Тлеющий трут поочередно зажег в шандале все свечи. С каждым движением полковника в комнате делалось светлее.

Пятница. ВСТРЕЧА С САТАНОЙ

Теперь стало видно, что на лице у Кричевского косая черная повязка, а на ней золотой нитью вышито свирепо вытаращенное око — это оно посверкивало в темноте. Второе око, тоже неистово сверкающее, смотрело на Маркела сверху вниз. И было в этом страшном взгляде двумя разными глазами, живым и неживым, что-то полузабытое, но знакомое.

— ...Однако ты меня знавал и под иными именами-прозвищами. Погляди-ка получше.

Кричевский медленно сдернул повязку.

Открылось страшное зрелище. Вместо глаза и половины виска на лице багровела яма.

— Помнишь, как в Риге в меня стрелял? Думал, насмерть? Нет. Пуля вышибла око и кусок кости, а убить не убила.

— Господи Иисусе, спаси и оборони... — пролепетал Маркел, задрожав.

А оживший мертвяк засмеялся, поместил повязку обратно.

— Я и не мечтал об этой встрече... Но следил за тобой, присматривал. Знаю, что ты ныне при патриархе Никоне трешься, тайные дела делаешь. Однако Москва далеко. Я уж не чаял, что на сем свете свидимся. Ан нет, сделала мне судьба подарок на старости лет. Ты сам в Киев пожаловал. Как же мне было у пана Чарнецкого не отпроситься? Я тоже не впустую жизнь прожил. Ныне вот полковник, за королевскую службу жалован землями. Но кабы не ты, летал бы я много выше. Ты, паскуда, мне сначала крылья подрезал, потом сделал уродом. Не обессудь, что и я отплачу тебе той же мерой...

Маркелу пришла в голову мысль, которой он очень обрадовался. Не может это быть явью. Примерещился злой, дурной сон. Всего-то и надо, что пробудиться.

Он тряхнул головой — не помогло. Прикусил губу — стало больно, а не проснулся.

Нет, не сон!

— Я с тобой как думаю поступить? — задумчиво молвил Кричевский, словно советуясь. — Переломлю тебе колени и локти. Не быстро и не сразу, а под беседу. Мы ж давние знакомцы. Неужто нам не сыщется, о чем потолковать? Сколько лет прошло с нашей первой встречи? Больше сорока. Расскажешь мне про свою семью. У тебя ведь жена, сын. Будешь лежать предо мной, как муха с оторванными лапками, и плакать о тех, кого боле не увидишь. Это тебе за то, что ты мне крылья подрезал. Потом я с тобой за свой глаз расплачусь. Честно. Ты мне один оставил, и я тебе один пожалею. Тот, что у тебя посередь лба. А остальные огнем выжгу — я ведь Огнеглаз. Убивать же тебя я не стану. Тут внизу погреб, где зимой хранят окорока и сало. До холодов никто не зайдет кроме крыс. И не услышит никто. Ори сколько хочешь. Лежи там в темноте, пока не сдохнешь. Ну-ка, хлопцы, положите его, чтоб размахнуться было удобно.

Пятница. ВСТРЕЧА С САТАНОЙ

Маркела подхватили, бухнули на столешницу — сначала животом вниз, потом развязали руки и перевернули на спину, но сразу же растянули андреевским крестом, прикрутили запястья и щиколотки к ножкам стола. Хлопцы у Кричевского были ухари, от таких не отобьешься. Рогов с Лопухом тоже не лаптем щи хлебали, однако где им, подданным мирной и покойной державы, было справиться с этими волками войны? Один, с сабельным шрамом поперек рожи, всё чему-то скалился; у другого, кривоносого, вокруг шеи непонятно зачем была обмотана струна от бандуры.

Над простертым пленником встал полковник. В руке у него покачивался шестопер, посверкивал железными гранями.

Как всякий, кому иногда приходится ставить на кон свою жизнь, Трехглазый много раз задумывался, скорой ли и трудной ли будет его смерть. Представлялось разное: и безвестная гибель на пустой дороге, где будешь валяться на поклев воронам, и тяжкая рана, от которой сгниешь в антоновом огне, и даже еще худшее, но никогда такое скверное — медленная мука в темном подземелье с крысами.

Однако закрыв глаза, чтоб не видеть ухмылки на лице заклятого врага, Маркел сказал себе, что, может, оно и лучше. Духовник отец Вениамин, мудрый пастырь, говаривал: «Если Бог кому дает смерть легкую — то милость. Но еще большая милость — смерть тяжелая, страдательная, ибо ею ты искупаешь свои нажитые грехи еще в сем мире. Лучше уж здесь плотью потерзаться и уйти на тот свет чистым, к ангелам в утешительные объятья».

Грехи у Трехглазого были, как не быть? По земле ведь ходил, не в облаках парил. Ничего, за Божье прощение можно и помучиться.

— А хочешь смерти легкой? — спросил Кричевский, будто подслушал. — Купи, я тебе продам.

Маркел открыл глаза. Если ироду чего-то нужно, то, может, еще не кончено?

— Я бы лучше жизнь купил. Не за всякую, конечно, цену...

Без надежды сказал — только для оттяжки.

— Нет, про это врать не буду, — засмеялся полковник. — Живым я тебя не выпущу. А легкую смерть заслужить ты можешь. Ну-ка, Лешко, покажи ему.

Кривоносый снял с себя струну и закрутил ее вокруг Маркеловой шеи. Стальная проволока больно впилась в кожу.

— Лешко мастер срезать голову с плеч. Раз дернет — и душа свободна. Завидная смерть, быстрая. Почуять не успеешь.

— Чем платить? — Трехглазый скосился на поблескивающую, донельзя натянутую струну.

— Твоя рука в канцелярии Хмельницкого известна. Письмо напишешь, генеральному судье. В Москве-де порешили: пусть он неверного Богдана потравит ядом, а за это патриарх поможет Кабаненку в гетманы вывести.

— А Кабаненко, поди, уже у вас, — понимающе кивнул Маркел.

— У нас, у нас. Взяли его по дороге в Киев. Сидит по соседству, в коптильне. Мы его порубим и с твоим письмом да со скляницей яда кинем на большой дороге. Пускай Хмельницкий узнает, как его в Москве любят.

Придумано ловко. Гетман и так колеблется, не знает, в какую сторону податься. Принесут письмо — навек от Руси отшатнется.

— Подумать мне надо... — протянул Трехглазый, а сам прикидывал: письмо писать — это руки развяжут. По крайней мере правую.

Вдруг Кричевский взмахнул шестопером. Тошнотно захрустели сломанные кости. От страшной боли в колене Маркел вскинулся, заорал.

— Это чтоб ты побыстрее думал. — Полковник снова занес оружие. — По второй ноге бить?

— Нет!

— Напишешь письмо?

— Напишу...

— Усадите его на скамью, хлопцы.

Пятница. ВСТРЕЧА С САТАНОЙ

Мычащего от боли пленника развязали, посадили. Перед глазами у Маркела всё плыло, покалеченная нога выворачивалась, по ней били огненные толчки.

На стол лег бумажный лист, рядом появилась чернильница с пером. У Кричевского всё было приготовлено заранее.

— Нет, так не пойдет, — процедил Трехглазый через стиснутые зубы. — Я напишу, а ты меня потом все равно лютой смерти предашь. Нету твоему слову веры. Очень уж ты на меня злобствуешь.

— Чего же ты хочешь? — удивился полковник.

— Отдай мой пистоль. Чего тебе бояться? Вас трое, заряд один. Если что — я пулю на себя страчу.

Некое время подумав и внимательно поглядев на сидящего, Кричевский сказал:

— Нет, пистоля не дам. Себя ты не убьешь, душу губить не захочешь. А вот в меня, пожалуй, пальнешь. Один раз уже стрелял, будет. Хватит тебе ножа, коли моему обещанию не веришь. Но слово мое твердое, шляхетское: допишешь письмо — и голова с плеч. Даже дозволю молитву прочесть.

— Щедрый ты, — вздохнул Трехглазый. — Ладно. Нож так нож.

Лешко натянул струну еще сильней. Второй гайдук, рубленая рожа, осторожно положил слева нож и сразу отскочил.

— Бери бумагу. Пиши.

Маркел потянулся за пером — вскрикнул.

— Не могу... Шевельнусь — нога дергает. Мо́чи нет! Наложите мне какой-никакой луб.

Полковник оглядел пустую комнату.

— Из чего я тебе сделаю луб?

— Из чего хочешь. Иначе напишу криво, мою руку в канцелярии не узнают...

— Будет тебе луб! — сказал Кричевский.

Вынул саблю, подошел к стене, взял большой шмат сала, разрубил надвое. Получилось два продолговатых куска, каждый длиной с аршин.

— Прикрути ему к ноге с двух сторон, Кубек. А ты, Лешко, отойди подальше.

Кривоносый отступил на несколько шагов, чтоб до него было не дотянуться ножом, но струну не ослабил, только отпустил подлиннее.

Второй, присев на корточки, стал кушаком привязывать к сломанной ноге плотные, но не жесткие подпоры. Трехглазый скрипел зубами, терпел. Скоро стало полегче.

— Tak dobrze? — спросил Кубек.

— Бардзо добже.

Коротким, быстрым движением Маркел схватил со стола нож и полоснул им по натянутой струне, а потом, повернув кисть, всадил клинок согнутому Кубеку пониже затылка.

Выдернул, подкинул, перехватил за мокрое лезвие.

Лешко с опозданием рванул струну — она бессильно звякнула об пол. Блеснул бешено вертящийся нож, впился гайдуку в горло. Метательную науку Маркел знал с детства, еще Бабочка учила. Потом, на службе, не раз пригождалось.

Хрипящий Лешко еще не упал, а Трехглазый уже нагнулся выдернуть у мертвого Кубека саблю из ножен, да не успел. Кричевский тоже не стоял на месте. Вытащил из-за пояса пистоль, навел — и стало не до сабли.

Взмахом сбив со стола подсвечник, Маркел опрокинулся вместе со скамьей. Кромешную тьму осветила вспышка, заложило уши, от удара об пол взорвалось болью колено.

Потом стало очень тихо и совсем темно.

Лежа на полу, Трехглазый нащупал рукой мертвеца, зашарил по нему рукой в поисках сабли.

С другой стороны комнаты раздался насмешливый голос:

— А так оно еще лучше, по мне-то. Веселее, чем связанного колошматить. Разомнем косточки, Маркел? Оба мы стари-

Пятница. ВСТРЕЧА С САТАНОЙ

нушки, оба калеки. Я одноглазый, ты одноногий. Считай, вровень.

Чем это он пощелкивает? А, перезаряжает пистоль.

Вот она, рукоятка. Сабля с тихим шелестом выползла из ножен. Да много ль от нее проку?

Кричевский затих. Выслушивает, будет стрелять на звук.

Понять бы точно, где он, собака?

Трехглазый снял шапку, швырнул в угол. Она шмякнулась о стену, и тут же грохнул выстрел.

Ага, вон он где — подле двери, на лавке!

Превозмогая боль, стараясь двигаться бесшумно, Маркел пополз туда на боку, отталкиваясь свободной рукой. Шагов на десять надо было подобраться, тогда клинок достал бы.

Похоже, все-таки шумнул.

Застучали каблуки — это полковник перебрался на другое место. Еще и засмеялся, будто затеялась игра в пятнашки. Скрежетнул шомпол, загоняя в ствол пулю.

— Почто саблей не бьешься? — задыхаясь, спросил Трехглазый. — Тебе на двух ногах способней, чем мне на одной.

Сказал — и тоже переместился, отполз.

— Стар я стал. Не тот, что прежде был. — Вздох. — Скорости в деснице мало, верткости. Зато глаз у меня, хоть один, но верный. Рано или поздно я тебя продырявлю. Пуль и пороху много. Ты только не молчи, говори со мной.

И снова стало тихо-тихо. Как в могиле. Маркел старался не дышать.

— Эх, — пожаловался Кричевский (он, оказывается, уже был в другой стороне). — Мне бы два пистоля, в обе руки. Первым выстрелом я бы осветил, а вторым...

Не договорил — выпалил. Верно, послышалось ему что-то. Пуля стукнулась о твердое далеко от Трехглазого.

Маркел скорей, пока не смолкло эхо, отполз за заднице, уперся спиной в нечто как бы живое, плотное. Вздрогнул и только потом сообразил: это пласты сала. Взял один, потолще, на всякий случай заслонился.

— Помнишь, как я тогда, в монастыре, бабу старую зарубил? Кто она тебе была? Для матери стара. Когда ты в окно прыгнул, я потом, озлясь, долго ее кромсал, она еще живая была. И ныла она, и плакалась, да я не помиловал.

— Врешь ты! Не стала бы она плакать! — крикнул Трехглазый.

Вспышка. Удар в грудь.

Это полковник нарочно дразнил — чтоб услышать голос.

— Попало! Я слышал! — закричал Кричевский. — И видел, где ты! Стонешь — значит, еще живой. Ничего, это я сейчас исправлю...

Пуля и в самом деле пролетела не мимо: пробила шмат сала, но подрастеряла силу и кольчуги уже не взяла. Только саднила зашибленная грудь.

Отталкиваясь локтями, Трехглазый полз вперед. Расчет у него сейчас был один. Если ошибочный — пиши пропало.

Надо было, чтоб полковник подошел к столу. Огнеглаз уверен, что враг ранен, что остается его только добить. Чем палить наугад, проще зажечь свечу и прицелиться как следует.

Но если не подойдет, а опять выстрелит от стены, то при вспышке увидит Маркела совсем близко. И тогда далеко отползти уже не даст. Будет держаться в пяти шагах, недоступный для сабли, перезарядится — и конец.

Вот она, ножка. Трехглазый просунулся под стол, отвел саблю для удара.

Шаги! Идет!

— Зажигаю по тебе свечку, — донесся сверху довольный голос. — Надоел ты мне. Сейчас сдохнешь.

Приподнявшись, Маркел нанес удар наугад, в двух вершках по-над полом.

Есть! По лодыжке ли, по щиколотке, но попал!

— Ааааа!!!

Вопль слился со звуком выстрела. С потолка вниз посыпалась труха. Со стоном рухнуло тяжелое тело.

— Вот и ты обезножел! — прорычал Трехглазый и на локтях подполз ближе.

Стал рубить вслепую, попадая то по твердому земляному полу, то по чему-то мягкому.

Пятница. ВСТРЕЧА С САТАНОЙ

Стоны стихли, а он всё бил, бил. В лицо летели горячие брызги.

Хватая ртом воздух, Маркел ухватился за стол. Кое-как поднялся.

Достал из кармана огниво. Трясущиеся руки не с первого и не со второго раза высекли искру. Наконец загорелась свеча.

Огонек был слабый, но после кромешной тьмы комната показалась совсем светлой.

На полу, в луже крови, раскинув руки, лежал человек, которого Маркел за свою жизнь чаще видал во сне, чем наяву.

Повязка слетела с головы. Один глаз не мигая смотрел вверх, вместо другого чернела дыра.

Хорошенько примерившись, Трехглазый рубанул еще раз, последний.

Тяжелый шар, крутясь, откатился в сторону.

— Ну всё. — Маркел утер рукавом пот. — Изыди, Сатана. Теперь не воскреснешь...

Суббота
БОЖИЙ ПРОМЫСЕЛ

Разлепив тяжелое веко и увидев близко гладкую деревянную поверхность, а на ней хлебные крошки, Трехглазый не сразу понял, что это. Сообразил лишь, что спал и видел какой-то плохой сон. А проснулся, наверно, из-за того, что жена позвала.

Сипло крикнул:

— Катерина! Катя! Принести что?

Никакого ответа. Видно, показалось.

Вспомнилось, про что был дурной сон. Будто жена отмучилась, померла и ее зарывают в землю. От этой жути и пробудился.

И только через минуту, окончательно придя в себя, Маркел схватился за ноющие виски, застонал.

Не сон это был. Катерина вправду померла. Вчера схоронили. Были поминки, он пил горькое вино. И после тоже пил, уже один. Пьяный, плакал и разговаривал с иконой Спасителя. Пошто-де оставил одиночествовать на пороге старости? Пошто сделал хлеб мой горьким, а дни бесприютными? В чем Твой на меня промысел? Пошто лишил жены, перед которой я, грешный, был много виноват и которой думал хоть на закате лет отплатить за доброе добрым?

Так и уснул за столом.

Суббота. БОЖИЙ ПРОМЫСЕЛ

Хорошая была жена. Это он был плохой, а жена хорошая. Почти четверть века вместе прожили, а толком ни разу не поговорили. И теперь уж не поговорят. Так и ушла Катерина неразгаданной загадкой. Не оттого неразгаданной, что он тщился, да не хватило ума, — а оттого, что и не пытался. Почему иногда заставал ее плачущей? Кого она во сне звала «милый, милый»? Может, и не мужа, а кого-то другого, из прошлого...

Пусто стало в доме. Навсегда.

Сын Аникей далеко, на краю света, в Якутской земле — если жив еще, береги его Господь. Рано ушел на службу, и на такую, словно хотел быть подальше от родительского дома. Знать, неуютно ему здесь было. Свидимся ли? Полтора года нет вестей. Там, в Сибири, рассказывают, сильный человек распрямляется и становится себя больше, слабый же уменьшается и скукоживается. И кто скукожился — те все гибнут. Однако и сильные не все выживают, потому что мир там дик, звери злы, а люди того злее. Зато уж кто уцелеет — ничем его потом не возьмешь. Ох, Аникеюшка, дай тебе Бог силы...

Встал, всё держась за голову. Задел ендову, опрокинулась, из нее пролилось поминальное вино. Пускай. Миронка с Палашкой потом приберут.

Слуг в доме Маркел не терпел. С чужими жить — это надо с детства иметь привычку. Потому для дворни на дальнем конце сада поставлены две избенки: в одной сенной мужик с женой-горничной, в другой — конюх, он же истопник, с женой-кухаркой. Маркел у них не бывал, и они без зова к хозяевам ходить не приучены.

В доме у Трехглазых и раньше-то разговаривали нечасто, а теперь вовсе будет молчание. Разве что сам с собой забеседуешь, одичав от бобыльства.

Утро было совсем еще раннее, за окном только начинало сереть, но сидеть в четырех стенах показалось Маркелу невмоготу. Что тут делать? Ходить да выть? Иль снова налиться вином? Лучше уж быть в приказе.

Он оделся, вышел на крыльцо, вдохнул зябкую сырость. Со стрехи капало, снег остался только вдоль забора, весь почерневший.

За что все любят весну? Уродливо, грязно, по городу ни пройти, ни проехать. Ночью скользко, на улицах наледь. Днем, когда пригреет солнце, трясина. Вот как до приказа добираться?

Вчера на кладбище ехали в санях, а ныне уже не по чему, снега почти нет. От скрежета полозьев по земле бедная голова, и так больная, пойдет трещинами. Верхом отправиться? Лужи за ночь льдом прихватило. Копыта у коня разъедутся — сверзнешься, шею себе свернешь. Раньше пошел бы на своих двоих, но одна из них хромая. И нечинно приказному дьяку пешеходить, только себя ронять.

Держась за перила, Трехглазый спустился по ступеням. По двору шел, приволакивал негнущуюся ногу, опирался на костыль. Костыль был богатый, красного дерева, подарен подьячими, вскладчину, на шестидесятый день ангела. Там малый серебряный щиток, на нем две буквы: МТ. Читается «Мыслете Твердо», а в то ж время начальные литеры дьякова имени — изрядно придумано.

Вон она какая, судьба. Как круговорот солнца. На заходе лет вернула туда же, где начинал — в Земской приказ. Когда-то Маркел был здесь ярыжкой, ныне же стал из первых начальных людей. Есть, правда, судья Прокопий Елизаров, бывший соликамский воевода, а у судьи товарищем Семен Ларионов, но у них свои дела, у Трехглазого — свои. Никто кроме него в них не разбирается, да никто и не лезет.

Должность у Маркела называлась «дьяк городского от воров и злых умышленников обережения». На нем вся московская стража, блюдение городского порядка, сыск преступлений — великая ответственность, великая забота. Но по заботе и честь.

Оклад вровень с товарищем судьи, сто пятьдесят рублей годовых, да с разъездными, да с конскими, да с казенными дровами. Были и поместья, пожалованные в разное время от государя — деревенька на тридцать семь душ, другая на двадцать, третья на пятнадцать. Одному столько корма и не надо.

Суббота. БОЖИЙ ПРОМЫСЕЛ

Жрать в два брюха и пить в три горла не станешь, а годы такие, что пора думать о вечном.

Маркел любил в разговоре и сам с собой посетовать на старость — скоро сравняется шестьдесят два. Лицо в морщинах, башка где не плешивая, там седая, но вообще-то жаловаться грех: плотью крепок, зубы все на месте, и в бороде ни одного белого волоска. Много еще оставалось в теле жизни, думать о вечном оно пока не хотело.

Под крыльцом висело било — вызывать слуг, а то через сад не доорешься. Трехглазый ударил два раза, чтобы прибежал Данила.

Гуд раскатился по двору, напомнив, как вчера скорбел по Катерине церковный колокол. Маркел опять поплакал, но немножко — из-за дома, топая валенками, уже несся конюх.

Порешил так: идти пешком, коня вести в поводу. Из седла не сверзнешься, и есть за что подержаться, а прохожим по одеже и куньей шапке, по хорошей сбруе видно, что важный человек вздумал размять ноги. Получится медленно, так ведь и спешить некуда.

Обычно Трехглазый за многими делами передвигался по городу быстро, рысью, погруженный в надобные мысли, а ныне просто шел, глядел вокруг и будто видел Москву по-другому.

Как она, матушка, подурнела-то, как поскуднела! По краям улицы, где настилы для хождения, доски который год не чинены, все в дырьях. Купола на церквах тусклые, давно не позолачивались. День еще не начался, а сколько уже выползло нищих! Половина молодые и калечные — безногие, безрукие, слепые. Это стрельцы и солдаты, изувеченные на брани.

Восемь лет страна воюет, и конца не видно. Какое! Словно завязла в топи колымага, возница лупит кляч кнутом, они надрываются, изо рта пена, по тощим спинам кровь, а колеса тонут всё глубже и глубже.

А как начиналось! Чуть не каждую неделю празднично звонили колокола, народу от царя выносили угощение, на площадях кричали зычноголосые глашатаи. Украйна наша! Смоленск наш! Минск! Вся Белая Русь! Литовская Вильна!

Ныне не так.

Вильну отдали, Минск отдали, Белую Русь тоже. На Украйне творится не поймешь что: наш гетман Яким Сомко воюет с изменным гетманом Юрьем Хмельницким. И гонят, гонят на юг, на запад всё новые полки, забирают лошадей и телеги, выдумывают небывалые подати. Людишки без того все голодраные, но нет — теперь еще велено изъять с них пятину, пятую часть всего имущества, ради обороны веры и отечества. И не объясняет никто: как это — наступали, наступали, а теперь надо обороняться?

На рынке под Китайской стеной было уже людно, но торговали теперь тоже не по-старому. Продавали и покупали мало, больше меняли одно на другое: пуд муки на три фунта говядины, сапоги на зипун, лисью шапку на седло. Это из-за денежного замутнения. Указано принимать всюду новочеканную медную монету вровень с серебряной, копейка за копейку, рубль за рубль, а никто не хочет. Однако где служивому человеку взять серебро, если жалованье платят медью?

У Лоскутного ряда, где снова орали и дрались, Трехглазый остановился — не вмешаться ли. Повседневное дело: взяли серебряный гривенник, а сдачу суют медными копейками. Человек возвращает товар, требует гривенник обратно — не отдают. На прошлой неделе торговца вот так, из-за медной сдачи, убили до смерти.

Со вздохом Маркел двинулся было унимать драчунов. Случится лихо — будет его, дьякова, печаль, но уже бежали, расталкивая народ, рыночные сторожа. Они привычные, растащат.

Покупателю, который не хотел брать сдачу медяками, не поздоровится. Это непочтение к царскому гербу. Десять кнутов, в лучшем случае.

Трехглазый отправился дальше, качая головой.

Намудрили наверху с медными деньгами, теперь не знают, как расхлебывать. Сначала люди их брали, не жаловались. Но

Суббота. БОЖИЙ ПРОМЫСЕЛ

серебряных монет становилось всё меньше, а медных всё больше. Казна чеканила и чеканила, благо медь дешева. А потом всякие ловкачи сообразили: этак и мы можем. Плавь себе медь, изготовь клеймо и будешь сам себе монетный двор. И пошла канитель! Сначала за медный рубль требовали приплату в пять копеек, потом в двадцать, потом в полтинник. Теперь же серебро идет не иначе как один к пяти. Покупаешь курицу за серебро — алтын, за медь — уже пятиалтынный.

Трехглазому что — у него поместья, а приказный люд на медном жалованье охает. Кто раньше совестился с ходатаев брать много мзды, теперь по нужде выклянчивает, но и просители обеднели, скупятся.

Кряхтит Москва, шепчется, негодует. И есть на что. Ох, плохо это закончится. Не было бы мятежа, как четырнадцать лет назад из-за соли. А если взбунтуется народ, чья будет вина? Кто за порядок в городе отвечает? То-то...

На приказном дворе было пока пусто. В обережной избе, где ведомствовал Трехглазый, тоже никого. Внутри длинные столы с разбросанными бумагами, на полу яичная скорлупа, хлебные крошки, сломанные перья, всякая дрянь. Когда в четыре пополудни заканчивается присутствие, подьячие с писцами разбегаются, словно с пожара. В одну минуту пятого уже никого нет. А уборщики приходят утром, вот и мусорно.

Подумалось: вымрут в некий день все человеки, заберет их с лица Земли уставший от нашей дурости Господь, и что после нас останется, пока не приберут Божьи уборщики? Мусор, безнужные бумажки да кривые города.

Порядок был только в одном месте — на стольце у окна, где сидит Ёшка Жидовин. Там грамотки разложены в три короба, и на одном написано: «зело важное», на другом просто «важное», на третьем «маловажное». У них, у жидовинов, суббота — молельный день, и сегодня Ёшку не жди. Приготовил для дьяка чтение, а сам ныне служит не государю, а своему богу Егове. Непорядок, конечно, но Трехглазый дозволял, потому что Ёшка толков и незапоен. Покрестить бы — цены б ему не было. И для службы польза, и для души спасение. Вот как они, иудеи, живут? Это ж вообразить страшно! С одним Ветхим Заветом, без Нового. Ни Христа у них, ни Девы-Заступницы. Сами себя, дураки, обкрадывают.

Эту мысль — что жиды сами себя обкрадывают — Маркел решил запомнить для будущего разговора. Он с Ёшкой часто о вере спорил, не терял надежды вразумить. Покрестился бы стал бы русским. Чего лучше-то? Нет, не понимает. Эх, люди люди. Что сами с собою творят от глупости?

От безделья Трехглазый еще постоял на пороге, по-стариковски пофилософствовал, затем поковылял через длинную подьяческую на другой конец, к себе в Казенную.

Под лавкой, накрывшись тулупцем, дрых Ванька Репей, молодой ярыжка, которому негде жить. На скрип и костыльный постук не пробудился, в такие лета сон крепкий, но Трехглазый все же пошел тише. Пускай поспит, пока не явились уборщики.

А это там кто?

Из темного закута перед Казенной донесся протяжный, смачный зевок. Кто-то топтался у двери, ждал.

— Эй, покажись!

Выглянул начальник решеточной стражи, что в Поварской слободе. Как его? А, Сапогов. Всех их, ночных сотников, Трехглазый обычно звал по именам, фамилии надобились реже, потому вспомнил не сразу.

— Чего ты тут, Тихон Сапогов? Стряслось что? — спросил дьяк с надеждой.

Хорошо бы каким-нито делом заняться.

Решеточный снял шапку, поклонился.

— Маркел Маркелыч, мои ночью на Поварской улице бродягу застрелили. Крался, они окликнули, он бежать. Ну и пальнули. Уложили вмертвую.

— Правильно сделали. По уставу. Честный человек ночью не ходит, а если ходит, от стражи не бегает. Пришел-то зачем? — разочаровался дьяк.

— А вот.

Сапогов взял с лавки небольшой, но увесистый мешок, потряс. Мешок зазвякал.

Суббота. БОЖИЙ ПРОМЫСЕЛ

— У покойника взято. Тут, сосчитано, сто двадцать медных рублей. Все новехонькие, не иначе самодельные. Ты, Маркел Маркелыч, велел всё касательное медного воровства лично тебе доносить. Вот я и доношу.

— Сто двадцать рублей? — удивился Трехглазый. — Ишь ты.

Фальшивомонетчиков, когда ловили, карали люто: лили в глотку расплавленную медь. Потому ночной человек, верно, и побежал. Лучше уж быть застрелену.

Вот ведь докука с воровской чеканкой. Сколько ни лови, сколько ни казни, а меньше ее не становится. Ибо человек от легкого богатства дуреет, а русский человек еще и живет «аво-сем» — авось не сыщут.

— Честные у тебя стражники, Тихон. Сто двадцать рублей, такие деньжищи! Могли себе взять, а не взяли.

Сотник покривился.

— Они бы, может, и взяли, да как раз десятник караулы обходил. Потому и пальнули — явить бдительное рвение. А не будь десятника, либо стрелять бы не стали, заряд тратить, либо деньги бы утаили. Откуда я тебе, Маркел Маркелыч, честных стражников возьму на рупь с полтиной месячных?

Все сотники не упускают повода пожаловаться на скудную плату.

— Я что ли жалованье верстаю? — отмахнулся Трехглазый. — Ладно, пойдем в Казенную, поглядим на твой прибыток.

Высыпал веселую медь на стол, взял лупу.

Чеканка была на диво ясной, без малейшего изъяна. С одной стороны орел — в каждом крыле, как положено, по восемь перьев. Корона тоже четкая, с двумя зернами. Завитки все на месте. На другой стороне царь со скипетром на коне сидит ровно, буквицы по ободу безупречные.

— Рубли новые, но не воровские, а законные. Честным образом у ночного бродяги им взяться неоткуда. Это не медное воровство, а простое. Влез к кому-то ворюга да украл. Где труп?

— Доставил, согласно указу. В телеге лежит, за воротами. Коли не надобен, велю свезти на Божедомку.

Фальшивых чеканщиков казнили даже мертвыми — так по закону велено: рассекали и выставляли на страх, с объявлением вин. На Божедомку же отвозили покойников обычных, кого зарыть да забыть.

— Погоди. Осмотрю.

Идя назад через приказную избу, Маркел пнул ногой спящего Ваньку Репья:

— Подымайся.

Тот, зевая и крестя рот, вылез из-под лавки. Башка у Ваньки была вечно встрепанная, как репейник, но прозвание ярыжка получил не за это, а за свою цеплючесть. Трехглазый парня отличал, угадывал в нем толк. Когда-то вот так же Степан Матвеевич Проестев, царствие ему божье, подобрал самого Маркела из простых ярыг и вывел в люди.

Телега стояла за углом, потому ее дьяк, входя, и не заметил. Откинув рогожу, Трехглазый сказал ярыжке:

— Не гляди, что он ободранец. Это, Ваньша, человек богатый. Сто двадцать рублей при нем нашли.

И, сноровисто щупая мертвое тело, объяснил, что случилось.

Репей стал помогать. Руки у него были еще ловчей, чем у начальника.

Маркел нашел в правом онуче цапку — воровской стримент, которым открывают запертые ставни. Значит, правильно угадано: это ночной охотник и деньги крадены.

Ванька же обнаружил кое-что менее очевидное — следы сурика на надорванном рукаве армяка. Сурик красный, одежда у покойника тоже вся в кровавых пятнах, легко было пропустить. Однако высмотрел. Молодец.

Маркел потрепал парня по загривку. Сотнику сказал, довольный:

— Ну что, Тихон. Веди в Поварскую. Потолкуем с твоими честными стражниками.

Суббота. БОЖИЙ ПРОМЫСЕЛ

Теперь хромать на своих двоих и глазеть по сторонам было уже недосуг. Трехглазый ехал верхом, Репей вел коня под узду, быстро. Сотник, почтительно поотстав, следовал сзади.

Путь был не очень близкий — по всей Никитской до конца Белого города, потом по Егорьевской через Отбросный пустырь налево, в Поварскую слободу, где раньше жили дворцовые столовые слуги: на Поварской улице повара, в Хлебном переулке хлебники, в Скатертном — скатертники, в Ножовом — ножовники. Ныне там обитали люди разные, но все хорошего достатка — непоследние купцы, городские дворяне, имелись и боярские подворья. Есть куда вору наведаться, есть у кого взять большой куш, хоть бы даже и сто двадцать рублей звонкой монетой.

Занять мысли пока было нечем, и Маркелу снова полезло на ум печальное.

Сколько лет жил службой, только о ней думал, а на семейные заботы досадствовал. Привык, что от жены одно докучание. Или она на сносях, или принесет мертвого младенца и плачет, или родит живого, а тот не приживется — тогда подавно воем воет. Лишь единожды выносила и выкормила — первенького, Аникея, а всех последующих Бог не попустил. Когда же Катерина вышла из детородных лет, сразу начала хворать, и тоже приходилось разрываться между важной, умополезной службой и домашним долгом. Бывало, сидишь у Катиной постели, лекарствами ее потчуешь, а все думы в приказе.

И вот нет больше семейного хомута. Служи в полную меру, свободный человек. А получается, что отслужил — и пойти некуда, не к кому, незачем.

Поймал искоса брошенный Ванькин взгляд, сострадательный. Конечно, весь приказ про дьяково горе знает.

— Чего сопишь? — буркнул Трехглазый.

— А я жениться не буду вовсе, — сказал парень. — На что оно надо?

— Войдешь в возраст, обслужишься, обзаведешься животишками, захочешь. Все хотят.

— А я не захочу. Человек должен жить налегке. Потому что жизнь — она как Дикое Поле. Откуда какое лихо налетит, никогда не угадаешь. Коли ты один, на быстром коне, всегда уйдешь. А коли с обозом, с поклажей — сгинешь.

— Философ, — пробурчал Маркел, а сам подумал: прав мальчишка. Одному надо было жизнь жить.

Наконец добрались до места.

— Здесь они должны быть, в сторожке, — показал Сапогов на избенку казенной рубки — такие лет пятнадцать назад, еще при Проестеве, понаставили по всей Москве для проживания ночных решетников. — С караула сошли, улицу разгородили, теперь отдыхают.

— Буди. Пускай выйдут.

Через короткое время, оправляя пояса, вышли двое. Опасливо поклонились. Русский служивый человек от начальства хорошего не ждет, даже если ни в чем не провинился.

Один, щуплый и суетливый, поспешил оправдаться:

— Не я стрелял — Афоня. Ему Аким Самсоныч велел, десятник.

Второй, хмурый, прогудел:

— Я выше хотел, над головой, для острастки, а пуля, вишь, прямо в башку стукнула.

— Молодец. Получишь награду. Выпиши ему полтину, сотник.

Трехглазый еще и улыбнулся. Ему сейчас было нужно, чтоб стражники не боялись, а то из них слова не вытянешь.

Оба вздохнули с облегчением, встали свободнее, но теперь смотрели вопросительно: коли нашей вины нет, чего же ты, большой дьяк, сюда пожаловал?

— Скажите, служивые, нет ли здесь поблизости дома, или забора, или ворот, которые вчера или самое раннее позавчера покрасили?

Это люди, у кого куры денег не клюют, переняли у кукуйских немцев суетщетный обычай расцвечивать стены, чтоб похвалиться своим достатком. Красят дом, а то и забор охрой, лазурью, суриком. Оно, конечно, нарядно, но смотрится както не по-русски.

Суббота. БОЖИЙ ПРОМЫСЕЛ

— А у Золотникова, — сразу ответил решетник, что бойчее. — В Хлебном переулке двор. С той стороны он и шмыгнул, покойник.

— Кто это — Золотников?

— Нил Золотников, купчина. У него в городе меняльные лавки.

Меняла?

Трехглазый приуныл. Если обворованный — меняла, тогда понятно, почему все рубли новехонькие. Получил на монетном дворе для своего обменного дела, а вор ночью влез, выкрал.

Скучный сыск. Короткий.

Что ж, оставалось только исполнить дело легкое и приятное — вернуть владельцу похищенное. То-то обрадуется. И, надо полагать, угостит. Голова у Маркела со вчерашнего всё трещала, и похмелиться было бы кстати. У богатого купца дрянью, поди, не напоят.

Мзды Трехглазый не брал даже в тощие годы, когда был беден. Ибо кто платит, тот и сверху, а у государственного человека сверху может быть только государство. Он сам — государство. Выше этой чести ничего нет, она дороже богатства. А кому богатство дороже чести — не служи. Иди торгуй или еще что. «Заплатишь — дам, не заплатишь — не дам» только курвы говорят, ну так на то они и курвы.

Иное дело благодарность. Когда хорошо исполнил дело и спас кого-то либо сильно помог, и люди сами хотят тебя подарить, не по принуждению, а от признательности сердца. Обижать их — грех и суегордие. Даже и в Писании сказано о мирной жертве благодарности.

Хорошо бы у Золотникова этого ренским вином угостили, думал Трехглазый, ковыляя за стражником. Идти было близко, и садиться на коня Маркел поленился.

Едва повернув за угол, он увидел свежеокрашенный забор — но не красный, а зеленый, и в первый миг от неожиданности остановился, но потом разглядел поверху деревянные коньки, и те были ярко-красные. Одного цвета хозяину, вишь, показалось мало. Знать, у купчины много денег.

Подошли ближе.

Зеленой краской забор покрыли раньше, она уже высохла, а коньки еще отливали сырым суриком. Должно быть, вор закинул петлю, вскарабкался, да там наверху и запачкался.

На стук в воротах открылось окошко.

Маркел назвался, важно: дьяк-де воровского обережения к хозяину по казенному делу. Не стал говорить, по какому.

Сразу и провели.

Двор был богатый и чистый. Земли не видно под настилом из новых досок. Крыльцо тоже недавно срублено — всё резное и аж в четыре цвета. Даже окна разноцветные, в мелкий квадрат. Вот люди стонут от денежного неустройства, а менялам хорошо — богатеют, подумал Трехглазый.

Хозяин встретил в сенях. Был он, как положено при таком госте, испуган. Трижды поклонился, будто задергался. Заплывшие от сытости глазки мигали, щеки тряслись. В бороде застряли крошки — это хорошо. Значит, из-за стола. Сейчас пригласит потрапезничать, оно и кстати бы, позавтракать.

Напустив строгости, чтобы меняла еще больше встревожился и тем пуще бы потом обрадовался, Трехглазый спросил:

— Не было ли в твоем доме ночью какого лиха?

Золотников от сурового вопрошания стал бледен.

— Слава богу... Покойно всё.

Ишь ты, сто двадцать рублей увели, а он и не приметил. Знать, тут деньги россыпями лежат.

— Плохо блюдешь свои животы, Нил. Где ты деньги хранишь? Поди, проверь. Мешка со ста двадцатью рублями не досчитаешься. К тебе ночью влез вор, ограбил, да мои люди его взяли и деньги изъяли. На, получи да пересчитай.

Взял у Репья увесистую мошну, протянул.

Однако тут случилось нежданное. Вместо того чтоб схватить покражу или хоть поразиться, заохать, хозяин отшатнулся.

— Не пропадало у меня ничего... Ошибся ты, дьяк... Не мои это деньги! Не влезал ко мне никто!

В глазах у купца мелькнул уже не страх, а лютый ужас. Борода запрыгала.

Суббота. БОЖИЙ ПРОМЫСЕЛ

А с чего это ты, братец, так заполошился, подумал Трехглазый, внутренне подобравшись. Ну не твои деньги, велика ль беда?

Тут что-то нечисто. Может, сыск еще и не окончен, а только начинается?

Переглянулся с Ванькой, подмигнул. Тому объяснять было незачем, у самого взгляд хищно засветился.

— Отказываешься, значит? Поня-ятно, — с недоброй усмешкой протянул Маркел, хотя пока понятно не было. Однако, если человек так яро пугается, следовало напугать его еще сильней. — Так я и думал, что ты станешь отпираться. Дело-то мутное...

А Репей, как бы не привлекая к себе внимания, вкрадчивой кошачьей походкой двинулся в обход сеней, закрутил головой, втянул носом воздух, будто принюхивался. Золотников не знал, на кого смотреть — на дьяка или на его помощника.

Зачем бы торговому человеку отказываться от огромных денег? Другой бы и чужие хапнул, коли дают, а этот от собственных шарахается, как от чумы. Значит, есть в денежном мешке для Золотникова опасность. Тут какое-то воровство. Большущее.

Грозно сдвинув брови, дьяк сверлил взглядом съёжившегося меняля. В чем его обвинить, пока не знал, потому и молчал.

— Господом-Исусом побожусь... — не выдержав тишины, пробормотал купец. — Не мой мешок. Видеть его не видывал!

А, пожалуй, жидковат ты для большущего воровства, сказал себе Трехглазый. Он на своем веку встречал много нечистых людишек и знал в них толк. Есть воры копеечные, подобные мышам. Есть полтиничные, подобные крысам. Есть рублевые — волки. Тут же, судя по размаху, озорует целый медвежище, а на лесного хозяина Нил Золотников никак не похож. Это хорек. Ну барсучишко. Такие крупными делами не заправляют, только приспешничают. Не сбыт ли тут краденого? Не перевод ли ворованного добра в деньги?

Что ж, проверим.

— Не хочешь правду говорить — твое дело. Всё одно сыщем, — подпустил Маркел напоследок ужаса. — Жди, Нилка, скоро снова приду. Тогда не отвертишься.

За воротами, опираясь Репью на плечо, чтоб сесть на коня, шепнул:

— Я в приказ, а ты останься. Спрячься, посмотри. Думаю, наш меняла сейчас обязательно побежит к кому-то главному.

— Ага, — кивнул Ванька. — Я тож подумал: он не сам по себе, барыжничает при ком-то. Запросто от ста от двадцати рубликов отказаться — это ж какими деньгами ворочать надо! — Он восхищенно присвистнул. — Не сомневайся, Маркел Маркелыч. Прослежу, куда пойдет. Оттуда пришлю вестку.

— А как ты ее пришлешь?

Репей с ответом не затруднился:

— Посулю полушку какому-нибудь безделу. Их сейчас много всюду болтается, голодных.

— Обещай копейку. Я дам.

— Ну, за копейку тебе мою вестку доставят быстрее ветра.

Суббота. БОЖИЙ ПРОМЫСЕЛ

Прежде приказа Трехглазый заехал в Троицу-на-грязех, куда часто хаживала покойница жена. Церковка была маленькая, деревянная, невидная, но там висела икона святых преподобных Ксенофонта и Марии, утешителей родительской печали. Катерина всегда ставила перед образом восемь свечей: две зажженные, в память ранопреставленных младенцев, и шесть сирых — за мертворожденных.

Никогда Маркел сюда жену не сопровождал и даже сердился, зачем зря себе сердце надрывает, а ныне что-то захотелось. Сделал всё, как она делала, только прибавил еще одну большую свечу, трехалтынную. Смотрел на огонек, просил прощения.

Где ты ныне? Оглянулась ли назад с небесных высей на меня, сироту? Навряд ли. Был я тебе не счастьем, а бременем. Прости меня, Христа ради.

Поплакал, полегче стало.

От церкви ехал понурый, о меняле Золотникове забыл и думать. Но у приказных ворот к дьяку кинулся оборванец, завопил:

— Ты Трехглазый? Гони копейку, мне обещано!

Маркел велел стражнику крикуна за шиворот не хватать, кинул монету, взял вестку — восковую табличку для коротких записок.

Скорыми, неряшливыми буквами там было накалякано: «Поворотя спиной к Рождеству Богородицы что на Путинке справа третьи ворота».

— Давно меня ждешь? — спросил дьяк у посланца.

Мужичонка хлюпнул носом. Вопрос был глупый. Простые люди время не меряют.

— С четверть часа он здесь ноет, копейку требует, — пришел на помощь стражник.

Развернул Трехглазый коня, погнал на Дмитровскую. Бегу туда было с версту или чуть боле. На рысях — мигом.

Всё скорбное из головы выдуло встречным ветром. Что там такое близ Путинки? Далеконько от Поварской слободы.

Седлица Трехглазого

...Рождественская церковь была не чета Троице — нового каменного строения, с тремя узорными колоколенками. На паперти, как водится, густо сидели нищие. Судя по сытым мордам, кормились они здесь неплохо. Слобода была казенная, близко Путинка, Путевой посольский двор. Вокруг в основном жили разные служивые люди.

Ворота третьего от церкви дома были ничем не примечательны, но недоумевать долго не пришлось. Из-за черного, слежавшегося сугроба высунулась остроносая Ванькина личность. Тощая рука, выпроставшись из рукава, замахала: дальше езжай, дальше!

Маркел понял, что торчать здесь, на виду, не нужно и завернул за первый же угол. Через минуту туда явился Репей.

— Как ты с Поварской отбыл, вскоре, я и до ста не счел, со двора выбежал Золотников...

— А зачем ты считал? — удивился дьяк.

— Для доклада.

Трехглазый поглядел на парня с уважением.

— Ну, выбежал — и что?

— Почесал вдоль белогородской стены, как на пожар. Пузом трясет, обронил рукавицу — не заметил. Я, понятно, за ним. Вот сюда он меня и привел. Вошел вон в тот дом.

Высунувшись, Ванька показал на калитку, против которой прятался за сугробом.

— Он и ныне там?

— Нет. Пробыл тыщу двести мигов — я на снегу палочкой засекал — и вышел на улицу. Уже не бегом, а чинно. Не знаю, правильно ли я рассудил, что чем идти за купчиной, лучше здесь остаться...

Репей неуверенно поглядел на Трехглазого.

— Правильно, — одобрил тот. — Где найти Золотникова, мы и так знаем. Теперь надо бы спознать, кто тут живет. К кому это он прибежал со своим страхом?

Ярыжка скромно потупился.

— Спознал уже...

— Как? Откуда?

— Баба мимо шла, из церкви. Спросил.

Суббота. БОЖИЙ ПРОМЫСЕЛ

— Ну! Чей дом?

— То-то что чей, — ухмыльнулся Ванька. — Живет тут Фрол Рябой, мастер-чеканщик с Серебрянического денежного двора.

И оскалился, когда дьяк разинул рот.

У Маркела же будто глаза открылись. Всё встало на место.

Меняла, который отказался от ста двадцати новеньких рублей, с перепугу побежал не куда-нибудь, а к мастеру денежного двора, где изготавливают монету. Тут пахло великим и страшным воровством, еще худшим, чем чеканка фальшивых денег. Ложные рублевики находят и изымают, а похищенные, но настоящие потом не сыщешь и не изымешь.

— Дело-то аховое. — Дьяк потер родинку, как всегда при затруднении или большом волнении. — Ну, будет шуму... Что за человек Рябой? С кем живет? Не спросил ты у своей бабы?

— Спросил. Фрол — бобыль, проживает один. Что будем делать, Маркел Маркелыч? Возьмем его, пока не убег?

И видно было, что парню очень хочется еще отличиться: схватить злодея, заломить ему руки, связать.

Трехглазый посмотрел через ограду на дранковую крышу. Из трубы поднимался дым.

— Не за что его брать. Мало ли по какому делу к нему бегал меняла. Нам и Золотникова-то пока винить не в чем. Нет, Ваня, подождем, не напугается ли этот, не побежит ли еще к кому-нибудь печалиться.

— Не похоже, чтоб напугался. Вишь, печку растопил. Пироги что ли печет?

— Пускай себе печет, — ответил дьяк, трудно слезая с коня и привязывая уздечку к чахлой осине.

Постояли бок о бок, глядя на дом. Вдруг Маркел чертыхнулся, заковылял вперед.

— Чего? Чего? — догнал его ярыжка.

— Многовато чаду для печки!

Дымила не только труба. Серые клубы поднимались и откуда-то сбоку.

— Пожар там! Вышибай калитку!

Репей побежал вперед, с размаху ударил в дощатую створку плечом — и чуть не упал вместе с нею.

Ворвались во двор.

Из окошек вверх струился дым. Внутри, за слюдой, багровели и покачивались сполохи.

— Дураки мы с тобой! — закричал Трехглазый. — А меняла ловок. Ошибся я в нем! Принял волка за овцу! Убил он мастера, оборвал концы! И дом поджег!

Дверь выламывать не пришлось, она была не заперта.

Внутри горела сваленная на полу солома, но пол и стены еще не занялись.

Забили огонь, затоптали, залили водой из кадушки. Только тогда перевели дух.

— Вот же собака! — Ванька вытирал рукавом закопченное лицо. — Не поспей мы — всю слободу бы запалил, а подуй ветер — и улица бы зашлась. Есть же гады, а, Маркел Маркелыч? Ништо. Сыщем Золотникова — его, поджигателя, самого на костре спалят, и правильно.

Дьяк отдышался, приступил к поиску. Сунулся туда, сюда, откинул крышку погреба, свесился вниз.

— Чудно́. Трупа нигде нет... Не убивали, значит, Рябого? Куда же он делся? Ну-ка, Ваня, беги за дом.

Репей сорвался, исчез. Минут через десять вернулся смущенный, скребя затылок.

— Там это... Сад. И оттуда в переулок калитка... Нараспашку... Сбежал, выходит, Рябой. Сразу после меняла подпалил избу и сбежал. А я, дурак, за сугробом сидел. Не пойму только, зачем дом-то было поджигать?

— А вот зачем.

Пока парень бегал, Трехглазый осмотрелся поосновательней.

— У него тут свой денежный двор.

В углу пирамидой лежали красноватые бруски — монетная медь. Из печки, обмотав руку полотенцем, Маркел достал рублевый чекан — раскаленный, но еще не оплавившийся.

— Сколько им надо было рублей, столько и шлепали. Медь где-то доставали, а чекан, похоже, подлинный, казенный. Да, брат, тут дело государево. Ничего, зато теперь есть на воров улики. Можно брать их за караул.

— Можно-то можно, да некого, — вздохнул ярыжка. — Мастера теперь ищи-свищи. Менялу разве что?

— На кой нам меняла. Он только сбытчик. Может, и не единственный. Нет, Ванюша, мы пойдем на Денежный двор, где служит Рябой. Чекан покраден оттуда. Ну, будет тамошним начальникам за такого мастера.

— Охти мне, бедному! Ай, Фролка, ай, вор! Что учинил, паскуда!

Голова Денежного двора с ужасом, словно ядовитую змею, держал перед собой чекан. Начальник был мясист, рожей складчат, на носу и на щеке по бородавке. Маркел про себя окрестил его Жабой.

— Так подлинный чекан иль нет? Отвечай, Кирилл. Если подлинный, то как он у Рябого оказался дома?

— Подлинный... — Жаба (так-то его звали Кириллом Полуэктовым) покаянно вздохнул. — Осенью Рябой сказал, что оплошкой уронил чекан в плавильню. За то был бит батогами, и взыскано с него за убыток казне рубль тринадесять копеек с полушкой...

— То-то он разорился, — недобро усмехнулся Трехглазый. — Сколько за полгода этим чеканом мастер рублей нашлепал? Тыщи? Десятки тыщ?

— Один Фролка знает. Ох, беда... — Полуэктов всхлипнул. — Погонят меня с места. Самого бы под кнут не положили. Не снесу я кнутного боя! У меня водянка, у меня печенка хворая...

Стало Маркелу его, мордатого, жалко.

— Если Рябой на допросе повинится, что покрал чекан сам, без потачки, может, отделаешься малой карой. А впредь будете чеканы стеречь лучше.

Жаба перестал плакать, быстро спросил:

— Так у вас Фролка? Взяли вы его?

— Сбежал. Ничего, объявим в сыск, найдем. Говори приметы вора.

Взял со стола бумагу, обмакнул перо, стал записывать.

— Рожа рябая, потому и прозвище, — стал перечислять Полуэктов. — Росту в нем два аршина и десять либо одиннадцать вершков. Ноги длинные, кривоватые. Волос русый, борода — ну борода как борода.

— Особое что есть? Приметное?

— Голос у него хлипкий. Так-то он мужичина крепкий, а пищит, будто скопец. И еще вот, вспомнил! У него на левом запястье ожог. Жидким серебром когда-то брызнуло. Вроде всё...

Трехглазый был недоволен. Рябой — не примета, на Москве траченных оспой каждый десятый, если не каждый пятый. Остальное тоже не в помощь.

От досады жалеть ротозея перестал.

Суббота. БОЖИЙ ПРОМЫСЕЛ

— Много зла от твоего, Кирилл, нерадения. Видишь, что в городе творится? Вы и так медную монету безо всякой меры чеканите, никто брать не хочет, а тут, вишь, еще один денежный двор устроился, на дому у Рябого.

Жаба стал оправдываться:

— Поди уследи за ворами на таком месте. Вблизи денег человек дуреет. У нас тут и так строго — дальше некуда. Каждого мастера и подмастера при выходе догола раздевают, во все места лезут — не припрятал ли казенную монету. У кого находят — рвут ноздри. Но что можно не гривенник и не рубль, а целый чекан увести — этого, каюсь, мы не домыслили. И как только Фролка его со двора вынес?

— Чего проще, — пожал плечами Маркел. — У вас за тыном овраг спускается к Яузе. Перекинул, после подобрал.

Трехглазый думал, что государь Алексей Михайлович хоть и не орел, зато милостив. Раньше за казенное воровство карали лютой смертью: рубили правую руку и левую ногу, потом бросали подыхать. Или распарывали живому брюхо. Еще за ребро на железный крюк вешали. А царь человеков губить не любит, говорит про жизнь, что она — Божий дар, не нами дана, да не нами и отымется. Потому ныне введено милостивое установление: за кражу смерти не предавать, а только рвать ноздри. Оно и перед Господом негрешно, и для людей наставительно. Пусть видят, что сей человечишко — вор, и остерегаются. Заодно сами воровать побоятся.

Так-то оно так, но сыск не всегда открывает правду. Бывает, что под пыткой от боли признаются и в том, чего не делали. Вот недавно приказному подьячему Мишке Тряпкину вырвали ноздри за кражу чернильного камня, а камень потом нашелся, его дурак-кладовщик не туда положил. Конечно, дали Тряпкину очистительную грамоту, что ноздри-де зря выдраны, и он ходил по кабакам, всем ту бумагу показывал. Его жалели, наливали. Так Мишка и сгинул, упился до смерти. Или про служанку одну Катерина-покойница рассказывала. Девка лишилась ноздрей, потому что ее товарки оговорили перед хозяйкой. Потом это открылось. Тоже дали оправдательную грамоту. И что теперь? Женихам ее предъявлять? Или рожу той бумагой прикрывать?

Нет, с дранием ноздрей нехорошо. У турок заведено лучше: ставят на лоб клеймо. И мы так могли бы — букву «Веди», если вор, букву «Како», если конокрад и тому прочее. Оно будет и видом не отвратительно, и милосердно. А если окажется, что человек заклеймен облыжно или ошибкой, можно на плохую буквицу наложить хорошую — «Он», «оправданный», благо «О» являет собою кружок и может вместить в себя прежнее тавро. На Руси невинно пострадавших жалеют, любят. И выйдет страдальцу вместо пожизненного посрамления пожизненная польза. Конечно, и очистную грамоту тоже нужно выдавать, а то всякий вор начнет сам себе кружик ляпать... Надо написать в Боярскую думу, предложить. И присовокупить, в надежде на государево боголюбие: грех-де уродовать ноздревыдиранием человеческое лицо, образ Божий.

С государственных мыслей Трехглазого сбил Жаба, не выдержавший молчания.

— Ты уж, Маркел Маркелыч, замолви за меня слово. Ейже-ей, на гиблом месте служу. Яко курятник от лис оберегаю.

И глаза заволоклись просительной слезой.

— Ладно. Сыщем Рябого, допросим. Если не было у него тут сообщников, заступлюсь. Твоя правда: мух от меда не отгонишь.

Голова провожал до порога, низко кланяясь.

Во дворе к Трехглазому подлетел Ванька, пристроился сбоку.

— Ты где был?

— С людишками толковал, про Фрола расспрашивал.

— А что такой довольный?

Ярыжка обнажил в улыбке острые зубы.

— Мы его легко добудем, с такой-то приметой.

— Какая же это примета? Подряд рябых брать и у каждого левый рукав заворачивать? Это мы все московские заставы закупорим.

— Зачем подряд? — удивился Репей. — Только бельмастых.

Теперь удивился дьяк.

— О чем ты?

Суббота. БОЖИЙ ПРОМЫСЕЛ

— Так ведь у Фролки бельмо. Он от оспы на один глаз окривел. Разве голова тебе не сказывал?

Маркел остановился. Они уже были за воротами.

Вон оно, выходит, как? Про ожог на запястье Жаба вспомнил, аршины с вершками счел, а о самой главной примете умолчал? Значит, не хочет, чтобы мастера схватили? Ну, если в воровстве сам начальник замешан, то дело это не просто большое, а громадное. Вот она, течь, от которой кренится государственный корабль! Вот гниль, что подтачивает державу!

За такой великий сыск будет и великая награда.

Подумал про это Трехглазый — и не взволновался. Ну и на что тебе награда, Маркел? Терем больше нынешнего поставишь? И будешь сычевать там на просторе в одиночестве?

— Не ска-азывал? — протянул Ванька, догадавшись без ответа. Глаза у него прищурились. — Так-так...

— Погоди тактакать. У нас с тобой на эту бородавчатую жабу пока ничего нет. Припру — скажет, что о бельме запамятовал от волнения. Оно, может, и правда. Когда каждый день видишь перед собой человека, самое приметное замечать перестаешь.

— Это дело ваше, промежначальническое, не мне встревать. А только приказал бы ты, Маркел Маркелыч, поскорей разослать конных по всем дорогам. Если Фрол и ушел из Москвы, то недалече.

Трехглазый рассмеялся.

— Никуда он не ушел. Не свезло ему. Нынче суббота, а по субботам теперь заставы до полудня никого не пропускают. Был на то царский указ. Это чтоб крестьяне не везли в город товар прежде молитвы. Государю донесли, что в народе падение нравов и безверие, вот Алексей Михайлович и постановил: пускай православные сначала отстоят обедню, очистятся душой, а потом уж о торговле думают. Торчит твой Фрол сейчас у одной из тринадцати сухопутных или трех речных застав. Ждет полудня, а до него еще долгонько. Мы с тобой нынче рано сыск начали. Лети, Ваньша, в приказ, скажи начальнику конной стражи, чтобы снарядил людей ко всем заставам. Всех бельмастых-рябых пусть задерживают и смотрят у них ожог на левом запястье. А я, пожалуй, вернусь, еще с

Жабой потолкую. Попробую его нахрапом взять. Он трясуч. Может, растрескается.

— Эй! — окликнул дьяк рванувшегося с места ярыжку. — Которые с повязкой на глазу или кто прячет лицо — тех тоже досматривать.

— Без тебя бы не сообразил, — буркнул непочтительный Ванька и побежал дальше.

Трехглазый же похромал назад, в головную избу, но Полуэктова там не застал. Сказали: ушел малыми воротами. Велел скоро не ждать.

Малые ворота Денежного двора вели на Яузскую улицу. Там стоял, скучал здоровенный сторож с алебардой.

— Дьяк пофол пеф, с великим поспефанием, — сказал он, так картавя, что пришлось переспрашивать. Пеш, оказывается, пошел, с великим поспешанием.

Маркел нисколько не расстроился, а наоборот обрадовался.

Нет, не запамятовал Жаба про бельмо. Нарочно умолчал. Выходит, он тоже участник воровства, а значит, быть наивеликому сыску. Возьмем Фрола, не отопрется и Полуэктов. Тогда и спознаем, кто у них еще в сообщниках.

Пока же лучше было вернуться в приказ, куда скоро доставят беглого чеканщика. С бельмом долго не попрячешься.

Ехал шагом, в уме составлял бумагу о злом умышлении на государевом денежном дворе. Не мог только решить, кому ее послать. По чину следовало бы приказному судье Елизарову, прямому начальнику, но тот, во-первых, квёл и робок, а во-вторых, всенепременно станет заслугу утягивать на себя. Пусть награда и не в радость, но зачем отказываться от положенного? Воровство такого размера, что здесь, пожалуй, допустимо писать напрямую самому государю либо государеву тестю боярину Илье Даниловичу Милославскому, который среди прочего ведает и казенными доходами. Наверное, Милославскому выйдет даже быстрее, все равно царь мимо Ильи Даниловича такое дело разбирать не станет.

На самом подъезде к приказу Трехглазого сбил с непростых дум лай и крик. Это товарищ судьи Семен Ларионов, муж великой спеси и еще более великой дурости, бранился во всю глотку, поминая Маркелово имя. Они друг с другом не ладили, жили как кошка с собакой.

— Что у него на Москве-то творится, у черта трехглазого! Средь бела дня уже людей режут! — орал Ларионов. — И где? В Китай-городе! Это порядок или что?

Тут он увидел приближающегося дьяка, развопился того пуще:

— Катаешься, оберегатель? Полюбуйся, как твои стражнички государеву столицу оберегают! Еду на службу из церкви, с молебна, душой просветлившись, а тут нá тебе, прямо у ворот! Раньше хоть по ночам убивали!

Опять у приказа стояла накрытая рогожей телега, но не та, что утром, другая. Это в самом деле было не в обычай — чтоб убитого доставляли так поздно, перед самым полуднем.

— Эк разлаялся, на цепь бы тебя посадить, — буркнул Маркел, спешившись и отдав конюху повод.

Сказал громче, чем следовало — Ларионов услышал.

— Все свидетели! Он меня псом обозвал! Кто на цепи сидит и лает, если не пес? А в указе сказано: кто кого собакой обзовет, свиньей, бараном, козлом и прочими небылишными позорными словами, это для бранимого потерька чести! Сам ты Маркел-мартышка! Я на тебя в Разрядный приказ ябеду напишу! Мой род твоего выше! Ты ничейный сын, а мы идем от государева опричника Лариона Гадяты! Мне тебя за бесчестье головой выдадут!

Приказные, кто был близко, начали отворачиваться и расходиться. Вязаться в склоку между начальниками никому не хотелось, да и не любили Ларионова.

— Пиши куда хошь. — Трехглазый плюнул на землю, растер сапогом. — Тебя на должность тетка, окольничиха Беклемишева, пристроила. А я у государя в комнатных стряпчих хаживал, к польскому королю езживал и в грамоте сразу после великих послов писался. Померимся честью, поглядим, кто кого хуже обозвал. Эй, кто слыхал, как Ларионов меня мартышкой обозвал?

— Я! И я! — сразу отозвались несколько человек.

— А я его псом бранил?

— Нет! Не было того!

Ларионов погрозил кулаком:

— Судье доложу!

И пошел прочь, со злобой и великим топотом.

Судье — это ладно, докладывай. Не страшно.

Маркел подошел к скорбной телеге, спросил стражника:

— Откуда поклажа?

— Из Зарядья, твоя милость.

— Ночной?

— Не, свежий. Только подобрали.

Свежий? Из Зарядья? Еще того удивительней. Место там людное, бойкое. Мертвое тело долго незамеченным проваляться не может. Значит, в самом деле человека порешили средь бела дня.

— Откинь-ка рогожу.

Покойник гляделся неблагостно. Горло от уха до уха рассечено, перед кафтана весь красный, и на лицо натекло — это уж, верно, когда лежал. Кровь еще не совсем высохла. Ее пустили часа два назад, а то и менее.

Одежда недешевая. Сапоги новые, яловые. Если грабеж — их бы сняли. Хотя кто будет озоровать в Зарядье, в такой-то час?

Взяв клок сена, Маркел стал тереть убиенному лицо и вдруг нахмурился.

Кожа была изрыта оспинами. Быстрым движением приподнял веко. На роговице белело пятно. Задрал левый рукав — старый шрам от ожога.

Фрол Рябой! Добегался...

И застыл Трехглазый на месте, скребя лоб. Но простоял так недолго.

Суббота. БОЖИЙ ПРОМЫСЕЛ

Во дворе стало шумно. Там рассаживались по седлам караульные всадники, их подгонял сотник, а звонкий голос Ваньки Репья покрикивал:

— Живьем ребята его надо, живьем! Кто доставит — от дьяка рубль!

Ишь, щедр на чужие-то деньги, мрачно подумал Маркел.

— Не надо никуда ехать! — гаркнул он, оборотясь. — Возвращайтесь в караульню! А ты, Ванька, давай сюда.

— Пошто не надо? — подбежал Репей. — На часозвоне полдень еще не били. Успеем!

— Без нас успели. Полюбуйся.

Ярыжка взглянул на тело. Сразу все понял, присвистнул.

Маркел осматривал мертвеца со тщанием.

— Резали сзади, справа налево. Левша... Нож острый, кривой. Вершков шесть иль семь... — приговаривал Трехглазый не для помощника, а для памяти. Полез пальцем в рот. — Гляди-ка. На зубах тоже кровь. С чего бы?

— Горлом хлынула? — предположил Ванька.

— Нет. В самом рту крови нету. Только на передних зубах. Диковинно.

Ярыжка сопел, морщил лоб.

— Что будем делать, Маркел Маркелыч? Менялу возьмем?

— Взять-то возьмем, но пользы от Золотникова не будет. Он, я думаю, получал рубли от Рябого, а больше никого не знает. Рябой, напугавшись, побежал к кому-то, чтоб его спрятали. Не к Жабе, заметь. Есть тут некто поважнее. И этот некто поступил вернее: решил обрезать нитку. И обрезал. Нет у нас с тобой теперь главного свидетеля.

— Что ж, выходит, кончено? — уныло молвил Репей.

— Это они думают, что кончено. И пускай думают. Эй, коня мне!

Сверху, из седла, сказал:

— Берись за стремя, Ваня. Поскачу шибко, не упади.

Рассуждал Трехглазый так.

В денежном воровстве начальник монетного двора не главный. Главный — тот, к кому он отправился «пеф, с великим поспефанием». По Яузской улице, которая, между прочим, ведет к Зарядью. Где зарезали мастера Фрола. Уж не к одному ль и тому же лицу они кинулись со своим испугом?

Полуэктова прикончат навряд ли. Во-первых, убить голову Денежного двора — это не мелюзгу прирезать, будет шуму на всю державу. Во-вторых, без Рябого вчинить Жабе нечего. А в-третьих, кто ж станет резать курицу, сидящую на золотых, то бишь медных яйцах?

Нет, Полуэктов живехонек. И, возможно, уже вернулся на службу, успокоенный.

Человечек он утлый, чувствительный. Такой после резкого перепада из страха в спокойствие, а потом обратно в страх может пойти врассып. Вот мы его сейчас и припугнем, прижмем, придавим.

Бедный Ванька, скача обок с конем огромными прыжками, раза два чуть не грохнулся, но ничего, не упал. До Серебряников дорысили быстро. Ох, и день выдался — по всей широкой Москве то сюда, то туда, то сызнова.

В Денежный двор вошли с Яузской улицы, через малые ворота, где караулил все тот же картавый сторож.

— Вернулся голова?

— Ага, прифол. — Отвечая, детина почему-то всё оборачивался в сторону казенной избы. — Расфумелись они там чего-то. Бегают, орут. Поглядеть бы, да с караула не отлучифся.

На крыльце головного дома действительно кричали, кто-то сбежал по ступенькам.

— Ваня, скорей! — ахнул Трехглазый, чуя недоброе.

Проклиная свою колченогость, застучал костылем вслед за шустрым ярыжкой, а тот исчез в избе и — Маркел еще только добрался до крыльца — уже скатился обратно.

Доложил:

— Полуэктову худо. На полу бьется, пена изо рта. Все мечутся, не знают, чего делать.

Расталкивая столпившихся людей, а кого и охаживая костылем, Трехглазый протиснулся вперед.

Двое держали за плечи дергающегося в судорогах Полуэктова. Он хрипел, драл на себе ворот. Вдруг припадочного вырвало желчью и чем-то багровым. Радетели в испуге отшатнулись.

Маркел наклонился.

— Ты у кого был?

Жаба разевал рот, в вытаращенных глазах застыл ужас.

— Тебя отравили. У кого ты был? — зашептал страдальцу Маркел в самое ухо. — Говори!

— Ма... ма... — просипел Полуэктов и вдруг перестал тужиться. Обвис, стукнулся затылком о доски. Сделался недвижим.

— Помер, сердешный, — охнули сзади.

— Чего он хотел сказать, а? — спросил из-за плеча Репей. — «Ма», «ма» — чего это?

— Чего-чего, матерь звал. Многие, помирая, будто в детство возвращаются.

Опустившись на четвереньки, для чего пришлось отставить больную ногу, Трехглазый нагнулся к самой блевотине. Пахло вином и еще чем-то чесночным.

Эге. Знакомый запах. Так же, бывало, несло изо рта у новопреставленных покойников, кончившихся вроде как от брюшной хворобы, а на самом деле отравленных. Мышиная отрава, именуется «арсеник».

Распрямился Маркел чернее грозовой тучи.

— Вот теперь, Ваня, нитка точно обрублена... Резать монетного начальника не стали. Поступили хитрее. С отравой, сам знаешь, никогда доподлинно неизвестно — то ли подсыпали что, то ли человек сам помер...

Ярыжка тоже переживал, удрученно сопел.

— Однако воровство-то медное мы пресекли, так? — сказал он, утешая дьяка.

— Мы у ящерицы оторвали хвост, а сама она живехонька. Стыд мне и срам, старой ищейке. Упустил след...

Однако на крыльце Трехглазый остановился, малость подумал — и пошел не к главным воротам, а снова к малым.

— Ты куда, твоя милость?

Суббота. БОЖИЙ ПРОМЫСЕЛ

— Погоди, не встревай.

Сторож сам шагнул навстречу.

— Фто там в ивбе? Пофто все орали?

Маркел про смерть начальника говорить не стал, не то человек разохается и не добьешься проку.

— Тебя как звать, служба?

— Тифкой.

— Скажи, Тиша, ты у ворот стоишь, на улицу глядишь. Так?

— Гляву, как не глядеть. Скуфно.

— Само собой, скучно. А в караул давно заступил?

— С утра.

— И когда голова давеча уходил, пеший и с великим поспешанием, ты ему вслед смотрел? Любопытно, поди, было, куда это он торопится?

— Смотрел, — кивнул сторож, не понимая, к чему клонит важный человек.

— Расскажи, что видел.

— Ну фто... Пофол он ходко, выфел на улицу. Вон там, перед церквой, остановился, тривды поклонился, кинул нифему деньгу да свернул за угол. А боле я нифего не видал...

— А боле и не надо, — повеселел Трехглазый. — Ну давай, слуви дальфе... Ванька, беги за конем!

Репей, тяня за узду каурого, догнал быстро хромающего дьяка уже около церкви.

— Ну подал он милостыню, и что? Чего ты, Маркел Маркелыч, обрадовался?

Не отвечая, Трехглазый встал перед папертью. Калеки и христорадники заканючили, прося грошик.

— Которые тут всегдашние? — оглядел нищих Маркел. — Денежного голову Полуэктова знаете?

Один спросил:

— Это Бородавочника?

На него шикнули — заткнулся. Все смотрели на казенного человека настороженно, не ожидая хорошего.

Трехглазый показал монету.

— Кто скажет, кому голова часа полтора назад подал милостыню — заплачу копейку.

Откликнулись сразу в несколько голосов:

— Фильке свезло! Фильке Гунявому! Бородавочник целый алтын кинул, прямо Фильке в ладонь.

— Только Фильки нету, — сказал седобородый горбун, и все умолкли. Видимо, этот был у нищих старостой. — Схватил алтын и убежал, собака. У нас порядок: всю милостыню делим, а Филька не захотел. Больше, чай, сюда не вернется.

— Да мне он и не нужен. Скажите, божьи люди, а кто знает, куда пошел голова? — спросил Маркел. — За это вприбавку дам гривенник, да не медный — серебряный.

— Губа знает, — показал горбатый клюкой на парнишку с заячьей губой. — Он увязался за Бородавочником, не подаст ли еще.

Конечно, увязался, а как же, улыбнулся сам себе довольный Маркел. Он хорошо знал повадки нищих. Иначе и быть не могло.

Вручив старосте гривенник и копейку, он обратился к подростку:

— Докудова ты с ним дошел?

— Говори, Губа. — Староста спрятал монеты за щеку. — Можно.

— Докуда-докуда, до самого Кремля, — бойко ответил паренек. — В ворота он вошел, а меня не пустили. Там караул стоит, вот такущие стрельцы с бердышами. Уж я просил его, просил, плакал-плакал — не дал больше ничего, сквалыга. Я правду говорю, дедушка! — Это было сказано горбатому. — Вот те крест! Не веришь — обыщи.

— До самого Кремля? — Дьяк с ярыжкой переглянулись. — А до каких ворот?

— Которые в большущей башне.

— Они все в башнях. Вот что, старинушка, отпусти с нами малóго. Пусть покажет. Я ему еще копейку дам.

И отправились: посередине верхом Трехглазый, справа Репей, слева оборванец.

Суббота. БОЖИЙ ПРОМЫСЕЛ

«Большущая башня» оказалась Фроловской, которую с недавних пор было велено называть Спасской по двум надвратным иконам Спаса, которые глядели одна наружу, в город, а другая вовнутрь, на государево обиталище. Тем же указом, ради царского покоя и обережения, воспретили ненужным людям вход в Кремль и поставили караулы.

К воротному дозорному начальнику Трехглазый и обратился.

Пятидесятник, важный своей службой, сначала расспросил, что за человек да по какому делу, и лишь потом чинно ответствовал: так точно, был сегодня голова Денежного двора Кирилл Афанасьев Полуэктов, явился в девять часов с половиною, убыл же в десять часов пятьдесят минут. У караула имелась книга, а при ней писец, который всех входящих-выходящих записывал со временем, для чего на стольце торжественно лежала немецкая часомерная луковица.

Трехглазому новшество очень понравилось, он любил порядок. Подумалось, правда, что оно всегда так бывает: чем больше разбалтывается снизу, тем строже становится наверху, но мысль была пустая и не ко времени.

— А куда Полуэктов ходил, не спрашивали?

— Обязательно спрашивали, как же. — Пятидесятник снова заглянул в книгу. — Сказал, что на двор к окольничему Федору Львовичу Курятеву.

Ванька, дышавший Маркелу в затылок, от волнения толкнул начальника в спину. Трехглазый на непочтительность не осердился, его и самого от охотничьего задора потрясывало жадной дрожью. Однако пока что не позволил себе обрадоваться.

— Сказать-то всё можно, — протянул он с сомнением.

Караульный оскорбился:

— Шутишь? Ныне приказано на слово никому не верить, а всякого человека сопровождать до указанного места и обратно, чтоб по Кремлю без дела не шлялись. На то выделены ходуны.

Он показал на навес, под которым на длинной лавке сидело с десяток слуг в одинаковых малиновых кафтанах.

Маркел спросил вкрадчиво:

— Курятев, Курятев... Какую он ведает службу, не знаешь?

Окольничьих теперь расплодилось много, а разных приказов и ведомств стало чуть не полсотни, и появлялись всё новые. Это как с тем же допуском в Кремль: наверху желают укрепить расшатавшийся порядок и думают, что для сего довольно понаписать указов да научреждать приказов.

— Я всё знаю, мне положено, — ответил, гордясь, пятидесятник. — Курятев Федор Львович товарищ судьи в Казне.

Казной для простоты называли Приказ Большой Казны, приставленный к государевым доходам.

— В приказе окольничий правит денежные и монетные дела, — прибавил караульный.

У Трехглазого с лица сползла улыбка. Неужто зря всё? Неужто рано обрадовался? К кому ж было и бежать Полуэктову с докладом о медном воровстве, как не к своему наивысшему начальнику?

— Вот и мне надо к окольничему Курятеву. Так и запиши, — сказал Маркел. — Со мной мой человек Иван Репей.

— А этот? — кивнул стрелец на Губу, про которого Трехглазый забыл.

— И я схожу, — охотно согласился оборванец, которому, видно, очень хотелось поглядеть на кремлевские чудеса. Но получил от дьяка копейку, от Ваньки затрещину и побежал прочь.

— Кто ходил с Полуэктовым?

— Матвейка Щусь.

— Пускай он и нас ведет. Это для дела нужно.

Караульный подозвал одного из ходунов.

— Отведешь на двор к окольничему Курятеву дьяка городского обережения Маркела Трехглазого с казенным человеком.

Ходун — высокий, статный парень с ленивыми, наглыми глазами — кивнул. Что ему дьяк. На своей службе видывал он птиц и поважнее.

— Лошадь у коновязи оставь, — велел Маркелу пятидесятник. — Ныне дозволено въезжать верхом чинам не ниже

Суббота. БОЖИЙ ПРОМЫСЕЛ

думного дворянина, а и тех у первой дворцовой заставы ссаживают.

Значит, хромать на своих полутора ногах. Ваньке с ходуном приходилось то и дело останавливаться, поджидая дьяка.

— Что расскажешь про Курятева? — спросил Трехглазый кремлевского служителя.

Он эту породу хорошо знал — слухасты, жаднооки, всезнающи и любят щеголять осведомленностью.

Раз Курятев живет в Кремле собственным двором, значит, немалая персона — с хорошим положением и с большими деньгами.

Ходун отвечал охотно и развязно:

— Курятев дядя богатенький. Раньше дворецким состоял при царице Марье. В позапрошлый год пожалован в окольничьи, переведен в Казну. Купил за новыми палатами боярина Милославского прежний двор князей Холмских, те-то все повымерли. Слуги у Курятева живут хорошо. Во все скоромные дни жрут убоину, пива пьют без меры, одежу им выдают справную — ворот шит серебряной канителью, пуговицы тож серебро, а портки у них...

— Расскажи, как с Полуэктовым ходил, — перебил Трехглазый. Про портки курятевских слуг ему слушать не захотелось. — Необычное что было?

Парень пожал плечами.

— Ничего такого. Туда шел — трясся весь, на каждую церкву кланялся, крестился. Пробыл не сказать чтоб долго, я с курятевским привратником, он мне кум, не обо всем поговорить успел, как этот уже вышел. Веселый, вином от него пахло. Идем, говорит, служивый, живей, время дорого. И больше уже на кресты не кланялся.

Дьяк с ярыжкой переглянулись, поняв друг друга без слов. Что от Полуэктова пахло вином, когда он вышел от окольничего, это хорошо.

У Ваньки, впервые бывшего в Кремле, чуть не отваливалась башка — так он крутил ею во все стороны: на храмы, на боярские палаты, на показавшуюся вдали крышу царского дворца, всю в красно-белую шашку. Туда, однако, не повернули, да и стремянной караул не пропустил бы. Пошли стороной, вдоль стены. Нашлось, однако, и здесь диво, на которое Репей разинул рот. Илья Данилович Милославский, царицын родитель, поставил себе Потешный дворец хитрого каменного зодчества. Было от чего раззявиться! Палаты высокие, где в три, а где и в четыре жилья, стены багряные, наличники на окнах фряжской резьбы, крыша медная, сияет ярче церковных куполов.

— В одиннадцать с половиною тысяч рублев встали хоромы, — похвастался всезнающий Матвейка, будто сам владел этой красой. — Вы шапки-то снимите.

И сам свою сдернул, а дворцу низко поклонился.

— Зачем шапку снимать? — спросил Трехглазый, думая, что после окончания сыска надо будет докладывать Милославскому — эта дорога к государю короче всего.

— Илья Данилович, скучаючи, бывает, из окошка смотрит. Кто его дому не поклонится, посылает холопов догнать. Те, смотря по человеку, могут и плеткой угостить.

Маркел снял шапку, подставив лысое темя весенней прохладе. Что ж не поклониться, шея не отсохнет. Боярин Милославский — царице отец, цесаревичу родной дед.

— А ты чего? — дернул дьяк за рукав заглядевшегося на ажурные флюгера ярыжку. — Плеток не боишься?

Тот беспечно отвечал:

— Ништо. Меня не догонят.

— Зато меня догонят, я колченогий. Спросят, что это за дурень от нас бегает? Сыми, сказано!

Сдернул драную Ванькину шапку сам, еще и подзатыльник влепил.

Репей шмыгнул носом, оскалился. Глаза его светились восторгом, ноздри раздувались.

— Ты к чему принюхиваешься?

— Властью пахнет. Силищей. Это ж Кремль! Как подумаешь — голова кругом. Отсюда всю державу за поводья держат! Куда повернут, туда она и едет!

Суббота. БОЖИЙ ПРОМЫСЕЛ

Ага, кисло подумал Трехглазый, повернуть-то они повернут, да поедет ли держава? Если и поедет — с ухаба на ухаб, а там, глядишь, в канаву. Но вслух такое при кремлевском ходуне говорить не стоило.

— Вот он, курятевский двор. — Матвейка остановился у распахнутых ворот. — Вы ступайте, я во дворе буду. С кумом договорю, о чем давеча не успел.

Дом у окольничего по сравнению с соседним Потешным дворцом казался неказист, низок и мал, наружностью безвиден, а дворишко размером с огород. Но это в Кремле почти повсюду так — тесно. Места не хватает, а земля в огромной цене. И не в деньгах даже дело, а в дозволении. Немногим разрешается жить вблизи от государя. Это великая честь и великая милость. Вот почему большие бояре, владетели бескрайних вотчин, считают за удачу обзавестись в Кремле хоть крохотным домишкой. Царь — как солнце. Близ его лучей всё согревается и золотится.

Должно быть, у окольничего все достатки потратились на покупку усадьбы Холмских, думал Маркел, глядя на ветхие бревенчатые стены и поднимаясь на скрипучее крыльцо. Но, войдя в сени, увидел совсем иную картину.

Ого!

Внутри дом был совсем не таков, как снаружи. Обитые шелком стены переливались дивноцветными узорами, с потолка свисало золоченое паникадило с сотней свечей, а еще повсюду мерцали веницейские зеркала, от которых небольшое помещение казалось шире и просторней. Такую роскошь Трехглазый видал разве что в царских покоях — в то недолгое время, когда состоял на службе при его величестве.

Хороши были и слуги. Мордаты, брюхасты, нарядны. Десятков до полутора их тут слонялось безо всякого видимого дела. Такой уж у великих вельмож друг перед другом гонор: кто держит больше нахлебников, тому и гордо.

Главный слуга, дворецкий или кто, подошел к прибывшим, важно спросил, что за люди и по какой нужде.

Маркел назвался полным чином, велел вести его немедля к хозяину по сугубому государственному делу. Был уверен, что окольничий, всё зная от Полуэктова, сразу такого гостя примет, но ошибся.

Пришлось ждать.

— Пойду-ка я по двору погуляю, — шепнул Репей. — Может, потолкую с кем.

Через малое время Трехглазый выглянул в окошко, увидел: Ванька стоит на крыльце со служанкой, что-то ей говорит, девка прыскает. Ладно.

Однако Курятев выказывал себя невежей, что было странно. К человеку, явившемуся по государеву делу, хозяин должен был, все заботы отставив, явиться сам, поспешно. И ведь знает о денежном воровстве, предупрежден.

Маркел начинал не на шутку злиться, когда наконец из внутренних покоев вышел чернобородый, сизомордый верзила в синем кафтане, опоясанном красным кушаком, в красных же сапогах.

Спросил зычно:

— Который тут дьяк? Ты, что ли? Зачем явился?

— Я гляжу, Федор Львович, тебе государево дело не в спех? — с угрозой молвил ему Трехглазый. — Ты, верно, себя выше государства мыслишь?

С вельможными людьми только так и можно. Чтоб понимали: перед ними не какой-то дьяк, а сама держава, и не чванились.

Действовало всегда, не подвело и сейчас.

Зычный прищурился, потер бороду замотанной в белую тряпицу рукой. И уже тише, без рыка, сказал:

— Я при окольничем помощник, Пров Хватов. Ждать тебе пришлось не от невежества, а от великой Федора Львовича занятости. Он его царскому величеству донесение писал. Это дело благоговейное, отрываться от него нельзя — урон государевой чести. Ныне Федор Львович писать закончил, может тебя принять. Идем, дьяк. Скажи только, с чем пожаловал.

— Ему и скажу. Погоди, не один я.

Трехглазый стукнул в окно, подзывая Ваньку.

Пошли следом за Хватовым.

Репей шепнул:

— Полуэктов был у самого хозяина. Провел там до получаса. Подавали угощение: яблочный сахар, медовые коржи, вино мальвазею. Потом Полуэктов вышел и никуда больше не заходил. Значит, окольничий его и опоил. Больше некому.

Маркел молча кивнул. Ему стало не по себе. Далеконько сыск забрался! Высоконько угнездилось воровство! Тут тебе и монетная чеканка мимо казны, и душегубства, и, конечно, злодейский заговор. А во главе — бывший царицын придворный, кремлевский житель, соначальник главнейшего приказа. Ну, будет шума...

Помощник окольничего вел их чередой комнат, и каждая была дивнее предыдущей — видно, так задумывалось нарочно, чтоб гость поражался все больше. Нет, пожалуй, подобного великолепия нет и у самого государя. В царском дворце утварь и убранство не новые, что-то за годы потускнело, что-то обветшало, а у Курятева всё новехонькое, самолучшее, яркое, с сиянием. Идешь — будто попал в сказочный терем.

Первая комната была белая с синим, голландская, с изразцовыми печами и цветастыми шпалерами; потом персидская, вся в коврах; потом фарфоровая — сплошь в вазах, кувшинах, настенных блюдах; потом серебряная — всюду стеклянные шкафы со сверкающими кубками. По белоснежной каменной лестнице поднялись в парчовую залу, увешанную драгоценным оружием, где Хватов велел казенным людям обождать, а сам скрылся за палисандровой дверью.

— Чего жмешься? Не робей, воробей, — подмигнул Маркел пришибленному таким богатством ярыжке. — Вор затем и ворует, чтоб богату быть. Ты понял, отчего у него хоромы снаружи бедны? От опаски. Кабы Курятев стал свои прибыт-

ки улице выказывать, поехал бы мимо государь или тот же Милославский да спросили бы: а с чего это Федька пышно обитает? Внутрь же они не зайдут, им недосуг.

Высунулся Хватов.

— Зайди, дьяк. Твой служка пускай тут ждет.

— А ты мне не указывай. Знай свое место.

Властно отодвинув челядинца, Трехглазый прошел в дверь. Репей за ним.

— Ничему не удивляйся. Делай, как скажу, — шепнул дьяк.

Этот покой, похожий на златой ларец, был еще богаче прежних, но Маркел по сторонам не смотрел, только на стоявшего посередине человека.

Тот был молод, лет тридцати, лицом надменен и бел, холеная бородка расчесана надвое, руки небрежно сцеплены на сытом пузе. Не поздоровавшись, а только окинув презритель-

Суббота. БОЖИЙ ПРОМЫСЕЛ

ным взглядом потертый суконный кафтан дьяка, ярыжку же вниманием не удостоив, окольничий лениво спросил:

— С каким ты ко мне делом, старче?

— Спрашивал я у него, Федор Львович. Не говорит, — встрял Хватов. Он поместился между посетителем и Курятевым, словно оберегая господина.

Что ж, Маркел тоже обошелся без здравствований, а сразу взял быка за рога:

— Был у тебя сегодня голова Денежного двора Кирилл Полуэктов. За какой нуждой?

Полное лицо окольничего гневно исказилось.

— Кто ты таков меня допрашивать? Ты — городской дьяк, а я судейский товарищ наипервейшего, вседержавного приказа! Чинов не знаешь?!

— Сегодня у тебя чин, а завтра коровий блин. То решать государю. Я тебе сейчас былину расскажу, а ты послушай... Ночью стража застрелила воришку, который залез в некий дом и утащил оттуда мешок. В мешке сто двадцать новочеканенных медных рублей, а в доме, откуда покража, живет купец, держит меняльные лавки. Мы сыскали, что рубли эти купчина получил не на Денежном дворе, а у тамошнего мастера-чеканщика, который делает монету сам, воровским обычаем. Того мастера пробовал от нас укрыть не кто-нибудь, а сам монетный начальник Полуэктов. Значит, он и есть тому злодейству потатчик, рассудил было я, да ошибся. Есть еще некто повыше. Сведали мы, что Полуэктов побежал к тебе, Федор Львович. Потому я тебя и расспрашиваю. А еще знай, что дело это душегубительное. Случилось уже два убийства. Мастеру-чеканщику ныне кто-то перерезал глотку, а Полуэктов, вернувшись от тебя, пал в корчах и помер. Отравлен.

Курятев слушал, не перебивал, лишь сторожко помаргивал. Желает знать, много ль мне известно, понял Маркел. Ну послушай, послушай. Главная сказка еще впереди.

— Сам он и отравился, вор! — вскричал окольничий. — Не хотел я сор из избы выносить, но, коли произошло такое страшное дело, расскажу тебе, Маркел Маркелович, всё как есть.

Ишь ты, по отчеству стал звать, внутренне усмехнулся Трехглазый.

— Твоя правда, дьяк. Был у меня Кирилка Полуэктов. Но про воровство утаил. Попросил отпускную грамоту, из Москвы отъехать. В поместье-де у него дом сгорел. А поместье у Полуэктова под Псковом, близко от ливонской границы. Ясно мне теперь: сбежать он хотел. Но я разрешения ему не дал, а выбранил да погнал службу служить. Вот он с безысходности и потравился, чем на дыбе висеть и после на плаху идти. Виноват я, конечно, что плохо за Денежным двором доглядывал, но не тебе с меня за то спрашивать, не тебе и отвечу.

— За монетный недогляд — не мне, то дело государево. А вот за смертоубийства с тебя спрошу я. Это уже мое попечение, — сказал Маркел, очень довольный, что Курятев наврал при свидетелях. Ванькина служанка покажет, что хозяин Полуэктова не бранил и не гнал, а угощал вином.

— Ты с кого это спрашивать собрался? — Хватов шагнул к Маркелу, грозно занес кулачище. — Ты как с боярином говоришь, пес?

Трехглазый мигнул Ваньке, скромно стоявшему в сторонке. Тот подскочил к детине сзади, перехватил горло, завернул за спину левый локоть — молодец, запомнил про левшу. Ярыжка был невысок, но силен, ловок и свое дело знал. Из его цепких рук еще ни один вор не вырывался. Не вышло и у Хватова — лишь задергался.

Курятев от неожиданности попятился, разинул рот.

— Гляди, что покажу, — сказал ему Маркел.

Взял Хватова за правую руку, обмотанную тряпицей, содрал, вывернул ладонью вперед. Там явственно виднелся след укуса.

— У убитого мастера Фрола Рябого зубы были в крови. Кто-то обхватил его сзади, внезапно. Правой рукой зажал рот, чтоб не крикнул, а левой перерезал горло, но Фрол убийце успел прокусить ладонь. Я как твоего помощника увидел, сра-

Суббота. БОЖИЙ ПРОМЫСЕЛ

зу приметил: дверь открывает левой рукой — стало быть, левша, а десница перевязана...

— Собака меня цапнула, дворовая! — прохрипел Хватов.

— А ежели я у покойника слепок с зубов сделаю и к твоей руке приложу? Да еще велю у тебя обыск учинить и найду кривой нож с клинком в шесть-семь вершков? Ты где жительствуешь, Пров? Не в Зарядье ли?

Хватов, только что бывший багровым от прилившей к лицу крови, побелел. Не ответил.

— Так я и думал. Когда меняла напугал Рябова, мастер поджег дом, чтоб сокрыть улики, и побежал к тебе в Зарядье. А ты решил, что такому свидетелю хорошо бы заткнуть рот. И заткнул.

Хватов кусал губы, молчал.

— Верно он говорит, Пров? — Окольничий схватился за голову. — Неужто я змею на груди пригрел? Неужто доверял злолукавому аспиду?

— Федор Львович! — возопил тот. — Да я же...

И осекся. Маркел краем глаза приметил, что Курятев подал своему пособнику некий знак.

Хватов понурился, глухо сказал:

— Сатана меня с пути свел... Прости, боярин.

— Лиходей! Супостат! То-то ты нынче поздно явился! Человека зарезал, живую христианскую душу! И Полуэктова отравил! Ах, зверь окаянный! Да за одно медное воровство тебя надо было бы лютой казни предать, но ты еще и дважды убийца!

Обращался окольничий вроде бы к Хватову, но косил глазом на дьяка — верит ли. Маркел сочувственно кивал. Спросил:

— Так, значит, не было Прова с утра на дворе?

— Не было. Всего час как явился, и свидетели тому есть, вся прислуга, — с готовностью подтвердил Курятев. Был он уже нисколько не горд, а угодлив.

— Тогда отравление тебе на него не свалить. — Трехглазый удовлетворенно пристукнул по полу костылем. — Полуэктов раньше ушел. Это ты, Федор, его мальвазеей отравленной напоил. То-то он всё лепетал: «Ма... ма...». А перед тем, как испустить дух, молвил: «Мальвазеей Курятев меня попотчевал». Многие слышали. Я тогда не понял, про что он. Теперь ясно.

Ничего такого Жаба перед смертью не говорил, но сейчас надо было докрушить окольничего. И лучше наедине, с глазу на глаз.

— Что там? — показал дьяк Ваньке на малую дверцу в стене. — Посмотри-ка.

Ярыжка закончил вязать Хватову руки его же красным кушаком. Сходил, заглянул.

— Нужный чулан. Ишь ты, с золотым седалищем!

— Запри его там.

Подручный, похоже, был крепче своего господина — вон как попытался взять на себя всю вину. Он и сейчас, толкаемый в спину, крикнул:

— Федор Львович, не давайся!

Дверца захлопнулась, лязгнул засов.

Но Курятев от первой растерянности уже оправился.

— Пошто распоряжаешься в моем доме, мелочь худородная? Кто ты и кто я? Меня всюду сам Илья Данилович ставил! И к царице, своей дочери, и в Приказ Большой Казны! С ним и буду говорить, а не с тобой!

— Будешь-будешь. Спросит с тебя боярин за твое воровство. Он тебе верил, ему и ответишь. А пока что, Федор Львович, ты в моей воле.

Трехглазый взял его за рукав, но Курятев вырвался.

— Я окольничий! Ты меня без царского указа брать за стражу не можешь!

Что правда, то правда, не было у Маркела власти, чтоб такую персону собственной властью сажать под караул. Схватить окольничего можно только по письменному указу, с государева согласия. А пока Курятев сам во всем не повинился, указа не получить.

Хозяин увидел, что дьяк колеблется — осмелел еще больше. Начал звать слуг:

— Эй, кто там! Ко мне!

Суббота. БОЖИЙ ПРОМЫСЕЛ

С первого раза голос дрогнул, сорвался. Хотел Курятев крикнуть громче, но Маркел не дал. Размахнулся костылем, да врезал по скуле — окольничий полетел на ковер, схватился за ушибленное место, от ошеломления даже не заорав.

Трехглазый прижал здоровым коленом грудь лежащего, костылем сдавил горло.

Зашипел, наклонившись, в расширенные от ужаса глаза:

— Указ уже пишут, сейчас доставят. А мне должно тебя покуда стеречь, чтоб ты не сбежал или чего с собой не учинил. Сам знаешь, какой после таких дел тебя ждет допрос. Сначала на дыбе подтянут, плечи из суставов выдернут. Потом кнутом по спине, горящим веником по ребрам. И так до трех раз, даже если во всем сознаешься. Порядок есть порядок. Положено трижды спрашивать, не спознается ли еще что. Если же ты повинишься в винах допрежь того, как тебе прочтут царский указ, тогда к пытке тебя не потащут. Избавишься от мук. Может, даже жизни не лишат — государь милостив и боярину Милославскому ты не чужой. Думай, Федор. Только торопись. Если мне указ доставят, я тебя слушать уже не стану. Поздно будет... Видел ты, как люди на дыбе висят? Слышал, как хрустят, рвутся суставы? А я и видел, и слышал. Страшно это, даже со стороны...

— Не надо меня к пытке! — простонал окольничий, всхлипнув. — Всё расскажу, во всём покаюсь. Будьте оба свидетели: я до царского указа, доброй волей и чистым сердцем! Что ж мне одному за чужое терпеть? Я ведь не сам, не своей волей...

Маркел оглянулся на Ваньку: слушай в оба, запоминай.

— Только не ведите меня к Илье Даниловичу, ведите в свою земскую тюрьму, Христом-Богом молю! — плачуще попросил Курятев. — И караул поставьте крепкий. Иначе убьет он меня. Не допустит к суду!

— Да кто? Кто тебя в тюрьме достанет?

Окольничий прошептал:

— Он самый и достанет, Илья Данилович... Всему он заводчик. Потому меня, своего доверенного человека, и приставил к монетному делу. От великих тех деньжищ мне перепадает малый ручеек, а река к боярину Милославскому утекает...

И сбился, зайдясь рыданиями.

Маркел поманил Ваньку. Зашептал:

— Ты вот что лучше. Беги к судье Елизарову, доложи: так, мол, и так, открылось великое медное воровство, а голова тому воровству окольничий Федор Курятев. Про Милославского ни-ни! Иначе Елизаров напугается, к государю не поедет. А так он захочет отличиться, понесется быстрее ветра и добудет указ. Давай, лети!

Парень ничего больше не спросил — толковый. Подхватился, кинулся к двери. А дьяк потрепал плачущего Курятева по плечу.

— Говори! Как на духу говори. Ничего не бойся!

Легко сказать — не бойся. Трехглазому и самому стало жутко. Это же вообразить неможно! Сам Илья Милославский, наиближний к государю вельможа, почти что отец, кому о державе Бог велел заботиться — и вор? На что это ему? Каких еще в таком положении надобно богатств? И ведь старик уже — скоро на небесный Суд идти... Воистину нет беса сильнее алчности.

— Что я мог? — жалобился окольничий. — Я при Илье Даниловиче сызмальства. Еще отец-покойник при нем служил. И я всю жизнь от него кормлюсь. В кулаке я у боярина. Сожмет — только хрустну.

— Ты объясни, как у вас оно устроено. Кто еще в промысле участник?

— Это долго будет...

И Курятев приступил к рассказу, слушая который Маркел приходил во всё большее изумление.

У Милославского дело стояло размашисто. С мастером Рябовым обломилась лишь малая ветка сего пышного древа.

Имелись там и иные мастера — гривенные, копеечные, и давали они доход много щедрее, чем рублевая чеканка, ибо на среднюю и мелкую монету спрос гораздо больше. Менял насчитывалось до сорока человек, по всем торговым городам. Особые люди доставляли с государевых рудников монетную медь. Мимо казны денег шлепалось не меньше, чем на государевых денежных дворах.

Только благодаря своей ухватистой памяти мог Трехглазый запомнить столько имен, цифр, мест. Удивительно ли, что в стране разорение, а в народе ропот, думал Маркел, цепенея от услышанного. Какой урон государству! А какой ущерб царскому гербу! Раньше люди видели образ двуглавого орла или Егория на коне — и доверяли, как иконе. А ныне монеты с царской печатью брать не хотят, плюются.

Каких-то мелочей Курятев не знал или не помнил. Тогда говорил, что надо спросить у Хватова — он правая рука и за всеми досмотрщик.

— Допросим, допросим, — повторял Трехглазый, мысленно ужасаясь. Хватова-то допросить не штука, но кто спросит с царского тестя, родного деда государя-наследника? Тишайший самодержец? Навряд ли...

Вдруг приотворилась дверь, в нее просунулась Ванькина голова.

— Ты уже? — удивился дьяк такой скорости.

Это ведь надо было добежать до приказа, растолковать великую весть судье, который нравом робок, а разумом небыстр, да чтоб Елизаров попал к царю, да пока в государевом Приказе тайных дел напишут бумагу.

Должно быть, внимая сбивчивому рассказу, всё обогащавшемуся новыми подробностями, Маркел потерял счет времени.

Репей ответил не ему, а кому-то сзади:

— Здесь они, боярин!

Дверь распахнулась шире, ввалились ражие молодцы в одинаковых зеленых кафтанах, четверо. Подхватили под руки Трехглазого, оттащили к стене, прижали так, что он не мог шевельнуться.

Суббота. БОЖИЙ ПРОМЫСЕЛ

Вошел тщедушный старичок с узким лисьим лицом. Был он в златотканой шубе до земли, в высокой горлатной шапке, сдвинутой набекрень, будто ее надевали в спешке. Старичок пыхтел, пучковатая бороденка подпрыгивала, редкозубый рот шумно хватал воздух.

Царского тестя Маркел раньше видел только издали и, может, не признал бы, но у скрутивших его слуг на шапках спереди золотился лев — герб Милославских.

Илья Данилович — а это был он, больше некому — подошел к лежащему Курятеву, пнул его ногой, плюнул.

— Баба ты, Федька. Чего напугался? Кого? Полезных людишек сгубил: мастера-чеканщика, Кирьку Полуэктова. Почему сразу ко мне не пошел, дурень?

— Гнева твоего устрашился... — Окольничий приподнялся, но не встал на ноги, а остался на коленях. — Думал, сам приберу, подзачищу, тогда и доложу... А чеканщика кончил не я, это мой холоп Провка, собственным умишком.

Боярин плюнул еще раз, теперь прямо в лицо Курятеву, который не посмел утереться.

— Дубина твой холоп! Шкуру с него содрать! А и ты не лучше. Гляди, Федька, чтоб не позднее завтрева на месте Полуэктова был надежный человек! И рублевого мастера пусть найдет, сразу же, иначе мне от простоя убыток.

Маркелу бы поражаться на такие речи великого государственного мужа, ведущего воровские речи при стольких свидетелях, но Трехглазый смотрел только на Ваньку. Не мог взять в ум, почему тот здесь, с Милославским. Как оно всё вышло?

— Тебя перехватили по дороге?

Репей, оставшийся подле двери, промолчал. Ответил за него Милославский, словно лишь теперь заметивший Трехглазого.

— Не тушуйся, Ваня. Тебя начальник спросил. Ответствуй.

Ярыжка смотрел на дьяка, не опуская глаз и не моргая:

— Занесся ты, Маркел Маркелыч. Выше неба не прыгнешь. Надо знать, когда пора остановиться.

Голос был тих, но спокоен.

Вон оно, выходит, как. Услышавши, что окольничий Курятев воровал не на себя, а для самого Милославского, парень своим острым умом сразу сообразил, в чем тут выгода. И побежал доносить, благо по соседству...

— Далеко пойдешь, Иуда, — процедил Трехглазый. — Я думал, ты человек, а ты падаль.

Репей, кажется, хотел ответить, но при боярине открывать рот не осмелился.

За него вступился Милославский:

— Ты на парня напраслину не возводи. Он смекалист, но совестлив. Я это в людях ценю. Что далеко пойдет — это правда, уж я о том позабочусь. Но и ты, Маркелка, не пропадешь. Когда он мне про твои козни рассказал, я сначала, осерчавши, захотел тебя в прах растереть, а Ваня мне отсоветовал. Он твое добро помнит. «Дозволь, говорит, батюшка-боярин, слово молвить. Ты на дьяка не гневись, он свою службу исполнял, и никто, кроме него, той службы не ведает. Пожалуй, говорит, его своей милостью. Получишь полезного помощника». Вот как он о твоем благе печется, а ты его бранишь.

Илья Данилович подошел ближе.

— Совет хороший. Я о тебе и раньше слышал, что ты остер, ушл, нюхаст. Зятюшка как-то рассказывал, будто есть у тебя некое всепроницающее око, оттого тебя и прозвали Трехглазым. А и должность у тебя нужная. Помогай мне, стереги мои пользы, чтоб нынешняя оплошка впредь не повторялась. Медный промысел у меня широкий, за всем уследить трудно. Вот ты бы и приглядывал. А я тебя за то в люди выведу. Погляди на свой кафтан, дьяк. У меня холопы богаче ходят. Жил ты доселе голодранцем, а ныне спознаешь настоящий достаток. Служи верно — не пожалеешь. Если какая докука, будешь прямо мне докладывать. За мной, как за стеной.

Маркел тщетно выворачивался из крепких рук.

— Я на своей службе крест целовал, перед Богом и царем! И доложу я не тебе, боярин, а государю — о твоем лютом воровстве!

Суббота. БОЖИЙ ПРОМЫСЕЛ

Ничуть Илья Данилович не напугался. Даже хихикнул.

— Ой, страх какой. Если и доложишь — что будет? Ну, осерчает Алексей Михайлович, ножкой топнет, стукнет меня раз-другой палкой. Такое и прежде бывало. Я поплачу, скажу: прости, зятюшка, ради внуков. Он велит меня неделю иль две на порог не пускать, а потом доченька умолит, царь и простит. Он гневлив, да отходчив. — Милославский еще немножко посмеялся, должно быть, вспоминая какой-то прежний случай, но закончил без улыбки: — Да только ничего государю ты не доложишь. Если ты не со мной, не бывать тебе больше дьяком. Кто тебя тогда во дворец пустит? Не глупствуй, Маркел. Подумай.

— Я и думаю! — воскликнул Трехглазый. — Но и ты, боярин, подумай. Мне по моей службе со всей Москвы доносят: брожение в человеках от медной монеты, великая злоба. Людям невозможно жить. Про власть говорят худое, вспоминают, как во время Соляного бунта на Кремль всем народом ходили. Мятеж будет, боярин! Барыш барышом, но ведь ты при государе самый близкий советник! Кому как не тебе государство блюсти? Москва поднимется, а за нею, не дай бог, вся страна — что тогда будет? Новая Смута? Мы с тобой люди старые, мы помним, каково это бывает, когда валится государство! Неужто ты этого хочешь?

— Авось не повалится. Убережет Господь. — Илья Данилович поискал глазами образа, перекрестился на них. — И народом ты меня не пугай. Я его знаю, наш народ. Он подобен корове. Доишь его, три шкуры дерёшь, а он мычит, да не бодается. Хороший народ, смирный.

— Это правда. Народ подобен пасущейся корове. — Маркел заговорил еще горячей. — Спину коровы облепили оводы и слепни, сосут из нее кровь и думают, что корова ихняя, потому как они сверху, а она снизу. Но мнят они это напрасно. Корова терпит, пока на лугу есть трава и кровососы не слишком больно жалятся. Закончится трава — корова пойдет искать другое пастбище. А коли насекомые твари чересчур осатанеют — корова прихлопнет их хвостом. Гляди, боярин. Много крови сосете. И трава на лугу кончается.

— Что мне твои враки слушать? — осердился Милославский. — Выбирай: или будешь подо мной, или из приказа долой. А чтоб не ходил, языком не болтал, я тебя в тюрьму приберу.

— За что?

— Вины сыщутся. Твой же подручный на тебя покажет. Присягнешь, Ваня, что дьяк государеву особу хулил?

— Что прикажешь, то и исполню, — твердо сказал Репей.

— Теперь повтори то же ему прямо в глаза, не дрогнув.

Ярыжка бестрепетно повернулся к Маркелу.

— Покорись, твоя милость. Только зря сгибнешь. Плетью обуха не перешибить. А про хулу мне и сильно врать не придется. Ты мне про наши московские порядки много худого говаривал. И про государя — что слаб, что воли в нем нет, и иное всякое.

Суббота. БОЖИЙ ПРОМЫСЕЛ

Живое, востроносое лицо парня сияло ничем не омраченным счастьем — еще бы, такую Жар Птицу за хвост ухватил. И не Ванька отвел взгляд — Маркел.

— То-то. — Илья Данилович хехекнул. — Отпустите его, ребятки. Вижу по роже, что теперь ты, дьяк, нешутейно призадумался. Уяснил истину.

А Трехглазый и вправду уяснил истину, да сам ей поразился.

Вот он, ответ на утрешнее вопрошание Господу — пошто оставил одиночествовать на пороге старости?

А для того и оставил, чтоб был свободен и чтоб на исходе долгой, беспорочной службы не замарал свою честь. Ведь еще малое время назад, хоть третьего дня, куда б ты делся, с хворой женой? Сам-то ладно, иди в тюрьму, коли такой гордый, а с Катериной что? Двор, дом, все животишки отобрали бы в казну, а беспомощной, беззащитной бабе куда деться? Только на соломе сдохнуть. Хороша вышла бы гордость, славное еройство.

Или ежели бы сын Аникейка был рядом. Тоже и о нем пришлось бы подумать. У нас на Руси сын за отца всегда ответчик. Никуда бы ты, Маркел, от бесчестья не делся. Закряхтел бы, ночью сон потерял, а ради сына впрягся бы в воровскую упряжку.

Но на то он и есть, промысел Божий. И ни на кого Господь не налагает испытания выше душевной силы.

Жена упокоилась, ныне она с ангелами. Аникейка от Милославского далеко, в Сибири не достать. Один ты на земле, Маркел Маркелов, а вернее, только двое вас: ты и Бог. Кроме себя и Его, предавать некого.

Боярин, дурак, вздумал богатством соблазнять. Зачем оно в пустой хоромине одинокому старику, который будет про себя знать, что он вор и мерзота?

И стало Трехглазому вдруг очень легко, будто он скинул с плеч тяжелый груз и от свободы весь разогнулся, распрямился.

Ну, принимай раба Твоего, Господи.

Маркел шагнул к Милославскому и — уж пропадать, так пропадать — влепил его боярской светлости с размаху крепкую затрещину. Получилось ушлеписто, звонко. С плюгавого Ильи Даниловича соскочила горлатная шапка, а сам он отлетел в другую сторону, опрокинул табурет, не устоял на ногах, растянулся.

Маркела, конечно, схватили в несколько рук, согнули в три погибели, но он не охал, а давился смехом.

Ой, любо!

Будет что на дыбе вспомнить, чем на плахе утешиться.

Воскресенье
НУ И АМИНЬ

И только выйдя на плешивый косогор, откуда открылся вид на синюю полосу бора, светло-серое поле и черную змейку ручья, поглядев на белые стены и золотые купола монастыря, но еще не узнав и не поняв, лишь как-то сосредоточившись сердцем, Мартирий внезапно со всей ясностью угадал, что сюда-то дорога и вела, здесь долгому пути конец. Угадал — и обрадовался, и удивился. В нынешнем душевном состоянии он радовался и удивлялся каждый божий день, по многу раз. Потому что каждый день — он и есть Божий, и если б человекам это знание доставалось с рождения, то все бы жили на свете иначе. Мир наполнен чудесами, только нужно уметь их видеть, и нельзя перестать им радостно удивляться.

Но, может, и хорошо, что простую эту науку постигают лишь на исходе жизни. Первым созревает тело, и сначала живешь им. Потом у кого доспевает ум — живет умом. А душа зреет медленно, говорит тихо, и ее голос становится слышен, когда перестает кричать тело и начинает сознавать свою тщетность ум.

Трудно спускаясь по склону, он спросил у встречных мужиков, что за обитель такая. Они сказали: Неопалимовский монастырь. И тут Мартирий объял всю красоту провидения, встал на колени прямо на обочине, со слезами прочел благодарственную молитву Господу за такую отеческую любовь и такой великий подарок.

Вроде брел по Руси куда глаза глядят, а верней, куда подсказывало сердце, у каждой развилки (а сколько их позади!) прислушивался к себе — в которую сторону повернуть, и всегда получал несомненный ответ: туда-то. Еще ныне утром мог пойти налево, к Москве, и очень хотелось, ибо там, слева, золотела-манила отрадная березовая роща, но голос велел идти вправо, и старые ноги повиновались. Теперь же всё. Сердце привело куда следовало, потому что оно, в отличие от разума, никогда не ошибается. Где был рассвет, там будет и закат. Где начиналась дорога, там и закончится.

Мужики, которых он спросил про монастырь, терпеливо дождались, пока божий человек помолится, дивясь слезам, обильно струившимся по его лицу. Потом попросили благословения, и Мартирий с улыбкой осенил их крестом, по три раза каждого. Еще и сказал, как говорил всем: «Гоните от себя злобу и слабость, а Господь на то даст вам сил».

Они помогли ему подняться на ноги.

— Давно ль отстроили обитель? — спросил чернец.

Ответили: исстари так было. Мужики были нестарые, для них и полвека «исстари». А Мартирий помнил Неопалимов шестьдесят лет назад — разоренным, сожженным, черным. Ныне же, воистину подобно неопалимой купине, он нетленно воскрес и стал краше прежнего: белостенный, белобашенный, с дивным храмом и превысокой колокольней, со многими постройками. Неудивительно, что сразу не распознался.

Туда, к бело-золотому сиянию, странник и заковылял, всхлипывая от торжественного умиления. И только оказавшись перед запертыми воротами, озадачился: что за притча? Почему обитель не впускает своего блудного сына, вернувшегося после многолетних метаний? В чем смысл сего знамения?

Ответ пришел сам: как ты при первом взгляде не узнал монастыря, так и он в ветхом старце Мартирии не распознал резвого отрока Маркелку.

Воскресенье. НУ И АМИНЬ

Но всякие запертые врата открываются перед тем, у кого есть ключ. А ключ всегда при себе — молитва.

Опершись на клюку, старик снова опустился на колени.

Восемь лет назад, подняв руку на царского тестя, дьяк Трехглазый, живший еще не сердцем, а разумом, имел тайный умысел. За такое великое и неслыханное преступление полагался великий же сыск. Государь с детства знал Маркела Трехглазого и должен был изумиться столь безумному его окаянству, а изумившись, потребовать расспроса, пускай бы и под пыткой. Тут Маркел и рассказал бы допрашивающим, под запись, страшную правду о медном деле, благо все имена и воровские хитрости ему известны. Такого шила в мешке и сам Милославский не утаил бы.

Одним словом, была у Маркела надежда, что, может, всё еще для него выправится, а не выправится — так хоть не зря пропадешь.

Только не было ни сыска, ни расспроса. Илья Данилович поступил ловчее. Сказал царственному зятю, что в дьяка, воздевшего дерзновенную руку на отца государыни, вселился злой бес. Боярин хорошо знал боязливость тихого самодержца. Алексей Михайлович больше всего на свете страшился нечистой силы и к себе ее не подпускал. Бесноватого дьяка было велено отдать не на допрос в пытошную избу, а на церковный суд, и там, по наущению Милославского, сатанинского слугу приговорили к всеочистительному сожжению на костре, с предварительным отсечением десницы, которая посмела кощунственно оплеушить родственную царскому величеству особу.

Так бы и сгорел Маркел Трехглазый у огненного столба бесполезным хворостом, а потом был бы развеян по ветру, чтоб не осквернял чрева земли своим бесовским прахом, но милосердный государь ради Великого Поста и страстей Господних пожалел хворую душу — велел не освобождать ее от тела, а отправить в дальний святой монастырь на излечение.

Посадили колодника в драную телегу и повезли на север. Через месяц и еще полмесяца доставили на самое Белое море, в суровую Лонгиновскую обитель и продержали там в яме, обритым и закованным, полгода, пока игумен не убедился, что дьявола в узнике более нет. Тогда выпустили, поставили на послушание, а затем приняли и в братию.

Маркел, ставший иноком Мартирием, не противился. Возвращаться ему было некуда, да и не осталось сил на дорогу. За полгода в холодной, сырой темнице он одеревенел суставами, растерял почти все зубы и сделался совсем старик. А пуще всего держало то, что в скудной и строгой пустыне нашлись сокровища, которых в иных местах не было: покой и мудрость.

Во всем Мартирий теперь находил утешение — и в смене времен года, и в любой погоде, и в лае собак, и в шелесте листвы, и в шорохе падающего снега, и в повседневных заботах, и даже в тяготах дряхлеющей плоти. Ведь что такое старческая немощь, если не милость от Всевышнего, смягчающая прощание с жизнью и манящая скорым освобождением от постылого тела?

Однако любоваться красотой Божьего мира и размышлять о вечном у Мартирия времени оставалось немного. Дальний монастырь кормился не дарами прихожан, а своими трудами. Все старцы, монахи, послушники исполняли работу. Немощные переписывали священные книги, сильные и умелые ловили рыбу и пахали скудную землю, калечные и убогие ходили по дорогам, собирали подаяние. Из-за хромоты Мартирию милостынного послушания не давали, работать в поле или в море он не мог, почерк для перебеливания книг у него был недовольно красив, зато он хорошо понимал людей — какая от кого может быть польза и какой вред. Потому что от каждого человека, если он не святой праведник, бывает и то и другое. Приставили кого-то к делу, на которое он не годен, — выйдет лихо. Соединили двух братьев, несовместных нравом, — выйдет сва-

Воскресенье. НУ И АМИНЬ

ра. Если же всяк инок своей работой доволен и окружен лишь теми, с кем ему отрадно, то и дело спорится, и в обители лад. Истинно рёк Григорий Богослов: искусство искусств и наука наук — руководить человеками, созданиями разноличными и разномысленными. Игумен Корнилий эту мудрость в Мартирии разглядел и поставил его при себе келарствовать.

Пастырь старого монаха отличал, братия чтила. Чего, казалось бы, еще? Мирно дожить последнее, да утихомириться на завидном кладбище, среди агнцев.

Давно открыто отцами-вероучителями, что монаху для достижения блаженного покоя надлежит избавиться от шести сует и двух слабостей. Суеты, они же любия, таковы: сребролюбие, чреволюбие, блудолюбие, гордолюбие, гневолюбие и тщелюбие, а слабости — уныние и печальствование. Из сих восьми ступеней старец Мартирий поднялся на семь. Оставалась только последняя, самая трудная: бывало, что отец келарь печальствовал — о несбывшемся.

Эта слабость его в конце концов и одолела.

На девятый год зашевелилось в душе что-то беспокойное, мешающее спать по ночам. Однажды весной, на рассвете, поднялся Мартирий от птичьего крика, выглянул в окошко кельи и увидел клин гусей, возвращавшихся после зимовки. Подумал: где они только не были, чего только не повидали. Потом сказал себе: ты тоже на царской службе много где побывал, многое повидал. Хватит с тебя.

И вдруг почувствовал: нет, не хватит. Чего-то самого важного Господь ему не показал. А хочет. Оттого и столкнул с ложа на рассвете. Уходить надо. Куда, зачем? — этого Мартирий не понял и не тщился понять. Господь покажет и куда Ему надо приведет.

Раньше, живя разумом, Маркел Трехглазый заколебался бы, начал семь раз отмерять, а старец Мартирий в тот же день пошел к игумену: так, мол, и так, отче, был мне зов идти в мир, благослови.

Корнилий расстроился, заплакал. И жалобил — нехорошо-де братию бросать, и улещивал — я-де думал скоро в схиму уходить, а в игумены тебя поставить, и пугал — куда тебе идти, хромому, пропадешь. Мартирий тоже плакал — он в старости стал на слезу легок, но от решения не отступился. Ничего, сказал, поковыляю неторопко, мне спешить незачем. А помру по дороге — значит, так Богу нужно.

Назавтра же ушел. И брел с мая по сю осеннюю пору, обойдя много волостей, истоптав три пары лычных калиг.

Странника всюду кормили, всюду давали кров, в иных местах просили остаться, но он нигде надолго не задерживался. Словно леска, тянущая пойманную рыбу, вела монаха некая сила через леса, поля, холмы, речные переправы. И все время на юг. Он стал думать — уж не в Москву ли, на пепелище прежней жизни, но столица осталась в стороне.

В миру было не так, как в монастыре, а неспокойно, выжидательно. Над Русью опять клубилась смута.

Отец Корнилий многажды говорил: любая перемена и любое новшество — зло, ибо с перемен и новолюбия начался грех. Сатана подучил Еву сделать то, что раньше не делалось, и нарушился Божий порядок, и нет с тех пор ему восстановления. Это в Европе все от добра добра ищут, вечно желают новых удобств и богатств, а тем ли душа жива? Вот русский народ новобесия не приемлет, а держится за старину, за то и возлюблен Господом паче прочих.

Но никто теперь по-прежнему жить не хотел, потому что не стало мочи. Во всех селах говорили об одном и том же: что объявился на Волге казачий атаман Степан Тимофеевич и идет всех спасать, а с атаманом царевич Алексей Алексеевич, про которого дьяки врали, будто он помер, и свергнутый патриарх Никон, враг боярам. Крестьяне, у кого останавливался старец, все тому радовались и только ждали указа от избавителей, что уже можно воевод бить, а дьяков вешать. Многие перестали пить вино, чтоб не пропустить гонцов от атамана, царевича и патриарха. Эта трезвость была тревожней всего. Шел Мартирий по Руси и молился: скорей бы помереть, чтоб не увидеть на земле самого страшного — новой Смуты.

Воскресенье. НУ И АМИНЬ

Брел-брел и прибрел к месту, памятному по прежней Смуте. Замкнулось колечко. Видно, тут и призовет Господь.

На коленях перед запертыми воротами он то молился, то вспоминал минувшее, и длилось это, может быть, долго, а может быть, и нет — на склоне лет Мартирий совсем перестал считать время. У Бога времени не бывает, у Него одна мера: вечность. И видел монах перед собой не землю, к которой нагибался в поклонах, и не свод небесный, когда возводил очи горе, а всю свою длинную жизнь, отсюда начавшуюся и сюда же вернувшуюся.

Очнулся старик, когда высоко и близко загудел колокол на невидимой за стеной звоннице. И сразу же заскрипели, открываясь, кованные железом створки.

Должно быть, нынче воскресенье, догадался Мартирий, в дороге сбившийся с порядка дней. Есть обители с таким уставом (он называется «сокровенным»), когда в торжественную воскресную обедню двери замыкают и служба идет только для своих, званых и избранных. Это великое таинство — сокровенная обедня.

Озадачило странника иное, неожиданное: привратник оказался привратницей. Глядя на старуху в черном монашеском одеянии, Мартирий спросил:

— Сестрица, неужто монастырь женский?

— Знамо, какой еще? — неприветливо ответила та.

Он заколебался. Как же ему тут обитать? Неужто он ошибся, что найдет здесь последний покой?

— Войти-то можно?

— Входи, коль Господь привел.

Внутри Мартирий огляделся и ничего не узнал.

Монастырь, по всему видно, был богатенький. Посередине двора сиял пятью золотыми куполами храм. Над ним торчала колокольня — заломило шею смотреть, какая высокая. Там, где когда-то под разрушенной стеной разбили лагерь литовские ратные люди, теперь белели крепкие каменные палаты. От старого времени уцелела только трапезная, к которой монах и направился, потирая рукой занывшее сердце.

Здесь когда-то он жил, здесь учил божественные книги, здесь в страшную ночь лишился всех, кого знал, и остался на свете один.

Но и трапезная была не такой, как помнилось по детству. Тогда казалось, что она велика, а сейчас словно съежилась и вросла в землю, придавленная пышным храмом и колокольней. Просто дом, только что каменный. Правда, не облупленный, как тогда, а свежебеленый и с зеленой железной крышей. На двери почему-то замок.

Однако надо было узнать, можно ли здесь остаться.

По пыльной рясе, по куколю, по заплечному мешку, по клюке в Мартирии распознавался божий странник. Монашки глядели на него почтительно, некоторые подходили за благословением. Насмотревшись на трапезную, навздыхавшись, он попросил тихую, милого вида инокиню отвести его к игуменье. Пока шли, расспросил — что матушка, сурова ли.

— Слава Богу строга, — смиренно ответила черница. — По грехам нашим так оно и должно. Но ты, старинушка, не робей. К гостям мать Фотиния ласкова.

Келья настоятельницы стояла наособицу — чистенький домик в дальнем углу двора, за ягодными кустами и цветниками.

— А что у вас тут? — спросил Мартирий про длинный корпус с множеством отдельных крылечек.

— Боярыни обитают, столбовые дворянки — каждая сама по себе. Многие, овдовев или к старости, к нам удаляются, спасать душу. Иные и со служанками.

Теперь стало понятно, откуда у монастыря богатство. Знатным женкам здесь доживать на покое хорошо — недалеко от Москвы, от детей и внуков. Поселяясь, старухи делают щедрые вклады, да и родственники, навещая, тоже, поди, не скупятся на подношения. Ох, не найдется здесь места для нищего калики. Разве что чудо поможет.

О том перед входом и помолился — о чуде.

И что же? Помог Господь.

Матушка встретила северного монаха со всем радушием. Встала из-за стола, на котором писала какую-то бумагу, низко поклонилась, спросила, кто и откуда.

Была она угловата лицом, тонкогуба, взглядом пронзительна — сразу видно, что быстра умом и опытна в людях.

Поговорив с гостем минуту-другую, как следует к нему приглядевшись, сказала:

— Вижу я по лицу и повадке, что человек ты непростой. Кем ты был?

— Монастырским келарем.

— Нет, ранее того. В миру. Я тех, кто привычен к власти, сразу распознаю.

Мартирий рассказал, назвал прежнее имя.

— А-а, слышала про тебя. — В глазах Фотинии мелькнул огонек. — Говорили, ты прибил палкой боярина Милославского.

— Грешен, матушка. Только не палкой — рукой. — И вздохнул, сам удивляясь на прежнюю свою злобивость.

— Так ему, собаке, и надо! Из-за его воровства Медный мятеж случился. Мужа моего, думного дьяка Соковнина, толпа поймала и безвинно била, отчего он, бедный, захворал и помер. За то Милославский сейчас в аду раскаленные сковороды лижет!

Сказав нехорошее, игуменья покрестилась на икону, попросила у нее прощения за злосердие.

— Аминь, — кротко молвил Мартирий, поняв, что из обители его не погонят. Как-нито оно устроится.

И устроилось.

Он сказал матушке, что в этом монастыре жил когда-то отроком и желал бы окончить здесь свои дни. Ежели ему невозможно быть в женской обители, то нельзя ль поставить келью или поселиться за стеной?

— Зачем за стеной? — ответила Фотиния. — Доживай с нами, устав не возбраняет. Мы от мужчин не запираемся. Сюда часто приезжают — сыновья, внуки, братья моих насельниц. Иные живут подолгу. На то у нас заведена гостевня. Поселим тебя, святой отец. Ты, чай, не станешь моих юниц и старушек соблазнами смущать?

Засмеялась. Не такая уж оказалась и строгая. А закончила без улыбки, существенно:

— Помирать у нас хорошо. Тихо, лепо, благостно. Я тебе после наш погост покажу — место себе выберешь.

Стал Мартирий игуменью слезно благодарить, а она сказала:

— Бога благодари, это он тебя призрел.

И то правда.

Воскресенье. НУ И АМИНЬ

Поселился Мартирий очень хорошо. Комнату ему дали темную, с окном, которое заслонял от света густой краснолистный боярышник. Отвлекаться от благочестия нечем, глазеть не на что. Была в келье кровать с соломенным тюфяком, была скамья со столом, на стене — старинная, закопченная лампадным чадом икона. Чего еще?

Еду принесли с игуменьиного стола. Ради воскресенья были тут пироги с осетриной, наваристые щи, сахарный калач. Мартирий таких яств много лет не едал и сейчас не стал. Размочил в молоке хлеба, потер пустыми деснами, а лакомствами угостил монашек. Узнав, что в гостевне поселился старец с Беломорья, многие захотели прикоснуться к святости — на Руси чтут северную аскезу.

Мартирий со всеми говорил, рассказывал мало, больше слушал, потому что, когда люди приходят для разговора, им нужно поведать про свое, а не узнать про чужое. Оно и в миру так, и в монастыре. Самые лучшие наставники и учители не те, кто проповедует, а кто умеет хорошо слушать.

Только к вечеру, на закате, когда колокол созвал инокинь на службу, Мартирий остался один. Вышел в палисадник, сел на скамеечку, стал смотреть на Трапезную.

Вот бы внутрь попасть, а нельзя. Сестры сказали, там теперь не столовая зала, как в древности, а сокровищница, где хранятся денежные, посудные, меховые и прочие вклады. Толстые древние стены надежно укрывают монастырское добро. Войти туда могут только мать Фотиния да с ее благословения ключница, а боле никто.

Сокровища Мартирию были ненадобны, а вот побывать в месте, где окончилось детство и переломилась судьба, перед смертью хотелось. Попросить игуменью он боялся. Не дай бог вообразит что лихое — за ворота выставит. Пусть Фотиния приобыкнет к новому человеку, исполнится доверия — тогда можно.

Ныне же, в первый вечер, просто сидел, глядел, вспоминал.

Вон оттуда, через пролом, которого больше нет, по понеделкам приходила из леса Бабочка, а они с Истомкой радостно кричали ей, перегнувшись через оконницу.

Окно было на месте, только казалось совсем маленьким. Сейчас Мартирий в него нипочём не пролез бы, а тогда, в страшную ночь, спасаясь от Вильчека, вылетел стрелой.

Сколько же лет прошло? Шестьдесят? Пятьдесят восемь. То был семь тыщ сто двадцатый, а ныне уже сто семьдесят восьмой. Долгонько ты на свете зажился, Маркел-Мартирий. Пора и честь знать...

Сидел он поодаль от крыльца, но время от времени туда поглядывал. Кто-то входил в гостевню, выходил — люди всё красно одетые, чинные, на обычных паломников не похожие. Одна монашка, острая на язык и, кажется, недолюбливавшая Фотинию, рассказала, что матушка пускает в монастырскую гостиницу не только родичей здешних насельниц, но и путешественников, которые едут Смоленским шляхом по своим мирским делам, — лишь бы платили деньги, и берёт игуменья за постой немало. Мартирий такую предприимчивость не осудил, а лишь подивился тому, как всё на свете повторяется: и отец Гервасий когда-то промышлял постоем.

Один раз кто-то подъехал верхом, что в Божьей обители и неподобно — положено спешиваться за воротами. Но всадник этого не знал или, может, поленился, а указать было некому, поскольку все монашки, включая привратницу, ушли в церковь. Мартирий разглядел, что человек молодой и ловкий: легко спрыгнул с седла, в дом поднялся быстро, через ступеньку. По алому сапогу стучали серебряные ножны сабли. Может, государев стольник с поручением едет в Москву или из Москвы? Ну и Бог с ним. Ни до казённых забот, ни до самого государя Мартирию в его нынешнем мироотдалении дела не было.

А инокини на службе, оказывается, были не все. Одна старица в чёрном атласном платке и рясе хорошего сукна остановилась перед сидящим.

— Благослови, отче.

Тонколицая, сильно в возрасте, но морщины не бороздистые, а словно нанесённые лёгкой кисточкой. По-девичьи блестящие чёрные глаза смотрели Мартирию в лоб, на низко сдвинутую скуфью.

— Гони от себя злобу и слабость, дочь моя, Господь на то даст тебе сил, — сказал он обычное, крестя черницу (а может, и насельницу — плат поднят высоко, из-под него седые пряди).

Она коснулась губами его руки. Губы были сухие, горячие.

— Злобы во мне не осталось, а слабости никогда не было. Что же до Господа, никогда я от Него ничего не ждала, ни о чем не просила. Однако если бы попросила, то вот об этом: чтоб еще раз тебя увидеть.

Удивленный странной речью, он взглянул на монахиню и подумал: уж не скорбна ли ты, бедная, разумом? Может, поэтому тебя и в церковь не берут?

— Не узнаёшь. — Грустно улыбнулась. — И я б тебя не узнала. Если б Фотиния мне не сказала, что Маркел Трехглазый, о котором когда-то говорила вся Москва, теперь к нам населился. Прошла бы я мимо, и сердце не подсказало бы. Скуфью ты, поди, вне кельи не снимаешь... Дозволь?

Не дожидаясь разрешения, перстами сдвинула ему шапочку на затылок и вдруг просияла нежной улыбкой.

— На месте пятнышко... Сколько раз я его в мыслях целовала... Маркелушка, вправду ты!

Лишь теперь — не по словам, а по улыбке, будто стершей все морщины, — Мартирий ее и узнал.

Когда-то, молодым, он вспоминал ее часто. Потом реже. Наконец совсем перестал и видел, может быть, дважды или трижды во сне, да еще не осознавал, кто это, а просто появлялся некий окутанный сиянием лик, мерцали черные глаза, и сладостно щемило сердце.

Аглая! Господи...

— Смотри своим третьим глазом. Это я, — сказала она, подняла ладонь ко лбу, очень медленно опустила ее вниз, к шее. — Стираю с лица годы. И еще раз... И еще...

О чудо! Лицо стало юным — *тогдашним*. Но радужно озарившиеся черты словно поплыли и закачались. Потрясенный Мартирий не понял, что это от выступивших на глазах слез.

— Теперь дай я тебя узнаю...

Обеими руками, ласково и тоже очень медленно она начала водить по его щекам, носу, подбородку. От этих легких прикосновений Мартирию сделалось радостно, слезы больше не текли.

— Сниму с тебя все полвека, год за годом, как листья с капусты...

Грудь отпустило, взгляд прояснился. Мартирий уже не чувствовал ни потрясения, ни надрыва, ни даже печали — лишь радость.

— Гляди, до кочерыжки меня не облупи, — улыбнулся он, бережно отодвигая ее руки.

Аглая засмеялась.

— Прав ты. Давай смотреть друг на дружку нынешних. Что ушло, не воротишь. Уехал возок по снегу, давно след замело... Помнишь тогда, на дороге-то? Как меня в Псков увозили, а ты на обочине стоял?

— Как не помнить. Последний раз я тебя тогда наяву видел.

— А я после того на тебя еще разок поглядела. Лет пятнадцать спустя, в Успенском соборе, на пасхальной литургии. Ты с женой стоял, меня не заметил. Как я ей завидовала! — Аглая помолчала, вспоминая. — ...Знаю, померла она. Хорошо ты с ней пожил?

— Не сказать чтоб хорошо. Но и неплохо. А ты со своим мужем? Сладилось у вас?

— Нет, не сладилось. Видно, я из тех, кто без любви не умеет. Была я князь-Василию плохой женой. Ни ласки он от меня не имел, ни детей, ни утешения, ни доброго совета. Едет он куда-нибудь по государеву делу — на войну или в далекое посольство, — а я, злыдня, думаю: вот не вернулся бы. Пожила бы я сама по себе, пока еще не состарилась. Стала бы вольная вдова, нашла бы моего Маркела, уворовала бы у судьбы хоть немного счастья... Однажды он и не вернулся, муж-то, да к тому времени я о счастье мечтать давно перестала. Тридцать лет и два года со свадьбы прошло. Овдовела я, поселилась здесь, в тихом месте. Восемнадцать лет живу...

— Воля Божья, — сказал он и хотел перекреститься, но Аглая перехватила его руку.

— Что ж всё на Бога валить? — И черные глаза блеснули то ли горечью, то ли обидой. — А сами мы что? Почему, Маркел, ты меня тогда с собой не позвал? Я пошла бы, не оглянулась!

— Куда? — поразился он. — Ты была княжна, я нищий ярыжка. Ничего у меня не было. Ни кола, ни двора. Только сгубил бы тебя.

— Все равно куда! Хоть в лес глухой. С милым рай и в шалаше — слыхал? Уж всяко лучше, чем жить с постылым в хоромах! Эх ты. Трехглазый, а слепой. И мою жизнь зряшно стратил, и свою.

Никто в жизни Маркелу ничего страшнее не говорил. И ведь права она! Вот Бабочка, покойница, ушла от всех — и была свободна, и не пропала. Главное, ведь и его, дурака, сызмальства научила на воле жить, леса не бояться.

Господи, зачем Ты привел меня сюда? Неужто ради этой жестокой правды? Думал помереть на покое, а какой тут покой с разворошенным сердцем, каждый день горюя о несбывшемся счастье?

И заплакал старый Маркел. И старуха, сидя рядом, заплакала. Да не об одном и том они лили слезы — каждый о своем.

— Прости меня, — молвил он, наконец утеревшись. — И за тогдашнее, и за нынешнее. Уйду я завтра. Не буду тебе душу смущать, от Бога отвращать.

Аглая перестала плакать раньше. Высморкалась, поморгала длинными ресницами — они, как и глаза, остались прежними, не состарились.

— Я тут не для Бога живу, а для моего удобства, — спокойно сказала она. — Никто мне не докучает, забот никаких, игуменья ласкова. Она, Фотиния, ко всем богатым ласкова, а я еще и княгиня, ей лестно. И ты уходить не вздумай. Вот глупости! Завтра приду, буду про твою жизнь спрашивать. Год за годом, по порядку, всё, что вспомнишь. Без спешки. Сколько я, сидючи в запертом тереме, воображала про твои дни, сколько разного напридумывала! А теперь хочу знать, как всё было на самом деле. Ишь, уйдет он, старец премудрый. — Она фыркнула, и Мартирий вдруг вспомнил ее девичье прозвище — Ртуть. — Что удумал! Спокойной тебе ночи, утро вечера мудренее. Завтра свидимся.

Погладила его по льняной родинке еще раз, встала со скамейки, пошла.

А он еще долго, до глубокой темноты, оставался там, растерянный и оглушенный.

Ночью Мартирий не ложился. Уложил в дорожный мешок краюху хлеба, налил в кожаный бурдючок освященной монастырской воды, взял подношения от сестриц — вышитые полотенчики и плетеный поясок. Эти пустяки ему были ни к чему, но нельзя же пренебрегать даренным от чистого сердца?

Уйти собирался до рассвета, в самый глухой час. Ворота будут на запоре, но в них калитка на простом засове — отодвинул да вышел.

Куда брести теперь, было неведомо. Сердце, прежде гнавшее в дорогу, шептало и даже кричало: останься! Но как останешься? Не для того восемь лет монашествовал, удалялся от мирского, жизненного, чтобы на пороге смерти ко всему этому вернуться.

Спасаться надо, бегом бежать. Не то еще помирать расхочешь, а это страшно.

Одну только уступку суечеловеческим чувствованиям решил сделать Маркел. Раз уж судьба привела в Неопалимов, как не побывать в Трапезной — месте, где жил и учился, где сверкал кровавым блеском царский скипетр, где погибла Бабочка, где завязался тугой узел с Вильчеком-Коршуном-Огнеглазом, развязавшийся аж сорок лет спустя.

Монастырская сокровищница, конечно, на запоре, но что это для бывшего мастера сыскных дел?

Когда луна спряталась за тучи и стало совсем темно, Мартирий прихромал к Трапезной и без труда открыл замок согнутым гвоздем — научился когда-то, исследуя тайны воровского ремесла. Во взломе самое хитрое — не открыть дверь, а устроить так, чтобы потом снаружи она казалась нетронутой. Но Мартирий умел и это. Уже изнутри, через щелку, изогнутой веткой пригнул разомкнутую дужку замка обратно. Теперь если кто и пройдет мимо, не заметит, что запор вскрыт.

Трудно вскарабкался по крутой лестнице, которую в детстве преодолевал вбег.

Вот и Дубовая палата, где все случилось. Как раз и луна выглянула, через узкое окно полился неяркий свет. Даже хорошо, что его было мало, иначе стало бы видно, что ныне здесь все по-другому, а так можно не обращать внимания на столы и полки, где темнеют сундуки, мешки, коробы — монастырская казна.

Пол остался таким же щелястым и скрипучим, никто его не перестилал. И дощатая обшивка стен сохранилась.

Мартирий подошел к потайной дверце, за которой когда-то прятался с Бабочкой и Истомкой. Погладил шершавую поверхность, просунул пальцы в выемку — потянешь на себя, и чуланчик раскроется.

Потянул. Дверца хрустнула и неохотно, но отворилась. Изнутри пахнуло пылью, плесенью, древесной трухой — ушедшим временем.

Зажмурившись, Мартирий попытался воскресить прошлое. Как сидел на кортках и Бабочка зажимала ему рот, как блестел скипетр, как скрипел пол под шагами кровавого убийцы...

И будто провалился на шесть десятилетий назад, снова стал мальчиком Маркелкой. Даже явственно услышал звук шагов и скрип.

Шаги приближались, скрип становился громче.

Открыв глаза, Мартирий вдруг понял, что кто-то поднимается по лестнице, сейчас войдет в Дубовую!

Сначала монах, не устрашившись, прочел верную молитву от нечистой силы, отгоняющую любое наваждение. Но звуки не стихли, и тут Мартирий испугался.

Должно быть, сторож все же заметил, что замок висит криво, и зашел проверить! Сейчас обнаружат в сокровищнице божьего странника и доказывай потом, что проник сюда не с воровским умыслом. Ах, срам какой!

С перепугу, а может быть, из-за того, что Мартирий перед тем мысленно обратился в отрока, он сделал то же, что тогдашний Маркелка: нырнул в чуланчик и закрыл за собой дверцу.

Сердце суматошно колотилось, на лбу выступила холодная влага. За что шутишь шутки со стариком, Господи?

Кто-то вошел. Остановился, должно быть, вглядываясь во мрак. Заскрипел дальше.

Мужчина. Неторопливый, но решительный.

Где тут щель, через которую они тогда втроем подглядывали?

Вот она.

Мартирий, стараясь не дышать, приложился глазом к широкому, в пол-вершка, зазору.

Шаги. Чья-то тень, чернее темноты, остановилась напротив окна. Обрисовалась фигура: остроконечная шапка, на боку рукоять сабли.

Человек поставил что-то брякнувшее на скамью, стал снимать кафтан.

Потом всё исчезло. Стало совсем темно.

Мартирий догадался: это завесили окно.

Зачем?

Загадка объяснилась быстро. Щелкнул кремень, высек искру, запалился трут. По сводам загулял переливчатый свет.

Лампа — вот что брякнуло. Окно прикрыто кафтаном, чтоб снаружи не увидели огня.

Нет, это не сторож.

Мужчина стоял спиной, но по алым сапогам, по серебристым ножнам, а более всего по быстрым, точным движениям Мартирий понял: это всадник, что давеча спешился перед крыльцом.

Неужто вор? Вздумал ограбить монастырскую казну?

Но для вора человек вел себя странно. Он расхаживал по залу, светил лампой во все стороны, однако не открывал сундуков, не трогал серебряных кубков, а только озирался.

Вот он подошел совсем близко к тайнику и вдруг замер — кажется, услышал легкий шорох или прерывистое дыхание.

Повернулся к стене, поднял лампу выше, и стало отчетливо видно напряженное лицо.

Мартирий вскрикнул.

Это был Вильчек! Не Огнеглаз и не Коршун, а именно Вильчек, точь-в-точь такой, как шестьдесят лет назад, когда Маркелка глядел на него через эту же самую щель! Нос крюком, брови хищными дугами, усы стрелками, и глаза разные: один светлый, другой темный. Только тогдашний Вильчек был совсем юнош, а этот гляделся постарше, лет на двадцать пять.

— Господи, оборони! — прошептал Мартирий, а мог бы взмолиться и гласно — призрак уже понял, что за досками кто-то есть.

Сильные пальцы вцепились в зазор, рванули, затрещала сорванная с креп дверца, и старец оказался лицом к лицу с восставшим из гроба мертвецом.

Робеть перед кознеи Лукавого — грех, слабость и неверие в Божью Силу. Потому Мартирий сам шагнул вперед — небестрепетно, но бесстрашно.

— Изыди, откуда явился! — сказал он, подняв перед собой наперстный крест. — Не боюсь тебя! Нет у тебя власти волочь меня в Преисподню! За то, что я тебе срубил голову, отвечу не перед твоим отцом Сатаной, а перед Господом на Страшном Суде! Тьфу и на тебя, и на Сатану, троекратно! Изыди! Изыди! Изыди!

Лицо адского жителя, поначалу изумленное, исказилось.

— Срубил голову? Кому? — прошептал оживший Вильчек, выговаривая слова не совсем по-русски. — Уж не... Постой-ка, старик...

Он схватил Мартирия за ворот, посветил и зарычал:

— Пятно на лбу! Ты... Маркел Трехглазый?!

— Был Трехглазый, а ныне Божий служитель, и тебя не страшусь, — твердо ответил монах. — И ненависти к тебе во мне не осталось. Что убил тебя — мой грех, о коем сожалею. Пусть бы лучше Господь тебя покарал, в Свое время.

Рот призрака приоткрылся, белые зубы ощерились.

— Маркел Трехглазый... Наяву! Кто бы нас ни свел — Бог или Дьявол, спасибо ему! А я думал, ты давно издох! Ах судьба, ах затейница! О, великая ночь! Чаял найти сокровище, а получил дар, о котором даже не мечтал!

Исчадие расхохоталось.

— Что вылупился? Вообразил, что пред тобой привидение? Все говорят, что я вылитый батюшка. Семь лет мне было, когда его в телеге привезли: голова от тела отдельно. Сказали — иссек твоего отца московский служилый человек Маркел Трехглазый, и я, мальчонка, затрясся, потому что все детство о тебе слышал. Как ты у отца украл счастье и как выбил ему глаз. А теперь, получилось, отнял самое жизнь. Ах, как тебя боялся, Трехглазый! Воображал свирепым великаном с горящим оком посреди лба. А ты сморщенный старый старичок. Откуда ты здесь взялся? Уж не за тем ли явился, что и я? Но почему столько лет добирался? Я-то ладно, я был маленький, глупый. Догадался, только когда вырос. Но ты-то, ты-то?

Мартирий слушал и не слышал. Мысли плыли, путались. Понял одно: это не сон, не наваждение. Откуда-то объявился сын Вильчека, прибыл в Неопалимов в тот же самый день и ночью проник сюда, в Трапезную. Зачем-то понадобилось Господу, чтобы всё так сошлось и совпало.

Так вот куда и для чего влачила через всю Русь неведомая сила. Не для упокоения, не для встречи с несбывшимся, а ради этого страшного столкновения. Воистину неисповедима воля Господня.

— Что ж, — тихо молвил Мартирий. — Убьёшь меня? Убивай.

И подумал: сжалился Всевышний. Дозволил ещё при жизни ответить за давнее убийство. Уйду очищенным.

— Голову тебе срублю, как ты отцу, — кивнул Вильчёнок (а как было его ещё назвать?). — Но не сразу. Сначала ты мне скажешь: где он? Куда ты его спрятал?

— Кого? — удивился старик, готовясь к смерти.

— Не ври мне! Ты ведь сюда пришёл за тем же, что я. За царским скипетром, за великим червлёным яхонтом! Здесь он где-то спрятан, я догадался!

Мартирий удивился ещё больше.

— А разве его не твой родитель забрал?

Вильчёнок заморгал.

— Нет... Он говорил, что скипетр забрал мальчишка. Сколько раз мне, маленькому, рассказывал — как бесёнок своровал его удачу и она никогда больше не воротилась. Я слушал, верил. И лишь недавно понял то, чего отец в своей обиде на судьбу не понимал. Не мог ты скипетр украсть. Иначе не явился бы ты в Ригу через двадцать лет мелким служкой, а был бы богат. И в Кремль яхонт не воротился. Мне сказывали — другой у вашего царя скипетр, с алмазом, много хуже прежнего. Я догадался, что ты почему-то не унёс с собой добычу. И может быть, она до сих пор спрятана здесь. Затем и явился — искать. И нашёл тебя. Если хочешь быстрой и лёгкой смерти, говори: куда делся скипетр? Где он?

Лязгнула выдернутая из ножен сабля, перед лицом Мартирия сверкнуло лезвие, и он подумал: всё повторяется, как в дурном сне. Опять рок манит лёгкой смертью и опять требует невозможной платы. А ещё вспомнилось, как Вильчек в Риге обозвал его «ворёнком» и в Киеве тоже что-то говорил про подрезанные крылья, да тогда было не до разгадывания загадок.

— Может, и здесь где-то скипетр, не знаю. Все равно мне теперь, — безучастно сказал Мартирий. — Дай прочесть молитву и руби. Правильное здесь для меня место, чтобы умирать. И смерть правильная. Господь хорошо рассудил.

Он с трудом опустился на колени, сложил ладони и зашептал отхо́дную:

— Владыко Господи Вседержителю, Отче Господа нашего Иисуса Христа, иже всем человеком хотяй спастися и в разум истины приити, не хотяй смерти грешному, но обращения и живота...

Сбился — от сильной затрещины с головы слетела скуфья, зазвенело в ушах.

— Брешешь, собака! Раньше, может, ты и в самом деле не знал, а теперь догадался. Затем сюда и прокрался среди ночи. Иначе что тебе здесь делать? А я еще подивился — чего это замок разомкнут? Говори, что исчислил, не то начну тебя рубить мелкими кусками!

Отцовская кровь, подумал Мартирий и попробовал вспомнить ужас, охвативший его в схожих обстоятельствах тогда, в Киеве, но ничего такого не ощутил. Воистину есть время отталкивать смерть, как врага, и время привечать ее, как друга.

Старец поднял с пола скуфейку, водрузил ее обратно на макушку. Оно, конечно, большой важности не имеет, а всетаки духовной особе приличней встретить кончину с покрытой головой.

— Кусками так кусками, — сказал он. — Терзание плоти исцеляет дух. Руби.

— Благостно умереть хочешь? Не выйдет! Свиньей завизжишь! А в смерти будешь поганен — все отшатнутся. Сперва я тебе нос откромсаю!

И схватил монаха двумя пальцами за кончик носа, а руку с саблей поднял.

— Сейчас скажешь, где скипетр? Или уже безносым?

Мартирий смежил веки. Сейчас обрушится удар, обожжет болью, на подбородок польется кровь.

И он услышал звук удара, и лицо залило горячим, но боли не было.

Открыв глаза, старик увидел, что Вильченок стоит, качаясь, а от волос вниз, потоком, струится темная кровь. Взгляд мучителя был мутен, изо рта неслось хрипение. Еще раз шатнувшись, Вильченок сел на пол, а потом тяжело упал вбок.

Над ним с окровавленным колуном в руках застыла Аглая.

— Ты целый, Маркелушко? — спросила она. — Я кралась, доски скрипели, боялась, этот обернется, но он так бесился и орал, что только себя слышал...

У Мартирия с трудом ворочался язык.

— Ты... как... здесь?

— Боялась, что не дождешься ты утра, уйдешь. Решила: буду сторожить. И точно. Вижу — выходишь, но хромаешь не к воротам, а к Трапезной. Вскрыл замок, вошел. Не успела я подивиться, как, гляжу, еще один лезет туда же — вот этот. Я всегда любопытна была, такой и в старости осталась. Подобралась тихонько, подслушала — ничегошеньки не поняла. Но когда увидела, что он тебя грозится зарубить, спустилась во двор, стала дубину искать или каменюку. Смотрю — на поленнице топор, чем дрова колют... О чем вы говорили? Кто этот лиходей? Что за отец, которому ты голову срубил? И про скипетр — что это? Какой такой скипетр? Говори, не то душу вытрясу!

Она и правда взяла его за ворот, но не грубо, а ласково, да всхлипнула:

— Как же я напугалась, что не поспею тебя спасти. Ишь, перемазанный какой. Дай кровь оботру.

Опять не угадал я промысел Божий, подумал Мартирий. Не таков будет мой конец. И не сейчас.

Воскресенье. НУ И АМИНЬ

— Зачем ты человека убила, Аглая? Какой ни есть, а всё живая душа, — молвил он с укором.

Она небрежно пожала плечами.

— Туда ему и дорога. Нашел о ком жалеть. Не знаю, кто он таков, но видно, что аспид, раз собирался беззащитному старику нос резать.

— Забыла, что ты монахиня? Как ты на Божие «Аз воздам» покусилась?

Аглая ощупывала его — проверяла, нет ли где раны.

— Не монахиня я. Просто живу в монастыре. Я шестьдесят семь лет на свете обитаю, а Бога ни разу не видала. Ни в ком и ни в чем. В восходе и закате разве что. Я всегда, если ясная погода, поднимаюсь на Святовратную башню, смотрю, как солнце встает, как оно садится. Люблю. Но это, может, и само происходит, без Бога. Движение светил... Дай шапку сниму, нет ли шишки. Он тебя по голове бил.

Вздохнула:

— Плешивый... Промятина красная на темени. А какой был красивый!

— Я? — удивился Мартирий и спохватился. — Ты что говоришь-то, опомнись! Как это — «само, без Бога»? А прогневается на тебя Всевышний?

Аглая нахлобучила ему скуфью обратно.

— Да нет никакого Всевышнего. А если и есть, то не такой, как думают. На земле все друг друга жрут и только тем живут. Если это устроил Бог, доброты в нем немного.

— Кто ж нас сегодня тут свел? Меня и тебя? Бог. А меня и этого, новопреставленного, — Сатана. Задумайся о том, Аглая!

Он воздел перст, но она не вразумилась.

— Не о чем задумываться, скоро и так узнаем. Мы с тобой старые, нам недолго осталось. Но сколько ни осталось, всё наше, Маркел. Кашу с пирогами жизнь нам не дала, мимо рта пронесла, так давай напоследок хоть киселем посластимся. Будем каждый день рядом. Никому мы не нужны, и нам никто не нужен. Один раньше помрет, другой позже — а повезет, так и вместе, как в сказках сказывают. Положат нас тоже рядышком, я про то в духовной распоряжусь. На любовном ложе вместе не полежали, так в земле отоспимся. Скажи лучше, что это он про скипетр, про червленый яхонт толковал?

Мартирий рассказал всё, как оно было. Про литовского пана Сапегу, про его полюбовницу, про убийцу Вильчека, про Бабочкину лихую смелость, про то, какой бедой тогда всё закончилось.

Аглая слушала и ойкала, охала, ужасалась. Потом начала сыпать вопросами, допытывать подробно.

— Значит, твоя Бабочка схватила скипетр со стола? И потом держала в руке?

Он почесал родимое пятно, вспоминая.

— Нет, за пояс сунула. За спину.

— Когда злодей на нее с саблей наскакивал, а она пятилась, это где было?

Мартирий показал:

— Вон в том углу.

— Потом он свалил ее ударом сабли и кинулся за вами, так? Убил твоего товарища, а ты спасся лишь тем, что Бабочка доползла до убийцы и обхватила его за ноги?

— Да. И крикнула мне: «Беги!»

— Ты ее хорошо разглядел?

— Так хорошо, что посейчас глаза закрою — вижу.

Он зажмурился и увидел: Бабочка на животе, приподнявшись, держит поручника за колени, белые губы яростно раздвинуты, а сзади по полу тянется кровавый след.

— А скипетр у нее на спине за поясом был?

— ...Нет. — Мартирий снова закрыл глаза. — Не было.

— Конечно, не было. Иначе поганый Вильчек его забрал бы. А ну-ка, идем, посмотрим. Вот так она ползла — оттуда туда?

Подняв упавшую, но не погасшую лампу, а также зачем-то подобрав саблю, Аглая отошла в угол и опустилась на четвереньки. Поползла по полу, освещая щели. Иногда совала меж досок клинок, ворочала им, переползала дальше. Мартирий наблюдал, качая головой. Подошел, взял за рукав.

Воскресенье. НУ И АМИНЬ

— На что оно тебе? Суета одна.

Аглая отмахнулась: не мешай.

— Ну-ка, что это? Дай колун!

Сунула топор лезвием в широкий, двухвершковый зазор, навалилась. Затрещало рассохшееся дерево, доска приподнялась.

— Гляди!

Мартирий наклонился.

Луч осветил толстый слой пыли. Сверху на нем лежал мышиный скелетик, но внизу что-то тускло посверкивало.

— Ага! — торжествующе прокряхтела Аглая, опуская вниз руку. — Вот он где прятался! Это твоя Бабочка его в щель протолкнула! Так здесь и провалялся! Прямо как в Писании: ляжет в прах блестящий металл.

Вынула узкий предмет, невзрачный, похожий на серую палку. Обтерла рукавом — и вспыхнуло золотое сияние. Очистила навершие, подышала на него, погладила ладонью — загорелись багровые искры.

— Красота какая! — ахнула Аглая. — Мой муж одно время был царским оружничим, показывал мне великие сокровища, но подобного яхонта я не видывала и в Оружейной палате! Видно при Иоанне Васильевиче Московское царство было богаче, чем теперь. Знаешь ли ты, какая сему камню цена? Десять дворцов построить можно.

Она, любуясь, вертела скипетр и так, и сяк, но Мартирий глядел не на блестящую палку, а на то, как по старому, прекрасному женскому лицу скользили цветные блики.

— И на что нам теперь это богатство? — Аглая усмехнулась. — Если б тогда, пятьдесят лет назад. Уехали бы мы с тобой, Маркеша, за тридевять земель и жили бы поживали, друг дружке радовались... А ныне нам богатства не надо. У нас и так всё, что нам нужно, есть. Отослать, что ли, царю с царицей, пускай порадуются?

Мартирию это было все равно. Он думал про другое.

Он вдруг увидел перед собой всю свою длинную-предлинную жизнь как одну краткую седмицу: с трудоначальным понедельником, юновесенним вторником, мужественной середой, сильным четвертком, зрелой пятницей, грозовой субботой и тихим, светлым воскресеньем.

— Да ну их, царя с царицей, — сама с собой говорила Аглая. — На что нам их радовать? Суну туда, где лежало.

Наклонилась, опустила скипетр обратно в щель, подпихнула носком, вернула на место доску.

Блестящий металл снова лег в прах. Мягко, без звона и стука.

— Пойдем, Маркелушка. Рассвет скоро. Черт этот дохлый пускай тут валяется. Завтра все подумают, что ночью залезли грабители, чего-то между собой не поделили. Один другому башку проломил, напугался и убежал с пустыми руками. А мы с тобой будем эти лясы слушать, да перемигиваться. Появится у нас наша первая общая тайна. Поживем еще — будут и другие. Идем восход смотреть. Ты на башню-то вскарабкаешься, колченогий? Ничего, я пособлю.

Взяла его за руку, потянула за собой.

Что ж, права она: рассвет — дело божье, сказал себе Мартирий. Вечером будет закат — тоже вместе посмотрим. А там как Господь даст.

Ну и ладно. Ну и аминь.

УБИТЬ ЗМЕЕНЫША

Пьеса в двух актах

Перевод со старорусского,
скоморошьего и латыни

ДЕЙСТВУЮЩИЕ ЛИЦА
(в порядке появления)

Князь Василий Васильевич Голицын, глава правительства. Красавец сорока пяти лет.

Князь Борис Алексеевич Голицын, воспитатель царя Петра. Весельчак тридцати восьми лет.

Двое в черном. Черт их знает кто.

Аникей Трехглазов, сибирский артельщик. Муж матерого возраста, с круглым родимым пятном посередине лба.

Скоморох. Человек, у которого вместо лица харя.

Медведь. Умеет плясать и пить водку.

Начальник уличной стражи. Вневременной персонаж: блюститель порядка.

Шевалье де Нёвилль. Вневременной персонаж: восторженный иностранец.

Придворный священник Сильвестр Медведев. Вневременной персонаж: русский умник.

Правительница Софья. Некрасивая женщина не первой молодости.

Царь Петр Алексеевич. Трудный подросток.

Царь Иван Алексеевич. Юноша с проблемами развития.

Дьяк. Вневременной персонаж: работник протокола.

Федор Леонтьевич Шакловитый. Начальник Стрелецкого приказа, человек действия.

Вдовствующая царица Наталья Кирилловна. Нервная дама нервного возраста.

Царица Евдокия. Очень молодая женщина, которой кажется, что она спит.

Пьяницы, стражники, потешные.

Действие пьесы происходит в Москве и ближнем Подмосковье.

ПЕРВЫЙ АКТ

Картина первая

В КРУЖАЛЕ

Питейное заведение в Москве. На краю сцены, спиной к зрителям, сидят двое мужчин в длинных потрепанных балахонах. Есть и другие столы. За одним медленно ест человек в синем кафтане; перед ним лежит плетка с длинным ремнем, закрученным в кольцо. Рядом с Синим, но не вместе, сидит некто вертлявый. За другим столом плечом к плечу — двое мрачных людей в черном. Они пьют вино, время от времени перешептываются.

Слышен неразборчивый шум множества голосов, пьяный смех. Доносятся отдельные выкрики — вроде бы по-русски, но их смысл непонятен: «Э-эх, жарынь! Нашкалим по дергунцу!», «Ну ты! Ты дудонь-дудонь, да не задудонивай!», «Ай, баско! Ай, кречетóм взошла!», «Тужно мне, православные, стрепетно!».

Двое мужчин, сидящих на авансцене, начинают разговаривать, обращаясь друг к другу, но по-прежнему сидя к зрителям спиной.

П е р в ы й   м у ж ч и н а. ...Убо речено в достойномудром «Тестаменте от цесаря Басилевса сыну его Льву Философу»: «Всяк добропромышляющий долженствует измеряти строгою мерою себя, допрежь того никоего же не понося оглаголаниями злыми». Еще сице речено: «Долженствует всякому, ум имущему, присмотретися, како бежати суетнословнаго мудрования человеческий мудрости и беспреткновенно уклоняться гадательныя прелести...»

В т о р о й м у ж ч и н а. Однако ж сице еще речено, премудрый брате: «Всяку речению надлежащий час и надлежащее место». В кружале место не красноглаголанию, а питию.

Постепенно диалог становится понятен. Понятными делаются и выкрики кабацкого люда, которыми время от времени прерывается разговор: «Куда вторую наливаешь?!», «Здоровьица всему обществу!», «Сам ты козлище!».

П е р в ы й м у ж ч и н а. Твоя правда. *(Оборачивается, медленно вглядывается в лица зрителей).* Народу-то в кабаке. Больше чем в церкви. А какие рожи! Ишь, пялятся... Зачем ты меня сюда привел, Борис? Ты знаешь, я вина не пью.

В т о р о й м у ж ч и н а. Ты же любишь народ, всё о нем печалишься. Так погляди на него вблизи. Тебе полезно будет.

П е р в ы й м у ж ч и н а. Это не народ, это бездельники, пьянь кабацкая.

В т о р о й м у ж ч и н а. Нет, Вася, это и есть народ. Когда ты его из окошка своей кареты видишь, он кланяется, в той же церкви прикидывается благостным, а на воле, сам по себе, он такой. Любуйся. Что, не нравятся тебе православные? Это они еще веселые, пьяненькие. Не дай тебе бог их злыми увидеть.

П е р в ы й м у ж ч и н а *(хочет подняться).* Идем. Недосуг мне по вертепам сидеть.

В т о р о й м у ж ч и н а *(удерживает его).* Погоди. Тут не просто кабак, а именно что вертеп. Сейчас узнаешь, зачем я тебя привел. Не пожалеешь. А, вот и они!

Слышится звук дудки. Входит С к о м о р о х с глумливой харей-маской на лице, с мешком за плечами, тянет на цепи медведя. Сзади идет, приплясывая, дудочник.

ПЕРВЫЙ АКТ

Скоморох (*скороговоркой*).

> Ой, матицы мои таволжаные,
> Ой, оконницы соловые-косящатые,
> Ах, колодушка моя перевальчатая,
> Ах, головушка моя дуркодырчатая!

> Мы карасиков ловили со щетиночками,
> Мы сорочек-то ловили со крючочками!
> Наловили-нахватали чё ни попадя,
> Жрите-кушайте, котята, не сдавитеся!

Скоморох выходит на авансцену и в дальнейшем обращается непосредственно к зрителям. Его припевки становятся понятными, манера исполнения постепенно осовременивается, так что в конце концов это делается похоже на рэп.

Скоморох.

> Я вам правду расскажу, православные,
> Чтоб вы знали-понимали да кумекали,
> Как на матушке-Руси поживается,
> Что за чудные дела у нас деются.

> То ли спьяну мы все сполоумели,
> То ль до белой горячки упилися,
> Поглядим наверх — Матерь Божия!
> У Расеи в глазах раздвоение!

> Как на небе сияют два солнышка,
> Как в ночи серебрятся два месяца,
> А у нас два царя Алексеича,
> Да один другого диковинней.

249

Сдергивает с головы и нахлобучивает на медведя свой дурацкий колпак, достает из мешка куклу. Медведь начинает ее качать, шутовски изображая царя Ивана.

Скоморох.

> А вот старший — Иван Алексеевич.
> Птаха божия, душа детская.
> Знай сидит себе в златом тереме,
> Только в куклы, болезный, играется.

Надевает на медведя потрепанную европейскую треуголку. Дудочник начинает бить в бубен, как в барабан. Медведь марширует.

Скоморох.

> А вот младший — Петр Алексеевич.
> Он не в куклы, в солдатики тешится.
> Сам весь дёрганый да припадошный,
> На немецкие штуки повадливый.

Медведь дергается, словно в припадке, треуголка падает. Из-за стола, где сидит человек в синем кафтане, поднимается его вертлявый сосед и тихо выходит.

Скоморох надевает на медведя кокошник. Тот начинает изображать царевну Софью.

Скоморох.

> А с такими царями великими
> Завелась на Руси небывальщина.
> Правит баба расейской державою —
> Сонька-стерва, царевна московская.

Первый мужчина порывисто приподнимается. Второй хватает его за рукав.

Второй мужчина. Слушай, слушай. Дальше интересней будет.

Скоморох.

> Сонька-стерва, царевна московская,
> Баба ражая да бесстыжая,
> Всё милуется с Васькой Голицыным,
> Государства всего сберегателем.

ПЕРВЫЙ АКТ

Скоморох начинает обниматься и целоваться с медведем. В кабаке гогот. Скоморох идет в обход кружала с шапкой. Человек в синем кафтане кидает в шапку монету.

Второй мужчина наливает вина в кружку, подвигает. Скоморох с поклоном берет, отпивает, потом дает допить медведю. Тот тоже кланяется. Скоморох надевает картонный шлем, берет такую же сабельку, грозно ею размахивает. Медведь машет ему вслед лапой, как бы провожая в поход.

Скоморох.

> А вот Васька-ерой на войну идет,
> Хочет Крым воевать-завоевывать.
> Да пинками его тамо встретили,
> Прибежал назад, горько плакася.

Дудочник сбивает Скомороха с ног, гонит пинками в зад. Скоморох роняет шлем и саблю, ползет на четвереньках, бросается с плачем в объятья к медведю, который его гладит, утешает. Хохот еще сильнее.

Второй мужчина. Ну как, нравится?

Врывается уличная стража: начальник с тремя стрельцами. С ними Вертлявый.

Начальник стражи. Слово и дело государево! Бери скоморохов, ребята!

Стрельцы хватают — один Скомороха, второй дудочника. Третий подступается к медведю, тот угрожающе рычит.

Начальник стражи. Кто сопротивляется — руби. На то указ был.

Стрелец берется за саблю. Медведь опускается на четыре лапы, убегает. Начальник стражи грозно прохаживается по кружалу. Останавливается перед залом.

Начальник стражи. Ишь, сколько вас тут, а только один честный человек нашелся, доложил об оскорблении власти. Глядите у меня, капуста! Посеку в мелкое крошево.

Так же грозно, вглядываясь в лица, идёт вглубь сцены, вдоль столов. Стрельцы начинают связывать арестованным руки.

Первый мужчина. Скажи, пускай их отпустят.

Второй мужчина. Шутишь? Они над властью потешались, государей оскорбляли. За это отрезают язык.

Первый мужчина. Плохой закон, глупый. Я пробовал отменить, бояре не дали.

Второй мужчина. Правильно, что не дали. Народ должен к власти относиться с уважением, как к родной матери. А от насмешки недалеко до бунта.

Первый мужчина. Далеко. Пусть лучше болтают и зубоскалят, чем молчат и копят злобу. Вели освободить скоморохов.

Второй мужчина. Ну смотри. Они не надо мной глумились. *(Поднимается.)* Эй, десятник! Прикажи их развязать. Дал острастку, и будет.

Начальник стражи. Ты кто таков распоряжаться?

Второй мужчина скидывает балахон, под которым оказывается богатый кафтан.

Второй мужчина. Я ближний боярин царя Петра Алексеевича князь Борис Голицын. Слыхал про такого?

Начальник стражи *(с поклоном).* Как не слыхать? Не прогневайся, боярин, но в таком деле ты мне не указ. Тут оскорбление обоих царских величеств, да великой государыни Софьи Алексеевны, да пресветлого князя Василия Васильевича, государственных дел оберегателя.

Б о р и с   Г о л и ц ы н (*первому мужчине*). Давай уж сам, пресветлый. Видишь, бояре царя Петра у твоих хватальщиков не в чести.

П е р в ы й   м у ж ч и н а (*тоже встает и спускает с плеч балахон. Его наряд еще богаче, на шее блестит золотая цепь*). Я и есть Василий Голицын. Делай, как сказал мой двоюродный брат князь Борис Алексеевич. Скоморохов развязать, отпустить. Пусть ловят своего медведя, пока он кого-нибудь на улице не напугал до смерти.

Все сидящие встают, снимают шапки, низко кланяются. Кланяются и стражники.

В а с и л и й   Г о л и ц ы н (*оборачивается к залу, морщится, машет рукой*). Ладно-ладно, вы хоть не вставайте. Уж одно что-нибудь: либо не потешайтесь, либо не кланяйтесь... Пойдем, Борис. Будет, повеселились.

За уходящими Голицыными двинулись и двое в черном. Братья остаются на авансцене. Занавес у них за спиной закрывается.

Картина вторая

НА НОЧНОЙ УЛИЦЕ

Б о р и с   Г о л и ц ы н. Что, Вася, обиделся? Видал, как они над твоим Крымским походом животы надрывают?

В а с и л и й   Г о л и ц ы н. Дурачье! Радовались бы, что обошлось без большой крови, что людей назад живыми привел. Не понимают...

Б о р и с   Г о л и ц ы н. А может, это ты их не понимаешь? Вот что такое, по-твоему, русский человек?

ПЕРВЫЙ АКТ

В а с и л и й Г о л и ц ы н. Человек как человек. Когда с ним по-хорошему — он хороший. С ним по-плохому — плохой.

Б о р и с Г о л и ц ы н. Нет, брат. Ошибаешься. В русском человеке что главное?

В а с и л и й Г о л и ц ы н. Что?

Б о р и с Г о л и ц ы н. Он во-первых русский, и только во-вторых уже человек.

В а с и л и й Г о л и ц ы н. Как это?

Б о р и с Г о л и ц ы н. А так. Вот ты кто? Если совсем коротко и точно, чтоб ни с кем другим не спутать.

В а с и л и й Г о л и ц ы н (*подумав*). Кто я? Я — Василий Голицын.

Б о р и с Г о л и ц ы н. Правильно. Человеков много, а ты, Василий Васильевич Голицын, на свете один. То же и с народом. У всякого народа свое лицо, свой нрав, своя судьба. И что одному народу хорошо, то другому гибель.

255

Василий Голицын. Пускай так. И каков же русский народ?

Борис Голицын. А как тот мишка у скомороха. Недокормишь — задерет. Перекормишь — задурит, не станет плясать под твою дудку. Тут четыре правила. Кто их соблюдает, того и медведь. Первое правило: кормить корми, да недосыта. Второе: дуди затейно, чтоб хотел плясать. Третье: давай иногда винца попить, чтоб отдыхал душой. А последнее правило, из всех самое железное, какое?

Василий Голицын. Какое?

Борис Голицын. Держи медведя на крепкой цепи.

Василий Голицын. А если без аллегорий? Я знаю, о чем ты и твои приятели Нарышкины в Преображенском мечтаете. Как правительницу Софью свергнуть и государство в свои руки взять. Допустим, удалось вам это. Свергли, взяли.

ПЕРВЫЙ АКТ

Что станете делать? Ведь погляди на нашу Россию. Невежество, воровство, дикость. От Европы на сто лет отстали. Сколько я ни бьюсь, сколько воз ни тяну, он скрипит, еле едет.

Б о р и с Г о л и ц ы н. Потому что надо не запрягаться в воз, а лошадь погонять. Я тебе скажу, что мы сделаем, когда мой воспитанник Петруша станет настоящим самодержцем. Русские не римляне, им хлеба и зрелищ много не нужно. Зато нужна великая цель, и мы ее дадим. Вместо дудки, чтоб веселей танцевали. А где цель, там и цепь. Крепкая. Народ у нас великий, горы своротит, если его с умом погнать. Отсталые мы, говоришь? Ничего, наверстаем. Что в Европе полезное — переймем. Что вредное — не станем.

В а с и л и й Г о л и ц ы н. А что в Европе вредное?

Б о р и с Г о л и ц ы н. Ни цели у них, ни цепи. Оттого все вразброд. Кто как хочет, тот так и думает. Куда хочет, туда и тянет. А у нас будет одна воля, государева. И одна мысль.

В а с и л и й Г о л и ц ы н. Какая?

Б о р и с Г о л и ц ы н. Величие. Человек сам по себе мелок, своекорыстен, тычется носом в землю, ищет корма, как мышь. Но когда народ вместе, заедино, он становится великим. Для того и нужна держава, для того и нужно государство.

В а с и л и й Г о л и ц ы н. А я думаю, что государство нужно для другого. Чтобы людям лучше жилось. Величие страны в счастье ее обитателей.

Б о р и с Г о л и ц ы н. Проснись, Вася! Это Россия, а не Голландия. Не было здесь никогда такого и никогда не будет. Ты же умный, умнее нас всех, а витаешь в облаках. Давай строить то, что можно построить на этой земле, а не воздушные дворцы.

В а с и л и й Г о л и ц ы н. Я без тебя знаю, что много не построю — хорошо, если один или два этажа. Зато построю прочно и оставлю чертеж на будущее. Потом строителям будет легче. Когда-нибудь здание поднимется до небес. И жизнь в нем будет счастливее, чем сегодня.

Б о р и с Г о л и ц ы н. Воистину сказано: нет правителя опаснее мечтателя. Да с чего ты взял, что люди должны жить счастливо? В каком Евангелии это написано? Человек должен вы-

полнять свое назначение и выносить испытания без ропота. Хоть у патриарха спроси, хоть у кого хочешь. У нас, у русских, не величие в счастии, а счастье в величии. Если же всякий начнет печься о собственном счастье, что от России останется?

В а с и л и й Г о л и ц ы н. Вот, значит, как ты Петра воспитываешь. И что он, внимает?

Б о р и с Г о л и ц ы н. Леший знает, что у него в голове остается. Зелен он еще, всё по-своему переворачивает. И шальной, вспыльчивый. Я сам иногда его нрава пугаюсь. Но именно такой самодержец России-кобылище и нужен. Петр возмужает — так ее запряжет, так кнутом обожжет, что страна понесется галопом. Ты вот в Преображенском не бываешь, а у нас там дым коромыслом. Что ни день, новые затеи.

В а с и л и й Г о л и ц ы н. Знаю, слышал. Царь Петр играет в потешные солдатики, строит потешные кораблики, пляшет немецкие танцы.

Б о р и с Г о л и ц ы н. Ничего ты не знаешь. Пока ты со своей Софьей миловался и сочинял многоумные трактаты, Петр вырос. Он теперь совершеннолетний, женатый. Ему по закону и по обычаю пора самому править, а у нас правит царевна, девка. Долго ль оно продлится? Думай, Вася. Придется вам власть отдавать, куда вы денетесь? И лучше по-доброму. Мы с тобой двоюродные, оба Голицыны. Я о тебе позабочусь. Не дам пропасть.

В а с и л и й Г о л и ц ы н. Спасибо, братец. И за совет, и за то, что на представление сводил. Я вот думаю, не ты ли тех скоморохов и нанял?

Б о р и с Г о л и ц ы н. А людей, которые над тобой хохотали, тоже я нанял?

В а с и л и й Г о л и ц ы н. Они и над твоим Петром потешаются.

Б о р и с Г о л и ц ы н. Ничего, перестанут. Мы когда власть возьмем, таких вот скоморохов отпускать не станем. Повесим вместе с медведем, на виду. Для острастки. Чтоб людишки глядели и боялись.

В а с и л и й Г о л и ц ы н. И тогда будет величие? Все боятся, все помалкивают — зато Россия великая?

ПЕРВЫЙ АКТ

Борис Голицын. Скажи, Вася: Бог велик? А Его боятся и хулить не смеют. Так должно быть и в государстве, иначе развалится твоя башня до небес, как развалилась Вавилонская.

Василий Голицын достает из кармана большие часы-луковицу. Открывает крышку. Часы бьют, играют музыку.

Василий Голицын. Пора мне. Обещался принять француза-посланника.

Борис Голицын. Немецкие? Ловко изобретено. Ничего, догоним Европу, и у нас такие будут. Свои, русские.

Василий Голицын. Нет, так и будете немецкие покупать. Кто боится, много не наизобретает... Прощай, Борис. Время покажет, кто из нас прав... Черт, остановишься ты или нет? *(Он пытается остановить музыку, которая всё играет.)*

Борис Голицын. Время-то? Навряд ли.

Уходит. Василий Голицын трясет часы, их заело.

Василий Голицын. Заткнись же ты, дрянь немецкая!

Из тени появляются две черные фигуры. Подкрадываются к князю. Один заносит нож. Голицын резко поворачивается. Отскакивает. Часы падают и наконец умолкают.

Первый Черный. Попался, лихобес!
Второй Черный. Господь услышал! Свел!
Первый Черный. Получи за всё, сатана!

Первый Черный наносит удар, князь уворачивается. Хватается за бок, чтобы вынуть саблю, но не успевает — на него налетает Второй Черный, тоже с ножом. Голицын зажат между двумя врагами.

Второй Черный. Не уйдешь!
Первый Черный. Издохни, собака!

Сзади появляется человек в синем кафтане, в руке у него плеть с длинным ремнем. Синий Человек размахивается, захлестывает петлей Первого Черного за шею, притягивает к себе, бьет кинжалом. Первый Черный падает. Второй Черный кидается на Голицына, но Синий Человек бросает кинжал убийце в спину. Тот валится.

Синий Человек. Ты цел?

Василий Голицын *(ощупывает себя).* ...Вроде да. Откуда они взялись?

Синий Человек. Крались за тобой. Ждали, когда один останешься. Кто они?

Василий Голицын *(без интереса смотрит на тела).* Черт их знает. Кто угодно. Я многим поперек дороги. Прошлой зимой один с ножом прямо в сани прыгнул. У Перекопа ночью шатер над головой прострелили... Скажи лучше, кто ты, молодец? Если бы не ты, лежал бы я сейчас мертвый.

Синий Человек. Я Аникей Трехглазов, сибирский артельщик.

Василий Голицын. И что у тебя за артель?

Трехглазов. Обыкновенная. Сибирская. Ходил за соболем. Добывал, много. Потом стал ходить за золотом. Не нашел пока.

ПЕРВЫЙ АКТ

Василий Голицын. А кто тебе приказывает, за чем ходить — за соболем или за золотом?

Трехглазов *(пожимает плечами)*. Кто в Сибири прикажет? Сам решаю.

Василий Голицын. Как это — сам?

Трехглазов опять пожимает плечами.

Василий Голицын. Первый раз вижу на Руси человека, который сам решает, как ему жить. Ты и за меня, чужого человека, тоже без указа на ножи полез. Сам. Редко кто на такое способен.

Трехглазов *(чешет затылок)*. Надо бы соврать, но не буду. Я знаю, кто ты. Сидел в кружале, видел. Я в Москву из Сибири с ходатайством. Хожу по приказам, сую взятки, а дело не движется. Думал, придется возвращаться несолоно хлебавши. И вдруг сам оберегатель, князь Голицын! Пошел за тобой, ломал голову, как бы подступиться. И тут такая удача.

Василий Голицын. Ты откровенен. Я это люблю.

Трехглазов. Что ж ты, князь, один ходишь? Когда на человеке всё государство, без охраны разгуливать — это не смелость, это...

Василий Голицын. ...Дурость? Вот и она все время так говорит. Не люблю я, когда рядом кто-то топчется. С мысли сбивают. Пойдем со мной, артельщик. Домой мне надо. Расскажешь, что у тебя за ходатайство.

Трехглазов *(показывает на трупы)*. А эти? Надо караульных дождаться.

Василий Голицын. Они только по доносу шустро бегают. Если грабеж или резня, их не дождешься. Идем, Аникей, идем. Спешу я.

Уходят.
Выбегают нищие, обшаривают убитых, пихаются из-за добычи. Потом уволакивают трупы за ноги.
Из-за сцены тем временем доносится разговор.

Василий Голицын. Каково оно, в Сибири?
Трехглазов. Хорошо.

Василий Голицын. Хоть где-то на Руси хорошо. И чем там хорошо?

Трехглазов. А где от начальства подальше, везде хорошо.

Картина третья

В ПАЛАТАХ ВАСИЛИЯ ГОЛИЦЫНА

Кабинет, вся задняя стена которого в книжных шкафах. Большой глобус на подставке. На стенах европейские картины.
Входят Василий Голицын и Трехглазов.

Василий Голицын. ...А зачем твоей артели промышлять за рекой Амур?

Трехглазов. С нашей стороны золота нету, а там, говорят, есть, много. И не моет никто. Но воевода нас не пускает. Нельзя, говорит. Вот я и приехал в Москву за грамотой. Хожу от одного дьяка к другому. Все обещают, мзду берут, а проку нет. Может, ты поможешь? Выше тебя никого нет.

Василий Голицын. И я не помогу. Правильно воевода вас за Амур не пускает. Там земля китайского богдыхана. Нам с ним ссориться не с руки. Так что зря ты ехал с одного конца России на другой. Но меня встретил не зря. Иначе дьяки с тебя еще долго жилы бы тянули, а правды не говорили. Что мне с ними делать, сорнячным племенем? Как в присказке: с ними беда, и без них никуда.

Трехглазов. Эх! Год сюда добирался. Теперь год обратно. Ни с чем...

Василий Голицын. Пока не явился посланник, объясни мне, артельщик, про себя. Вижу, что ты непрост, крепок, своим умом живешь. Что ты за человек?

Трехглазов. Я человек сам по себе, наособицу. Живу, как вода.

Василий Голицын. Что это значит?

ПЕРВЫЙ АКТ

Т р е х г л а з о в. А вода всего сильней. Ее ничто победить-погубить не может. Есть куда течь — течет. Преграды огибает. Грянет мороз — застывает. Разожгут огонь — паром в небо уходит. Найдет хорошее место — прольется дождем. Так и я.

В а с и л и й Г о л и ц ы н. Да ты философ. Философ, который умеет биться, это большая редкость. А еще ты не болтлив. Пока не спросят, сам не встреваешь... Послушай, Аникей, на что тебе Сибирь, коли ты грамоты не добыл? Оставайся при мне. Вот такого, как ты, я бы, пожалуй, взял охранником. Мне много где бывать приходится, иногда и тайно. Будь моей тенью. Приглядывай, чтоб никто мне в спину нож не воткнул. Послужи мне. Будешь хорош — я тебя потом самого в Сибирь воеводой поставлю... Что молчишь?

Т р е х г л а з о в. ...Думаю.

Г о л о с и з - з а с ц е н ы. Королевский посланник господин Фуа де Нёвилль к твоей княжеской милости!

В а с и л и й Г о л и ц ы н. Будь здесь. Погляжу, умеешь ли ты быть тенью.

Трехглазов отступает в угол. Входит Н ё в и л л ь, низко кланяется — длинным париком в пол. Голицын идет ему навстречу.

Н ё в и л л ь *(не разгибаясь)*. Mihi est honor magnus in domo tuo esse, domine!*

В а с и л и й Г о л и ц ы н. Et mihi est voluptas cum visitore tam illustrato disputare. Asside in sedem, legate honeste**.

Голицын радушно берет посланника за плечи, усаживает в кресло, сам тоже садится. Дальше зрителей латынью мучить не нужно.

В а с и л и й Г о л и ц ы н. ...Господин посланник, во время аудиенции у государыни-царевны я обещал ответить на все твои вопросы в частной беседе. Спрашивай без стеснения.

Н ё в и л л ь. Прежде всего позволь еще раз передать сердечную признательность его королевского величества за Крымскую экспедицию. Это была блестящая операция! Вы так по-

263

* Для меня честь быть в твоем доме, господин!

** А для меня честь принимать такого гостя. Прошу тебя садиться, благородный посланник.

могли нам! Благодаря России хан не смог напасть на Польшу, а султан побоялся отправить свой флот в Средиземное море.

В а с и л и й Г о л и ц ы н. Главное — турки с татарами знают, что русская армия цела и всегда может вернуться. В политике рука, занесенная для удара, важнее самого удара. Но ты, кажется, собирался говорить со мной не о войне?

Н ё в и л л ь. Да, господин, я хочу расспросить тебя о России. В Европе рассказывают удивительное о нововведениях и великих планах русского князя-протектора. Скажи мне, правдивы ли эти вести?

В а с и л и й Г о л и ц ы н. Чем же мы удивили Европу?

Н ё в и л л ь *(достает книжечку)*. Верно ли, что ты сделал законы милосердными? Что за воровство у вас теперь не казнят смертью, как у нас?

В а с и л и й Г о л и ц ы н. Верно. На первый раз только режут уши.

Н ё в и л л ь. Неслыханное милосердие! А верно ли, что женщин за убийство мужей у вас более не зарывают живыми в землю?

В а с и л и й Г о л и ц ы н. Да. Им всего лишь отрубают голову.

Н ё в и л л ь. Это просвещенно, это по-европейски! А еще мне говорили — не знаю, верить ли, что с сирот не взыскивают долгов, если нет никакого наследства. Но ведь это нарушает правила коммерции! Кредиторы несут убыток.

В а с и л и й Г о л и ц ы н. Не несут. Долг покойника выплачивает казна. На то и существует государство, а за бездельного отца дети не ответчики.

Н ё в и л л ь. А верно ли, что осужденным преступникам у вас теперь дозволено отправляться в каторжные работы вместе с семьями? В чем же тогда суровость наказания?

В а с и л и й Г о л и ц ы н. Смысл судебной кары не в наказании, а в исправлении. Человек, не разлученный с семьей, менее склонен к повторному злодейству, а его дети не становятся нищими или уличными воришками.

Н ё в и л л ь. Поразительно! Еще я видел у вас в Москве на улицах особых стражников, которые кричат на кучеров, веля им ехать так, а не иначе. Зачем это?

ПЕРВЫЙ АКТ

Василий Голицын. Чтобы телеги и повозки не толкались. В одну сторону приказано ехать всем справа, в другую всем слева. Запрещено стегать лошадей длинными кнутами, а то возницы задевали прохожих, отчего на улицах вечно случались драки. Навоз велено за лошадьми подбирать. Пешим указано ходить не посреди дороги, а сбоку, вдоль заборов.

Нёвилль *(строча в книжечке).* Поразительно, поразительно... Сколь великие, сколь небывалые реформы!

Василий Голицын *(всё более воодушевляясь).* До реформ мы пока не дошли. Реформы еще впереди. Вот у меня составлен большой трактат — «Книга, писанная о гражданском житии, или о поправлении всех дел, надлежащих обще народу». *(Берет со стола толстенную рукопись).* Здесь записаны все дела, какие нужно исполнить, чтобы в российской державе установилось благополучие... Перво-наперво нужно освободить крестьян от рабства, ибо из рабов хороших граждан не бывает. Пусть всяк пашет собственную землю, а казне платит посильный налог. От этого государственный доход, по моему расчету, увеличится вдвое. Войско мы сделаем не такое, как сейчас, а регулярное. Бездельников и беспокойных людей в стране много. Чем воровать да по дороге с кистенем бродить, пусть лучше служат отечеству. Дворянским детям всем велим учиться в школах. Без образованного сословия современной державе нельзя — ведь восемнадцатый век на носу. Во всех иностранных столицах учредим постоянные посольства. Когда соседи лучше понимают друг друга, от этого меньше войн и выгодней торговля. Города перестроим из деревянных в каменные — чтоб не выгорали в каждое сухое лето от пожаров. Притеснять иноверцев запретим. В нашем государстве племен много, пускай никто в России не чувствует себя чужим... Успел записать?

Голицын достает свои часы, они опять начинают бить и играть музыку. Князь снова ими трясет.

Нёвилль *(поднимаясь).* Благодарю твою милость, что уделил мне время. Твои планы грандиозны! Невероятны! Я хочу написать книгу о том, как Россия поразит мир!

Василий Голицын. Лучше напиши в газету. Газеты мы у себя тоже заведем. Когда побольше людей научатся читать.

Посланник, кланяясь, уходит.

Василий Голицын (*Трехглазову*). Ну, что думаешь про посланника? Серьезный он человек? Не переврет, что я ему говорил?

Трехглазов подходит. Берет у князя часы, что-то с ними делает. Музыка прекращается.

Трехглазов. Про посланника я ничего не думаю. Я про твои речи думаю.

Василий Голицын (*изумленно*). Ты понимаешь латынь?

Трехглазов. Я не всю жизнь по тайге бродил.

Василий Голицын. Кем же ты был прежде?

Трехглазов. Неважно, кем я был. Важно, кем я буду. Твоей тенью. Куда ты, туда и я. Пока я рядом, никто к тебе больше сзади не подкрадется.

Василий Голицын. Почему ты раньше колебался, а теперь вдруг согласился?

Трехглазов. Да уж не ради воеводства. На кой мне оно? Если ты хоть половину, хоть четверть исполнишь из того, о чем сейчас говорил, такого оберегателя надо оберегать. Ты нужен России.

Василий Голицын. Ага, о России заговорил. А то: живу сам по себе, наособицу. Как вольная вода.

Трехглазов. Если река велика и течет в нужную сторону, отчего же не влиться? Только вытянешь ли ты такую ношу, князь? Тут ума мало, тут смелость нужна.

Василий Голицын. Трусом никогда не был. Полки в бой водил, сам рубился и с татарами, и с поляками.

Трехглазов. Таких смелых, кто рубится, у нас много. Я про другую смелость говорю... Ладно, поглядим.

Василий Голицын. Ну гляди, гляди. На то ты и Трехглазов... Устал я. Пойду спать.

Трехглазов. Я буду сторожить за дверью.

ПЕРВЫЙ АКТ

Входит священник Сильвестр Медведев — порывистой, совсем не поповской походкой. Ряса у него лиловая, борода чеховская, на носу большие круглые очки.

Сильвестр. Василий Васильевич, я к тебе! Веришь ли, поужинал, помолился, думал ложиться спать, и вдруг оно — вдохновение! Стих пришел, сам собой! Будто лунным светом принесло. Вот, послушай. (Достает лист бумаги.)

Василий Голицын. Здравствуй, Сильвеструшка. (Трехглазову.) Это Сильвестр Медведев, он мне друг. Всегда его ко мне пускай. Он является когда пожелает, без объявления. Сильвестр тоже философ, как и ты. А еще он поэт.

Сильвестр (Трехглазову). Ты философ? Какой же школы — греческой, латинской, немецкой или французской?

Трехглазов. Русской. (Отходит в угол.)

Василий Голицын. Не обращай на него внимания, Сильвестр. Он — моя тень. Рад тебе. Хочешь вина?

Сильвестр. Успенский пост, нельзя. Разве что ради вдохновения? Нет, сначала послушай стих. (Воздымает руку, декламирует.)

> О, чудеса творящаго всетворца нашего Бога
> Сколь всеблага и достосиянна дорога!
> Егда воздушная мира сего ясность
> Питает в душе человеков прекрасность!
> Беги прелготыя облаки страхования
> И будешь утешен чрез сердца упование.
> Во умных блюстилищах обрети смыслы
> И сможешь исчислить бессчетныя числы.
> Что буря мятежей и мраковетрия неки,
> Ежели духом крепки человеки?
> От ветротленныя дерзости тот погибоша,
> Кто очи свои от истины сей отверзоша.

У Сильвестра срывается голос, он приподнимает очки, вытирает слезы.

Сильвестр. Каково?

Василий Голицын. Сильно. Но у Овидия короче. И ясней.

Сильвестр. Что б ты понимал в поэзии, княже! Латинский язык точен и сух, оттого и зовется мертвым. А русский язык живой, его краса в буйности и словесном излишестве. Он ходит кругами, болтает вроде как ненужное и не всегда с ясным смыслом, но русский стих и не обращен к смыслу, он обращен прямо к сердцу. Что это за стихи, если в них сразу всё понятно? А впрочем я вчера простые написал. Нарочно для тебя.

Бысть знаменитым средь вертепа — то не великая есть лепа.
Се не подымет ввысь души. Свои заслуги не пиши
Ты на бумаге суетрясной. Ей-ей, пиит, се труд напрасный!
Трудись, чтоб весь себя отдать, а не любовь толпы снискать.
Быть притчей на устах у всех — на что тебе такой успех?

ПЕРВЫЙ АКТ

В а с и л и й   Г о л и ц ы н. Да-да, я часто об этом думаю! Те, ради кого я жизнь кладу, меня не любят. Конечно, мои труды не для того, чтоб люди меня любили. Но здесь, Сильвестр, есть и другое, хуже. По правде говоря, я и сам их не люблю. Понимаешь, вот я думаю: «народ» — и люблю народ. А думаю про живых людей, какие они есть, и как-то не очень... Только таких, какими они когда-нибудь будут. Какими должны быть... Это меня... скребет. Словно я прикидываюсь, изображаю то, чего нет.

С и л ь в е с т р. Сын мой, да что людям за дело, любишь ты их или нет. Ты делай, что тебе велят ум и сердце, а там уж как сложится. Только не обманывайся, что стараешься для народа. Будь с собою честен.

Василий Голицын. А для кого же я, по-твоему, стараюсь?

Сильвестр. Для собственной души. Это тебе самому больше всех надо — отдать себя миру сполна. Исполнить всё, на что ты способен. Про то и мой стих.

Василий Голицын. То есть мое дело прокукарекать, а там хоть не рассветай?

Сильвестр. Хорошо прокукарекаешь — рассветет.

Василий Голицын. Знать бы еще, что хорошо, а что плохо, в чем Добро, а в чем Зло. Всяк их по-своему понимает. Патриарх Иоаким говорит, что Добро — вера в Бога, а Зло — это безверие. Однако ж иные так верят в Бога, что и Зла никакого не надо. Братец мой двоюродный Борис Алексеевич, муж острого ума, говорит: добро — это порядок, а зло — это хаос. Однако ж наибольший порядок — в недвижности, в смерти. И без нарушения порядка не бывает развития.

Сильвестр. А на твой взгляд, что такое Добро и Зло? Ну-ка, скажи.

Василий Голицын. Да очень просто. Добро — всякое действие, от которого человек или государство, вообще жизнь, становится лучше. Зло — наоборот.

Сильвестр. Нет, сын мой, так не получается. Что для одного человека лучше, то для другого может быть хуже. Тем более для государств. Добро и Зло действительно вещи совсем простые, да не так, как ты мыслишь.

Василий Голицын. Что ж, просвети меня.

Сильвестр. Зло — это детскость. Добро — взрослость. Вот и вся премудрость.

Василий Голицын. Опять твои парадоксы. Это дитя, чистая душа, у тебя — Зло?

Сильвестр. А то нет? Ты погляди на малого ребенка без умиления его малостью. Он жаден, себялюбив, гадит на себя, действует без мысли о других и о последствиях своих поступков, ни за что не хочет отвечать, ничего не знает и не понимает, бывает бездумно жесток. А теперь вообрази, что так ведет себя здоровенный мужичина лет сорока. Что ты про него скажешь?

ПЕРВЫЙ АКТ

Исчадие ада. Взрослея, человек перестает пугаться чепухи, не пачкает себя, не тащит в рот всякую дрянь, прежде чем что-то делать — думает. А есть люди, достигающие истинной зрелости. Такие бывают мудрыми, терпеливыми, твердыми перед тем, кто силен, и мягкими с теми, кто слаб. Это и есть взрослость, это и есть Добро. Беда в том, что многие человеки — большинство — так до самой смерти и ведут себя по-младенчески. Всё зло мира, сын мой, оттого, что мир еще ребенок.

В а с и л и й Г о л и ц ы н. То же относится и к странам?

С и л ь в е с т р. Конечно. Есть страны, которые ведут себя как глупые трехлетки. Есть страны, которые подобны непоседливым отрокам. Есть задиристые и буйные, похожие на юношей. А взрослых стран на свете пока ни одной нету.

В а с и л и й Г о л и ц ы н. А что такое тогда Бог?

С и л ь в е с т р. Взрослый среди детей — неразумных, озорных, паршивых, всяких... Погоди... *(Вскакивает).* Шевельнулось что-то... Господи, стих! «О чадо глупо, непутево, воздень горе свои глаза»... Нет. «Вотще свои таращит очи дитя на скорбного отца»... Пойду я, князь, пока не ушло. Прощай.

Бормоча, семенит к выходу.

В а с и л и й Г о л и ц ы н *(смеясь).* Я провожу. Опять заблудишься в переходах.

Трехглазов тенью следует за князем.

В а с и л и й Г о л и ц ы н. Тут-то за мной не ходи. В собственном доме мне опасаться нечего.

Голицын и Сильвестр выходят. Трехглазов остается. Оглядывает кабинет. Подходит к шкафам, смотрит на книги.
Вдруг раздается скрип. Один из шкафов начинает двигаться. Трехглазов прячется в нишу.
Из открывшегося потайного хода появляется фигура, наглухо замотанная в плащ с капюшоном. Тихо ступая, входит в комнату.
Трехглазов взмахивает плеткой, захлестывает неизвестному шею, притягивает к себе. Заносит нож.

272

Трехглазов. Кто таков? Убью!

Софья. Пусти, невежа! Я государыня Софья Алексеевна!

Скидывает капюшон. Под плащом блестит парчовое платье. Трехглазов отступает, после паузы кланяется.

Софья. Это ты кто? Где князь Василий Васильевич?

Трехглазов. Я охранник его милости. Аникей Трехглазов. Князь сейчас вернется.

Софья. Вася взял охранника? На него напали?! Опять?! Кто? Говори!

Трехглазов. ...Двое каких-то в черном. С ножами.

Софья. Боже, то-то я места себе не нахожу... Он цел?

Трехглазов. Цел. Я был рядом. Я теперь всегда буду рядом.

Софья (*подходит, берет его обеими руками за ворот*). В глаза мне смотри. Я людей насквозь вижу, есть у меня от Бога такая сила... (*Долго молча на него смотрит.*) Нет, тебя насквозь не вижу. Но того, что разглядела, мне довольно. Ни на шаг от него не отходи, слышишь? Куда он, туда и ты. В опочивальне с ним запремся — под дверью караул. Понял? (*Трехглазов кивает.*) Дороже головы во всей Руси, на всем свете нет. Сбереги мне ее.

Возвращается Василий Голицын.

Василий Голицын. Сонюшка! Как ты здесь? Случилось что?

Софья отталкивает Трехглазова, тот отступает к стене. Софья бросается к князю в объятья.

Софья. Тревожно стало... И не виделись почти, как ты из похода вернулся. Только во дворце, при чужих. Вот и решила наведаться нашим тайным ходом. На тебя опять напали?

Василий Голицын. Пустое. У меня теперь вон — охрана. Я вижу, ты моего Аникея взглядом уже посверлила. Ну и как он тебе — гож?

ПЕРВЫЙ АКТ

С о ф ь я. Будет негож — в прах сотру... Свет мой, радость моя, Васенька! Как же я боялась, пока ты в походе был! А давеча, во дворце, мучилась, что вижу тебя, но не могу при всех обнять, поцеловать!

Страстно его целует.

В а с и л и й Г о л и ц ы н. Я тебе про крымские дела еще не всё рассказал. Там есть материи, о которых боярам знать незачем. Думал, будем с тобой наедине...

С о ф ь я *(прерывает его поцелуями)*. Потом про дела, потом...

Василий Голицын машет рукой Трехглазову: уйди! Тот отворачивается лицом к стене, но не уходит.

В а с и л и й Г о л и ц ы н. Когда мы вот так, вместе, я чувствую себя Платоновым андрогином, о две головы и четыре руки, могучим и неуязвимым, которому завидуют боги...

С о ф ь я *(со счастливым смехом)*. Нет, Вася, мы не греки, мы русские. Мы с тобой — двуглавый орел.

Василий Голицын. Однако двуглавый орел — фигура не русская, а византийская, то есть тоже греческая. Она попала на Русь двести лет назад при государе...

София. Ну тебя с твоей ученостью... Помнишь, как ты мне, глупой дурочке, рассказывал про античную и русскую историю? Ах, как ты был хорош! Ах, как я на тебя смотрела! Не думала ни про Фемистокла, ни про Владимира Красно Солнышко, а лишь про одно: отчего мы, царские дочери, такие несчастные? Отчего обречены до смерти девками вековать? На что мне такая злая судьба — родиться в царском тереме? Всё бы отдала, только бы прожить жизнь с Васей, или хоть бы полюбиться с ним... Ничего бы не устрашилась! Да на что я ему, уродина, такому красивому, умному, ученому? Нет, правда, как ты меня полюбил? Ведь я дурнуха, в зеркало глядеться тошно.

Василий Голицын. Ты лучшая и прекраснейшая на свете. Я смотрю на тебя и вижу сияние. На Руси подобных тебе женщин не бывало со времен равноапостольной княгини Ольги. О тебе будут писать трактаты и слагать поэмы. Женщина, правящая страной, где женщин держат взаперти, где им не дают рта раскрыть. Государыня, при которой Россия повернется от тьмы к свету. Я не знаю, откуда в тебе столько смелости. Это тайна, перед которой я немею...

София. Какая тайна? Смелость моя, во-первых, от страха. Страха состариться на девичьей половине среди бабок, шутих и юродивых. А во-вторых, от любви. Ради того, чтоб быть с тобою, я на всё пойду. Да только мало во мне смелости. Если б я была по-настоящему смелой, я бы не таилась, а вышла за тебя замуж. Каждый день и каждую ночь были бы вместе...

Василий Голицын. Да разве можно? Я всего только Голицын, а ты царской крови.

София. Твой род и древнее, и выше. Вы — от великого Гедимина, а мой дед Михаил, сказывают, Самозванцу за столом прислуживал. Да и ляд бы с ней, с кровью... Ничего, дай срок. Исполним всё замысленное, и ничто нам не преграда. Ты державу поднимешь, тем и возвысишься. Тогда поженимся — никто слова не скажет. А скажет — пожалеет... Я нынче еще и за этим пришла. Пора тебе выше подняться. Завтра ступай к царям. Они будут тебя за Крымский поход награждать. Я подготовила от их имени указ, чтобы тебя пожаловали великой честью. Будешь отныне именоваться не оберегателем, а правителем, как в свое время Годунов.

В а с и л и й   Г о л и ц ы н. Правителем? Не дерзко ли, при живых царях?

С о ф ь я. Какие они цари? Один дуренок, второй куренок. *(Обнимает князя, целует.)* ...Давай забудем обо всем, хоть на малое время. Пойдем, милый. Будем только ты и я, а боле никого.

Тянет его за собой. Уходят, обнявшись. Сзади тенью следует Трехглазов.

Картина четвертая

В ТРОННОЙ ЗАЛЕ

Из-за еще закрытого занавеса раздается торжественно-помпезная музыка: трубы, литавры, барабан. Потом стройный вопль множества голосов: «Слава государям! Слава России!»

Г о л о с   д ь я к а *(медленно и монотонно читает)*. «...За твою к нам многую и радетельную службу, что такие свирепые и исконные креста святаго и всего христианства неприятели твоею службою никогда не слыхано от наших царских ратей поражены и отложа свою обычную свирепую дерзость, приидоша в отчаяние и в ужас...»

Занавес раздвигается. Старинный текст постепенно вытесняется «переводом».
На двух престолах, рядом, сидят в одинаковых парадных облачениях царь И в а н и царь П е т р. У Ивана жидкая бородка, приоткрытый рот. Петр тощ и очень юн. На обоих царские одежды смотрятся нелепо. Сбоку и сзади от Петра стоит Б о р и с Г о л и ц ы н. У кулис в почтительной позе — В а с и л и й Г о л и ц ы н, он в золоченых доспехах. С противоположной стороны — д ь я к с указом в руках.

Д ь я к. «...Не поддаваясь на провокации неприятеля, ты, князь-оберегатель, не дал себя вовлечь в затяжные бои и тем избежал ненужных потерь. Устрашенное выдержкой нашей доблестной армии, ханское войско в бессильной злобе отступало до самого Перекопа».

Дьяк поворачивается к кулисам, подает знак. Луженые глотки снова орут: «Слава государям! Слава России!»

Д ь я к. «А мая двадцатого числа ты, главнокомандующий, подошел к Перекопу, увидел, что тот сильно укреплен, и мудро повелел встать лагерем, дабы не губить христианские души в напрасном кровопролитии, чего, несомненно, ожида-

ли коварные нехристи, заготовившие множество боеприпасов, вырывшие ямы с кольями и заложившие пороховые мины с намерением взорвать их, если бы русское воинство, возглавляй его менее мудрый командир, опрометчиво пошло бы на штурм, тем самым угодив в ловушку, которую...»

Запутывается в придаточных и машет хору — тот снова кричит «Слава государям! Слава России!»

Пока дьяк пробирается через текст грамоты, цари, соскучившись, оживают. Сначала во весь рот зевает Иван. Петр пихает его локтем. Иван испуганно оглядывается на брата. Съеживается, сидит смирно. Но тут начинает ерзать непоседливый Петр. К нему наклоняется Борис Голицын, шепчет на ухо. Петр распрямляется.

Д ь я к. «...Которую православное воинство счастливо избежало благодаря твоему, князь-оберегатель, осторожному предвидению».

Иван вертит головой. Ловит муху. Рассматривает ее с большим интересом. Сует в рот. Выплевывает, плаксиво морщится. Петр опять толкает его в бок.

Д ь я к. «Нависнув над воротами Крыма грозной тучей, наша славная армия заставила хана и безбожных татар трепетать от ужаса. Они стали униженно и смиренно просить о мире, клянясь никогда больше не досаждать русским землям грабительскими набегами».

Машет рукой. «Слава государям! Слава России!» Петр ведет себя все беспокойней: его лицо искажается злобой, перекашивается судорогой. Борис Голицын успокаивающе касается плеча юноши, но это не помогает. Иван, наоборот, начинает клевать носом.

Д ь я к. «Посрамив и усмирив басурман, ты, князь-оберегатель, с великой славой повернул обратно, привезя с собой из похода много добычи, в числе которой и ханское знамя».

Василий Голицын делает жест. Из-за кулис выходит Т р е х г л а з о в и подает ему знамя — обычную палку с довольно жалкой тряпкой. Голицын недоуменно смотрит на нее и, подумав, идет вперед. Кладет «знамя» к подножию трона.
Хор орет «Слава государям! Слава России!» пуще прежнего. Иван просыпается, вскидывается, роняет шапку. Борис Голицын подбирает, надевает ее обратно, временно оставив Петра без присмотра.

Д ь я к. «И за те небывалые подвиги постановляем мы, великие государи, наградить тебя, пресветлого князя-оберегателя Василия Васильевича Голицына, заслуженной наградой...»
П е т р *(вскакивая).* Ничего я не постановлял! Какой наградой?! За что? Сто тысяч войска без толку простояли у входа в Крым, побоялись вступить в бой и ушли! Позор неслыханный! Весь народ о том говорит! Тебя не награждать, тебя судить надо!
В а с и л и й Г о л и ц ы н *(строго).* Народ — ладно, он темен. Ему подавай кровавые победы, вражеские головы, добычу. Но

ПЕРВЫЙ АКТ

ты-то, государь, должен видеть дальше. На что нам было входить в Крым? Все равно его не удержишь, да и что в нем пользы? Прибытка от него не будет, одни расходы, да еще на нас всей своей мощью обрушилась бы Турция. Зачем нам большая война? А так и союзникам помогли, и крымцев приструнили, и потерь избежали. Всего, за чем шли в поход, достигли, да притом...

Петра трясет всё сильнее. Из-за его спины Борис Голицын подает оберегателю знаки: сбавь тон.

Петр (*перебивает, переходя на истошный визг*). Ты с кем говоришь?! Не сметь! Не прекословь царю, смерд! Много воли взял! Забрался к Соньке в постель и думаешь — ты царь! А держава тебе не Сонька! Не тот ты кобель, чтобы всю Россию...

Дьяк поспешно машет рукой. Вопли Петра заглушаются криками «Слава государям! Слава России!», «Слава государям! Слава России!», «Слава государям! Слава России!». Гремит бравурная музыка.

Иван (*плаксиво кричит, затыкая уши*). Не надо! Не надо!

Борис Голицын обхватывает Петра за плечи, тот вырывается, еще что-то кричит, но слов не слышно.

Борис Голицын (*кричит Василию*). Да уйди ты ради бога! Уйди!

Василий Голицын, покачав головой, уходит.
Занавес закрывается, но музыка и крики «Слава государям! Слава России!» не стихают.

КОНЕЦ ПЕРВОГО АКТА

ВТОРОЙ АКТ

Картина пятая

У ЦАРЕВНЫ СОФЬИ

Занавес еще закрыт, но слышен «старинный» голос нараспев.

«С т а р и н н ы й» г о л о с. «...Семь тыщ сто девяносто седьмого лета месяца аугуста первого дня память. Сего аугуста первого дня в понеделок во втором часу по заутрене у великой государыни честныя всеблагия царевны Софьи Алексеевны на Верху в ея государыниной светлице думано тайно...»

«Старинный» голос слабеет, вытесняемый «современным» голосом. Он лишен выражения, механистичен и звучит, как закадровый или синхронный перевод.

«С о в р е м е н н ы й» г о л о с. «Протокол секретного совещания правительственного комитета от 1 августа 1689 года. Присутствовали: глава государства царевна С.А. Романова, глава правительства В.В. Голицын; глава силового блока Ф.Л. Шакловитый; телохранитель А. Трехглазов. Слушали: О некоторых вопросах внутренней политики».

Тем временем занавес открывается. В «светлице» нет ничего девичьего — она выглядит как рабочий кабинет. Стол буквой Т. Во главе стола С о ф ь я. У меньшего стола, лицом друг к другу, сидят В а с илий Голицын и Федор Шакловитый. За спиной у Голицына, на некотором отдалении, стоит Трехглазов. За отдельным столиком сидит писец.

С о ф ь я. Так и сказал — что тебя судить надо? При всех?

В а с и л и й Г о л и ц ы н. Кричал и оскорбительное, чего повторять не буду. Да, он уже не ребенок. И люто нас ненавидит.

С о ф ь я. Щенок! Нет, волчонок! Подрос, а мы за многими заботами пропустили. Это хвороба опасная. Как бы в государстве не началась смута. Что будем делать? *(Писцу.)* Эй, дальше писать не надо. Выйди! *(Писец с поклоном пятится, исчезает.)* Что скажешь, Федор Леонтьевич? Беречь государство от смуты — твоя служба.

Ш а к л о в и т ы й *(показывет на Трехглазова)*. Этот пусть тоже выйдет. Наш разговор не для лишних ушей.

С о ф ь я. Нет. Он при Василии Васильевиче должен быть всюду и всегда. Мой приказ.

Ш а к л о в и т ы й *(пожимает плечами)*. Твоя воля... Скажи, князь, а ты не зря царевну пугаешь? У меня в Преображенском свои людишки. Еженедельно докладывают. Если кто и мутит воду, так это Петрова мать, царица Наталья. Мои соглядатаи доносят, что мальчишка глуп, в голове у него ветер. Ему бы только немецкое вино пить, на лодке под парусом плавать да с потешными конюхами под барабан маршировать.

В а с и л и й Г о л и ц ы н. Знаю я шпионов. Они всегда доносят, что хочет услышать начальство. Нет, царь вырос. И мириться со своим положением он больше не будет. Меня и Борис, двоюродный брат, предупреждал. Боюсь, царевна, твой замысел насчет Петра не исполнится. Не хватит времени. Да и не подчинится Петр. Не та натура.

Ш а к л о в и т ы й. Какой такой замысел?

Софья с Голицыным переглядываются. Князь кивает царевне.

С о ф ь я. Я не дура, Федор. Давно знала, что братец Петруша когда-нибудь вырастет и захочет настоящим царем стать. Закон на его стороне, да и баба-правительница всем как

бельмо на глазу. Тут только один выход. Если б у старшего царя Ивана родился наследник, можно было бы объявить царем ребенка. Иван сам бы в монастырь ушел, Петра заставили бы. А малютку-царя мы с Василием Васильевичем воспитали бы. Оставили бы ему крепкую, обновленную державу, а сами бы... Но это тебя не касается.

Ш а к л о в и т ы й. Замысел-то хорош, но есть закавыка. Царь Иван хоть и женат, да лишь для виду. Какие от него, убогого, дети? Уж не знаю, с кем его бедная царица дочку пригуляла.

С о ф ь я. Зато я знаю. Сама свела невестку с одним неболтливым молодцем. С первого раза не повезло — родилась дочка. Со второго, бог даст, получится и сын.

В а с и л и й   Г о л и ц ы н. Говорю тебе: нет на это времени. И не отступится Петр от венца. Он бешеный.

Ш а к л о в и т ы й. Мягок ты, Василий Васильевич. Не так с ним разговаривал. С бешеными нужна твердость. Они от твердости тишеют. Не наведаться ли мне, государыня, ко двору твоего любезного братца? Погляжу на него, потолкую. Может, не так страшен черт, как его малюют.

С о ф ь я. Что ж, Федор Леонтьевич, съезди. Петруша — волчонок, а ты матерый волчище. Погляди на него, вправь ему мозги. У молодой царицы Евдокии будет день ангела. Отвезешь от меня подарок.

В а с и л и й Г о л и ц ы н. И возьми с собой моего человека — Аникея Трехглазова.

Ш а к л о в и т ы й *(усмехнувшись)*. Для пригляда? Недоверчив ты стал, князь. Раньше таким не был.

В а с и л и й Г о л и ц ы н. У тебя учусь. *(Трехглазову.)* Один день без тебя обойдусь, чай не сгину. Смотри, запоминай. Я твоему глазу и чутью верю.

С о ф ь я. Ладно, Федор, ступай. Пускай теперь дьяк Монетного двора войдет. Будем с ним про обменную меру рубля к талеру говорить.

Картина шестая

РЕЗИДЕНЦИЯ ЦАРЯ ПЕТРА В ПРЕОБРАЖЕНСКОМ

Перед закрытым занавесом немец-офицер муштрует шеренгу «потешных». Они в одинаковых синих кафтанах, с белыми портупеями крест-накрест. Дудит флейтист, стучит барабанщик — оба неумело. Царь Петр стоит в стороне, нетерпеливо отстукивая темп тростью. Он в треуголке и синем кафтане, в ботфортах, на боку шпага.

О ф и ц е р. Antreten! Augen-rechts! Gerade-aus! Ein-zwei-drei! Ein-zwei-drei!*... Kehrt-um!**

Шеренга пытается сделать поворот кругом, рассыпается.

---

* Строй, равняйсь! Шагом марш! Ать-два-три! Ать-два-три!

** Кру-гом!

Царь Петр (*отбирает у барабанщика барабан*). Дай! (*Бьет.*) Вот так! Вот так!

Офицер. Ein-zwei-drei! Ein-zwei-drei! Links! Links!

Шеренга движется нестройно, неуклюжий недоросль все время сбивается с ноги.

Царь Петр (*сует барабан обратно барабанщику, колотит его тростью по спине*). Бей исправно, сучий сын!

Петр бежит к шеренге, встает в строй, старательно марширует, задирая свои длинные ноги. У него получается быстрее, чем у остальных, они начинают мельтешить, чтобы не отстать.

Офицер. Schneller! Schneller!*

Царь Петр. Сказано «шнелля», олухи! Нарочно вы, что ли?! Поспевай за мной!

Все очень стараются маршировать вместе с царем, у них даже начинает получаться.

Царь Петр. Гляди, капитан! Вот как надо!

Недоросль спотыкается, падает.

Офицер. Нет, херр Питер, так не надо. Muss man Geduld haben**. Я говориль. Не фсё зразу.

Петр впадает в ярость. Кидается к упавшему, начинает колотить его тростью, входя все в больший раж. Колотит по голове и куда придется.

Царь Петр. Меня позорить? Перед немцем позорить? Ты нарочно, нарочно! Убью!

Появляется **Борис Голицын**. Подбегает, удерживает царя за плечи.

Борис Голицын. Бить бей, но убивать-то зачем? Всех дураков убить — без народа останешься. Петр Алексеич, остынь... (*Машет офицеру.*)

Офицер (*громким шепотом*). Gerade-aus! Schneller! Links! Links!

---

* Быстрей! Быстрей!
** Нужно терпение.

ВТОРОЙ АКТ

Потешные поспешно утопывают за кулисы, за ними убегают флейтист с барабанщиком. Последним, охая, ковыляет недоросль.

Царь Петр. Дубины... Олухи... Мякинные мозги... Ненавижу! Мякоть русскую ненавижу! Простое дело — в ногу ходить... Не могут! Гурьбой валить, лясы точить, дрыхнуть до обеда — это у них всегда... Стадо баранов! Борис, почему у меня народ такой? За какие грехи?

Борис Голицын. Петр Алексеич, ты как мой братец Василий-то не будь. Это ему народ нехорош — глуп, темен, пуглив. А нам с тобой в самый раз. Ему одного только не хватает, народу нашему.

Царь Петр (*понемногу успокаиваясь*). Чего?

Борис Голицын. А вот этого самого. К чему ты их приучаешь.

Царь Петр. В ногу ходить?

Борис Голицын. Ну да. Представь себе, что вся Россия в ногу затопает: левый-правый, левый-правый. Это ж зем-

ля содрогнется, Европа съежится. Народу порядок нужен. Правила. Железные. Если у стада баранов хорошие овчарки, это называется армия. А с хорошим пастухом — великая держава. Империя.

Ц а р ь П е т р. Я порядок люблю. Чтобы всё правильно! Всё как положено! Чтоб каждый на своем месте! Чтоб дома в ряд, и внутри домов чтоб всё по правилам, и чтоб одежда какая указано, и работа, и веселье — всё! И чтобы дури в головах не было, а одна только польза! Государева польза!

Б о р и с Г о л и ц ы н. Ну, в головы и в сердца ты к ним не залезешь... И зачем? В головах у них ничего интересного нет, и не надо нам, чтоб было. А сердца... Вот Василий мучается, что он людишкам жизнь легче сделал, а они его не любят. Это потому, что Василий хоть и умник, а ни черта не понимает. Народ у нас разве за это любит?

Ц а р ь П е т р. А за что?

Б о р и с Г о л и ц ы н. Тебя учителя учили, в чем веселие Руси?

Ц а р ь П е т р. «Веселие Руси есть пити и не может без того быти». Владимир Красное Солнышко сказал.

Б о р и с Г о л и ц ы н. Дурак он был, а не солнышко. Потому и Киев не устоял, сгинул. А Москва не сгинет. Веселие Руси, государь, есть величие. Наш русак будет в дырявой избе сидеть, сухой коркой кормиться, лупи его кнутом, детей отбери — но если дашь ему величие, всё тебе простит. И за величие тебя полюбит.

Ц а р ь П е т р *(сдергивает с головы шапку, машет ей)*. Я дам России величие! Чего-чего, а величие дам!

Ж е н с к и й г о л о с. Петруша, шапку надень!

Ц а р ь П е т р *(отмахиваясь)*. Ай, матушка! *(Борису.)* Нет от бабья покоя! Мать дура, жена дура, а хуже всех Сонька.

Б о р и с Г о л и ц ы н. Ну, она-то не дура...

Ц а р ь П е т р. Ненавижу! Ты говорил, недолго уже ждать.

Б о р и с Г о л и ц ы н. Недолго. Сказано тебе: «не фсё зразу». Скоро твоя будет Россия. Увидишь.

Ц а р ь П е т р. Да как? Откуда? У Соньки всё: стрельцы, пушки, казна. А у меня только дурни потешные... *(Кивает туда, откуда доносится звук флейты и барабана.)*

ВТОРОЙ АКТ

Же н с к и й г о л о с. Петруша, шапку!

Б о р и с Г о л и ц ы н. У царевны Софьи разум отдельно, кулак отдельно. Разум — мой брат, мечтатель расчудесный. Кулак — Федор Шакловитый, чугунная башка. Наше дело — подождать, когда кулак у разума из повиновения выйдет и дров наломает. Увидишь, всё само сладится.

Ц а р ь П е т р. Ждать, ждать... Не могу больше ждать... Не хочу... Мне семнадцать лет уже!

Же н с к и й г о л о с. Петруша, головку напечет!

Ц а р ь П е т р. Ну тебя, надоела! *(Смотрит за кулисы.)* В ногу, сволочи, в ногу!

Убегает, замахиваясь тростью. Борис Голицын бежит за ним.
Занавес раздвигается.

Картина седьмая

ЦАРСКИЕ ПОКОИ В ПРЕОБРАЖЕНСКОМ

Деревянные, обветшавшие палаты. На сцене две царицы — одна средних лет, Н а т а л ь я К и р и л л о в н а, мать Петра, другая совсем девочка, его жена Е в д о к и я. Обе празднично одеты, набелены, нарумянены. Стоят около стола, на котором разложены подарки.
Из окна доносятся звуки флейты, стучит барабан.

Ц а р и ц а Е в д о к и я *(достает из коробки зеркало на подставке).* Ой, матушка, гляди, какая красота! Это мне английские купцы прислали!

С удовольствием смотрится в зеркало.

Ц а р и ц а Н а т а л ь я. Дай-ка сюда, Евдокеюшка... *(Отбирает зеркало, разглядывает себя, поправляет кику.)* Ай, хо-

рошее зеркало, ласковое. Молодит. Возьму. На что тебе молодиться, ты и так молода...

Царица Евдокия. Матушка, Наталья Кирилловна! Ты уже забрала веницейское кружево, перламутровый гребень, горностаевую полушубку. Зеркало хоть оставь!

Пробует отобрать зеркало обратно.

Царица Наталья. Не навсегда беру. На время. Помру — всё тебе достанется.

Царица Евдокия (со вздохом). Бери, что ж. Может, зеркало мне тоже приснилось...

Царица Наталья. Опять она про сон! Сколько можно?

Царица Евдокия. А то не сон? Была я девушка как девушка, звали Парашей Лопухиной, жила себе с отцом-матерью. Вдруг увезли из дома в царские палаты, стали мять-щупать, одевать-раздевать, будто куклу. Сказали: будешь царицей всея Руси. Повенчали с каким-то. Первый раз его в церкви увидела. А он мальчишка совсем, на три года младше, пух на губе. Слюной брызжет, дергается, табачным зельем пахнет... Говорят: ты теперь не Прасковья Илларионовна, дворянская дочь. Ты теперь Евдокия Федоровна, царица. А кто это — «Евдокия Федоровна, царица»? Может, и не я вовсе. Может, снится мне всё...

Царица Наталья. Дура! Ущипнуть, чтоб проснулась?

Щиплет.

Царица Евдокия. Ай!

Царица Наталья. Проснулась наконец? Или еще хочешь?

Царица Евдокия (потирая ущипленное место). Проснулась... Ну а коли я не сплю и я вправду царица, отдавай назад мои подарки! (Хватает со стола зеркало.) Я при живом царе царица, а ты кто? Вдова? Так ступай в монастырь, иконам молись! Зачем тебе зеркало? И гребень отдавай! И полушубку!

Женщины тянут подарки каждая в свою сторону.

ВТОРОЙ АКТ

Г о л о с и з - з а с ц е н ы *(торжественный)*. К ее царскому величеству государыне Евдокии Феодоровне начальник Стрелецкого приказа окольничий Федор Шакловитый!

Ц а р и ц а Н а т а л ь я *(пятится в страхе)*. Федька Шакловитый, душегуб! Что ему здесь надо?! Он семь лет назад братьев моих сгубил, Афоню и Ваню! Стрельцов на них натравил! Он и моей смерти хочет! Ты его бойся! При нем не бранимся!

Обе садятся, принимают чинные позы. Входит Ш а к л о в и т ы й, кланяется. Зорко смотрит вокруг.

Ш а к л о в и т ы й. Здоровы ли ваши царские величества? От государыни правительницы Софьи Алексеевны царице Евдокии Федоровне многая лета и подарок ко дню ангела. *(Щелкает пальцами. Появляется Трехглазов, подает ему икону.)* Икона святой преподобномученицы Евдокии, которой латинские язычники отсекли голову.

Идет, подает Евдокии икону. Евдокия вжимается в кресло, икону скорее откладывает в сторону. Шакловитый снова делает знак — Трехглазов дает ему сверток, перевязанный лентой.

Ш а к л о в и т ы й *(царице Наталье)*. Есть подарок и для тебя, Наталья Кирилловна. Государыня жалует тебя приличным твоему сану облачением. *(Вынимает из свертка монашескую рясу.)* Стало Софье Алексеевне ведомо, что ты собралась в монастырь. Что ж, дело благое, божеское. Да и пора.

Царица Наталья вскакивает, пятится к окну.

Ц а р и ц а Н а т а л ь я. Петруша! Петруша!

Флейта и барабан смолкают. Шакловитый спокойно оборачивается к кулисам, откуда выбегает Петр.

П е т р. Что, матушка? *(Видит Шакловитого. Застывает.)* Ты?! Что?! Зачем?

Ц а р и ц а Н а т а л ь я. Петя, они меня в монастырь! Петя!

Ш а к л о в и т ы й *(небрежно поклонившись)*. Здравствуй, Петр Алексеевич. Что это ты немцем вырядился? Нехорошо.

Мои стрельцы недовольны. Говорят, младший царь нас, русских воинов, не любит, ему немецкие штуки по нраву. Сам знаешь, какие они — стрельцы. Я хоть над ними начальник, а сам их боюсь. Взбесятся — не удержишь. Помнишь, как они во дворец ворвались? Как дядьев твоих растерзали? Не приведи господь сызнова такое случится. Сделай милость, твое величество, послушай совета верного слуги. Облачись-ка ты в наше, русское платье да пожалуй со мной в Москву. Объедем с тобой полки, скажешь стрельцам ласковое слово, одаришь их зеленым вином. Глядишь, они и успокоятся...

Слушая Шакловитого, Петр начинает судорожно дергаться — всё заметнее, всё сильнее.

ВТОРОЙ АКТ

П е т р *(фальцетом, захлебываясь от ярости)*. Ты... мне... указывать?! Ты мне — стрельцами угрожать?! Пес, пес! Маленького меня не добили, теперь хотите?! Да я теперь не тот... Не тот!

Ш а к л о в и т ы й *(спокойно, с усмешкой)*. Не кот? Конечно, ты не кот. Коли я пес, то ты — котенок.

П е т р *(оборачиваясь)*. Эй, преображенцы! Сюда! Ко мне!

Вбегают двое дюжих молодцов в таких же, как у Петра, кафтанах, с белыми портупеями крест-накрест.

П е т р. Взять его, вора! Связать! В подвал его! В темницу!

Ш а к л о в и т ы й. Государь, ты в своем уме?

Он отступает.

Петр (*задыхаясь*). Ку...куда? Ку...да? Взять!

Потешные хватают Шакловитого под руки.

Шакловитый. Раскудахтался, петушок! В Москве стрельцов двадцать тысяч. Они тут камня на камне не оставят. Разнесут твой курятник вместе с цыплятами!

Петр. Я... петушок?! Ты это... мне... царю?! Руби его, ребята! Я сам... сам...

Хочет вытащить шпагу, но у него начинается припадок. Петр рвет на себе ворот, хрипит, валится, бьет каблуками по полу.
Евдокия визжит.

Царица Наталья. Опять! Опять! Петенька!

Кидается к сыну, но не может его удержать.
Трехглазов, который до сих пор стоял неподвижно, подходит к преображенцам.

Трехглазов. Что стоите, дурни? Держите царя, пока он себя не покалечил.

Потешные бросаются к Петру, а Трехглазов хватает Шакловитого за руку и тащит прочь. Они исчезают под бессвязные вопли Петра, визг царицы Евдокии и причитания царицы Натальи.

Картина восьмая

У ЦАРЕВНЫ СОФЬИ

Ночь. Гроза. Время от времени раскаты грома, вспышки молний, порывы ветра, шум ливня.
Раздвигается занавес. С о ф ь я, В а с и л и й Г о л и ц ы н, Ш а к л о в и т ы й и Т р е х г л а з о в точно в таком же положении, как в пятой картине, только тогда был день, а сейчас горят свечи: царевна во главе стола, министры напротив друг друга, охранник поодаль, за спиной у князя.

ВТОРОЙ АКТ

Василий Голицын. А теперь, Федор Леонтьевич, я тебе скажу то же, что ты мне говорил давеча. Ты не чересчур нас пугаешь?

Шакловитый. Какое чересчур! Ты бы его лицо видел! Звереныш лютый. Кабы не твой человек, князь, изрубили бы меня на месте. Решать надо. И быстро. Промедлим — будет поздно. Дело к крови идет. К большой крови. И чем дольше протянем, тем обильней она прольется... Иначе скажу. Тут решается, *чья* кровь прольется: его или наша.

Василий Голицын. Опомнись, Федор! Ты о чьей крови говоришь? О царской! И кто он? Мальчишка. Что он может? Какая у него сила? Две сотни потешных? И не забывай. Мы не злодеи, не заговорщики. Мы — закон. Мы — государство.

Шакловитый. Хорошо тебе проповеди читать. Ты — князь Голицын, тебе голову с плеч не снимут. А меня в пытошный застенок кинут, на дыбе изломают и потом — под топор. Ну да я не овца, я так запросто не дамся! Царевна, я сегодня верных командиров собрал. Все заодно, все готовы, ничего не устрашатся. Только прикажи.

Софья сидит неподвижно, смотрит на Шакловитого, потом на Василия Голицына.

Шакловитый. Василий Васильевич, ты о России красно говоришь, сулишь ей процветание. Сядет Петр — ничему этому не быть. Он черт полоумный! Возьмет власть — всю Красную площадь уставит плахами, по крепостным стенам стрельцов развесит! Будет снова, как при Иване Грозном!

Василий Голицын. На душегубстве процветания не построишь. Годунов уже пробовал — после того, как убил царевича Дмитрия. Сам знаешь, чем кончилось. Только душу свою погубил, измаялся и сгинул.

Шакловитый. Государыня, твое слово! Яви твердость. Петр-то тебя не пожалеет. Запрёт до конца дней в темницу, уморит, не выпустит. По мне, так лучше под топор. Неужто ты не понимаешь: или ты его, или он тебя, третьего не будет. Ты мне ничего такого не приказывай. Только скажи: «Действуй,

Федор, как считаешь нужным». Сам исполню, у меня уж всё готово. Рассказать? ...Да скажи ты хоть что-нибудь!

С о ф ь я *(вдруг повернувшись к Трехглазову)*. А что ты про это думаешь?

Т р е х г л а з о в. ...Три года стояла наша артель лагерем на берегу реки Амур. Хорошо там было, укромно. Много птицы, рыбы, травяные луга. Одна беда — пропасть гадюк. Всех лошадей перекусали. А лошади в Сибири дороги.

Ш а к л о в и т ы й. Нашел время сказки рассказывать.

С о ф ь я. Погоди, Федор Леонтьевич. Ну?

Т р е х г л а з о в. Били мы змей, били, да всех не изведешь. И вот как-то иду я по тропе. Вижу — змееныш. Маленький еще, небыстрый. Пасть разевает, а зубчонки в ней крохотные. Вроде дитя, а вырастет — не дай бог.

С о ф ь я. И что?

Т р е х г л а з о в. Раздавил, конечно. Не оставлять же в живых, чтоб он клыки отрастил и ядом налился?

В а с и л и й Г о л и ц ы н. Человек, тем более царь — не змееныш.

Т р е х г л а з о в. Человек, тем более царь — много опасней змееныша.

Ш а к л о в и т ы й. Ты его слушай, Василий Васильевич. Он у тебя золото. Наконец подле тебя есть человек дела, а то были одни говоруны. Ты хочешь дивный град построить в белой одежде? Так не бывает. Строят в пыли и грязи, это уж потом отмываются и наряжаются. Не больно-то ты и запачкаешься, князь. Без тебя всё устроится. А вот охранника своего мне дай, он мне пригодится. *(Встает, подходит к Трехглазову.)* Аникей, мои стрельцы-молодцы боевиты, да не тороваты, а ты человек ловкий, бывалый. Сможешь ты убить змееныша, чтоб не выскользнул?

Т р е х г л а з о в. Князь велит — убью.

Ш а к л о в и т ы й. Тогда дело выйдет чисто! *(Оборачивается к царевне.)* Слушай, государыня, как оно устроится. Аникей отправится туда, придавит змееныша. А я подниму стрельцов по тревоге. Объявлю, что злые люди в Преображенском убили царя Петра. Придем, всех Нарышкиных с потешными вырежем. А коли Аникей промахнулся, прикончим и мальчишку. Деться ему будет некуда, а стрельцам отступать поздно. Замысел верный, царевна, осечки не будет. Только головой кивни!

Т р е х г л а з о в. Я служу не царевне. Я служу князю.

Все смотрят на Василия Голицына. Он молчит.

Ц а р е в н а С о ф ь я. Выйдите оба. Оставьте меня с князем Василием.

Шакловитый, оглядываясь на каждом шагу, выходит. Трехглазов уходит, не оборачиваясь.

Ц а р е в н а С о ф ь я. ...Вася, помнишь, как ты со мной тогда говорил, семь лет назад... Тоже всё решалось. Подниматься мне против Нарышкиных или нет. Оставаться девкой-царевной в светелке или драться за власть... Я плакала, боялась — как это: мне — и власть? Ты помнишь?

В а с и л и й Г о л и ц ы н. Еще бы не помнить. Ты была совсем девочка, у тебя дрожали губы. Мое сердце разрывалось от жалости. Но отступиться было нельзя. Нарышкины, прощелыги, растащили бы, развалили бы страну.

Ц а р е в н а С о ф ь я *(подходит к нему)*. Я говорила тебе, что не сумею править. Что я не знаю — как это: править. Помнишь, что ты мне сказал? Ты сказал: «Власть — это очень трудно, но и очень просто. Нужно перестать думать о себе, вот и всё. Твое тело — вся страна. Ее лихорадит — тебя лихорадит. Ей больно — тебе больно. Твоя душа — народ. Он спасется — и она спасется. Он погибнет — и она погибнет». Вот как ты тогда мне сказал. А сейчас ты боишься погубить душу. Где твоя душа, Вася? Какая она? Здесь, маленькая? *(Касается его груди.)* Или там, большая? *(Делает широкий жест рукой.)*

Удар грома. Василий Голицын молчит, опустив голову.

Ц а р е в н а С о ф ь я *(жалобно)*. И что делать мне? Кто я? Правительница, на плечах которой держава на тысячи верст, от Шведского моря до Китайского океана? Или я баба, которой твоя маленькая душа дороже всего на свете? Скажи мне, Вася. Как тебе лучше, так я и сделаю.

Голицын молчит.

Ц а р е в н а С о ф ь я. ...Только ведь разлучат нас. Никогда больше не свидимся. Ты часто говоришь: история, история. Кем мы с тобой останемся в истории? Правительница с любовником, которые не удержали ни своей страны, ни своей любви. Говори, Вася. Не молчи.

Голицын молчит.

Ц а р е в н а С о ф ь я. Я поняла про власть еще одно, чего ты мне тогда не договорил. Потом сама дошла. Правитель — тот, кто способен решиться на страшное. И большая душа, душа державы, для него важнее собственной. А если своя душа дороже — лучше уйди. Но я не уйду. И ради державы, и ради нас с тобой. Не говори ничего своему Трехглазову. Обойдемся без него. Бог даст, стрельцы и так управятся. Не мучай себя, Вася. Сбереги свою душу. Я знаю: ты себя после изгрызешь. Не надо. Я все возьму на себя. А на том свете уж — как выйдет. То ли простит меня Бог, то ли нет. Его воля.

В а с и л и й Г о л и ц ы н *(подняв голову).* Нет! Вместе так вместе!

Порыв ветра, распахивается окно. Врываются звуки бури. Свечи гаснут. На сцене становится темно.

Картина девятая

В ПРЕОБРАЖЕНСКОМ. НА ПРУДУ

Вечер. Б о р и с Г о л и ц ы н и П е т р на пруду, около причала, возятся с лодкой. Борис Голицын держит в руках штурвал, Петр глядит в чертеж.

П е т р. Как же его сажают?
Б о р и с Г о л и ц ы н. Пойдем, государь, спать. Поздно.

ВТОРОЙ АКТ

Петр. Какое спать? Гляди, какую красоту мне изготовил мастер Краузе! Настоящий штурвал! Хоть на фрегат ставь! Давай его сюда!

Берет штурвал, пробует установить.

Борис Голицын. Это лодка старая, негодная. И здесь, на пруду, не расплаваешься. Поедем на Плещеево озеро — там попробуем. А после станем настоящие фрегаты строить. И не только фрегаты. Заведем трехпалубные корабли, стопушечные. А ну, поберегись, Турция! Посторонись, Европа! Дорогу российскому флагу!

Петр. И ка-ак вдарим по ним из всех орудий! Дадах! Дадах!

Борис Голицын. Не посторонятся, так и вдарим.

Петр. И столицу поставлю новую на море, на пустом берегу! Ненавижу Москву, деревянную, бестолковую, шушу по углам! Поставлю город такой, какой надо — правильный. Чтоб весь квадратами, по регла́менту! Буду там жить!

Борис Голицын. Твоя воля, государь. Как прикажешь, так и будет. Страна как корабль: куда захочет капитан, туда и поплывет.

Петр заканчивает укреплять штурвал.

Петр. Команда, слушай капитана! Поднять штандарт! Полный вперед! Пушки, пли!

Выстрел. Петр падает из лодки. Поднимается. Делает несколько шагов вперед. Снова падает.
Из-за кулис появляется Трехглазов. Прячет за пояс пистолет.

Борис Голицын. Ааа! Государь! Петруша! *(Кидается к Петру. Потом оборачивается к убийце. Бросается на него.)* Ты на кого руку поднял! Злодей!

Трехглазов взмахивает плеткой, захлестывает Голицыну шею, рывком валит на пол. Бьет по голове.

Трехглазов. Лежи тихо, боярин. Тебя убивать не велено.

Подходит к Петру. Достает из-за пояса второй пистолет. Царь пробует приподняться, закрывается рукой. Трехглазов стреляет ему в голову.

Трехглазов. Ну вот. Теперь не ужалит.

Неторопливо, спокойно уходит.
Борис Голицын со стоном встает. Шатаясь, подходит к убитому. Опускается на колени.

Борис Голицын. Господи! Убит, убит... И ничего не будет. Ничего, о чем мечтали... Ни флота. Ни побед. Ни окна в Европу. Ни правильной столицы на морском берегу. Ни империи... Не быть России великой... *(Горько рыдает.)*

Занавес у него за спиной закрывается. Сгущается тьма. Луч прожектора направлен на мертвого Петра и скорбящего боярина. Звучит траурная музыка.
Прожектор гаснет. Пауза. Должно быть полное ощущение, что спектакль закончен.

Голос Софьи. А на том свете уж — как выйдет. То ли простит меня Бог, то ли нет. Его воля.
Голос Василия Голицына. Нет! Вместе так вместе!

Рев ветра. Звук распахнувшегося окна.

Картина десятая

У ЦАРЕВНЫ СОФЬИ

Занавес открылся. Время вернулось назад.
На сцене темно. Воет ветер. Потом слышно, как закрывают окно. Шум бури становится тише. Потом вспыхивает огонек. Зажигаются одна за другой свечи.
Окно закрыл Василий Голицын. Свечи зажгла Софья.
Продолжается ранее прерванная сцена.

═══════════════════════════════════

ВТОРОЙ АКТ

Ц а р е в н а С о ф ь я. Так ты согласен? Согласен?

В а с и л и й Г о л и ц ы н. На что согласен? Чтоб я отошел в сторону и умыл руки? А ты взяла весь грех на себя? И кто я после этого буду? Как мне потом жить? Нет!

Ц а р е в н а С о ф ь я. «Кто *я* буду». «Как *мне* жить». О себе думаешь? Не о стране, не о народе? Не обо мне?

В а с и л и й Г о л и ц ы н. О тебе, о нас с тобой... Я не так тебя учил. Я ошибался. Душа не бывает ни маленькой, ни большой. Она — душа. И не надо себя обманывать. Нет на свете ничего, ради чего можно сломать свою душу. Евангелие помнишь? «Какая польза человеку, если он обретет весь мир, а душу свою погубит? И какой выкуп даст человек за душу свою?» Нет уж. Что случится, то случится. И если нам с тобой не судьба быть вместе на этом свете, на том нас никто не разлучит.

Ц а р е в н а С о ф ь я *(тихо)*. Пусть будет, как для тебя лучше...

Обнимаются.

Картина одиннадцатая

СНОВА В ПРЕОБРАЖЕНСКОМ. НА ПРУДУ

Всё в точности так же, как было в начале девятой картины. Б о р и с Г о л и ц ы н и П е т р на пруду, около причала, возятся со старой лодкой. Борис Голицын держит в руках штурвал, Петр глядит в чертеж.

П е т р. Как же его сажают?

Б о р и с Г о л и ц ы н. Пойдем, государь, спать. Поздно.

П е т р. Какое спать? Гляди, какую красоту мне изготовил мастер Краузе! Настоящий штурвал! Хоть на фрегат ставь! Давай его сюда!

Берет штурвал, пробует установить.

Б о р и с Г о л и ц ы н. Это лодка старая, негодная. И здесь, на пруду, не расплаваешься. Поедем на Плещеево озеро — там попробуем. А после станем настоящие фрегаты строить. И не только фрегаты. Заведем трехпалубные корабли, стопушечные. А ну, поберегись, Турция! Посторонись, Европа! Дорогу российскому флагу!

П е т р. И ка-ак вдарим по ним из всех орудий! Дадах! Дадах!

Б о р и с Г о л и ц ы н. Не посторонятся, так и вдарим.

П е т р. И столицу поставлю новую на море, на пустом берегу! Ненавижу Москву, деревянную, бестолковую, шушу по углам! Поставлю город такой, какой надо — правильный. Чтоб весь квадратами, по регламе́нту! Буду там жить!

Б о р и с Г о л и ц ы н. Твоя воля, государь. Как прикажешь, так и будет. Страна как корабль: куда захочет капитан, туда и поплывет.

Петр заканчивает укреплять штурвал.

П е т р. Команда, слушай капитана! Поднять штандарт! Полный вперед! Пушки, пли!

Из-за кулис выбегает Т р е х г л а з о в.

Т р е х г л а з о в. Государь! Беда! Из Москвы стрельцы идут! Их послал Шакловитый тебя убить! Спасайся!

П е т р. Аааа! Что...? Борис...! Куда...? В Троицу! Отсидеться! Борис, коня!

Мечется. Борис Голицын хватает его, удерживает.

Б о р и с Г о л и ц ы н. Погоди, государь... Ты кто такой? Я тебя видел! Ты человек Василия!

Т р е х г л а з о в. Я человек сам по себе.

Б о р и с Г о л и ц ы н. А далеко стрельцы?

Т р е х г л а з о в. В набат бьют.

Б о р и с Г о л и ц ы н. Ну, это долго еще. Чай не немцы, быстро не запрягут. *(Хлопает себя по боку.)* А ведь это удача! Ай, славно!

ВТОРОЙ АКТ

П е т р. Какая удача?! Ты что? Меня убить хотят!

Б о р и с Г о л и ц ы н. Хотят, да не убьют. Время есть, государь. Сейчас соберемся, поедем в Троицу, под защиту крепких стен. Оттуда на всю страну объявим, что Софья хотела извести царя Петра Алексеевича, что ты еле-еле спасся, вскачь. Теперь царевне конец. На законного государя поднялась. Наша взяла. Россия твоя, государь!

П е т р. Да?

Б о р и с Г о л и ц ы н. Уж не сомневайся. Всё будет. Всё, о чем говорили. И флот, и победы, и новая столица на привольном берегу. Ты будешь Петром Великим. Россия будет великой!

П е т р. Я буду великим? Петром Великим?

Б о р и с Г о л и ц ы н *(Трехглазову).* Ты почему не с Василием, а со мной?

Т р е х г л а з о в. Я как вода. Вода вверх не течет. Лучше с тобой кое-как, чем с ним — никак.

П е т р. Я буду великим! Россия будет великой! Ура-а-а!

Петр расправляет плечи. Поднимает руку, в которой свернутый чертеж. Другой держится за штурвал. Лодка вдруг начинает подниматься вверх, Петр застывает и превращается в памятник Церетели.
Звучит победный марш, гремят пушечные залпы.

ЗАНАВЕС

СОДЕРЖАНИЕ

Седмица Трехглазого

СЕДМИЦА ТРЕХГЛАЗОГО

Роман-календариум

Понеделок. Бабочка 7

Вторник. Сыск без зазора 32

Середа. У шведов 83

Четверток. Великое государево дело 108

Пятница. Встреча с Сатаной 133

Суббота. Божий промысел 160

Воскресенье. Ну и аминь 215

УБИТЬ ЗМЕЕНЫША

Пьеса в двух актах

Первый акт 247

Второй акт 280

Литературно-художественное издание

История Российского государства

16+

Борис Акунин

СЕДМИЦА ТРЕХГЛАЗОГО

Роман, пьеса

Редакционно-издательская группа
«Жанровая литература»

Зав. группой *М.С. Сергеева*
Ответственный за выпуск *Т.Н. Захарова*
Дизайн обложки *К.С. Парсаданян*

Подписано в печать 28.04.2017 г.
Формат 70×100 $^1/_{16}$. Усл. печ. л. 24,51.
Тираж 53000 экз. Заказ № 4077.

ООО «Издательство АСТ»
129085, г. Москва, Звездный бульвар, д. 21, стр. 3, комн. 5

Наш электронный адрес: www.ast.ru
E-mail: zhanry@ast.ru

«Баспа Аста» деген ООО
129085 г. Мәскеу, жұлдызды гүлзар, д. 21, 3 құрылым, 5 бөлме
Біздің электрондық мекенжайымыз: www.ast.ru
E-mail: zhanry@ast.ru

Қазақстан Республикасында дистрибьютор
және өнім бойынша арыз-талаптарды кабылдаушының
өкілі «РДЦ-Алматы» ЖШС, Алматы к., Домбровский көш., 3«а», литер Б, офис 1.
Тел.: 8(727) 2 51 59 89,90,91,92, факс: 8 (727) 251 58 12 вн. 107;
E-mail: RDC-Almaty@eksmo.kz
Өнімнің жарамдылық мерзімі шектелмеген.

Өндірген мемлекет: Ресей
Сертификация карастырылмаған

Отпечатано с готовых файлов заказчика
в АО «Первая Образцовая типография»,
филиал «УЛЬЯНОВСКИЙ ДОМ ПЕЧАТИ»
432980, г. Ульяновск, ул. Гончарова, 14

Представляем проект
БОРИСА АКУНИНА
«История Российского государства»

Семнадцатый век представляется каким-то потерянным
временем, когда страна топталась на месте,
но в истории Российского государства этот отрезок
занимает совершенно особое место, где спрессованы
и «минуты роковые», и целые десятилетия неспешного
развития. Наиболее тугим узлом этой эпохи является Смута.
Это поистине страшное и захватывающее зрелище —
сопоставимый по масштабу кризис в России повторится
лишь триста лет спустя, в начале XX века.
Там же, в семнадцатом веке, нужно искать корни некоторых
острых проблем, которые остаются нерешенными
и поныне.
Книга «Между Европой и Азией» посвящена истории третьего
по счету российского государства, возникшего в результате
Смуты и просуществовавшего меньше столетия — вплоть
до новой модификации.